A*t*V

TANJA DÜCKERS wurde 1968 in Berlin geboren. Sie studierte Germanistik und Nordamerikanistik an der FU in Berlin. Längere Aufenthalte in den USA, Amsterdam und Barcelona. Journalistische Arbeiten für Zeitungen und Zeitschriften. Mehrere Preise und Stipendien. Sie lebt in Berlin.

Veröffentlichungen: »Spielzone« (Roman, 1999); »Café Brazil« (Erzählungen, 2001); »Luftpost. Gedichte Berlin–Barcelona« (2001); »Himmelskörper« (Roman, 2003) sowie zahlreiche Beiträge in Anthologien und Literaturzeitschriften.

Mitherausgeberin der Anthologie »Stadt Land Krieg. Autoren der Gegenwart erzählen von der deutschen Vergangenheit« (2004).

Sie ist durchscheinend, aber nicht durchsichtig, jene Wolkenart, nach der Freia den Himmel absucht. Der jungen Meteorologin fehlt das Bild dieser Wolke für ihren Wolkenatlas, ein ehrgeiziges Projekt, mit dem sie sich bereits einen Namen macht. Als Freia bei einer Zugfahrt unwillkürlich zum Himmel blicken will, bemerkt sie unverhofft auf dem Bahnsteig ihre Mutter. In fremder Umgebung wirkt auch sie fremd, und Freia fragt sich, ob sie wirklich die verhuschte Person ist, die sie zu kennen glaubt. Gab es nicht verschwiegene Reisen nach Polen, war da nicht eine stille Jugendliebe? Jetzt, da Freia selbst ein Kind erwartet, sieht sie sich und ihren Zwillingsbruder stärker in einer Generationenfolge. Und als sie wenig später den Haushalt der Großeltern auflösen, scheint aus deren Andeutungen von Krieg und Flucht aus Westpreußen über die Ostsee und aus dem Inhalt verstaubter Kartons ein Familiengeheimnis durch, das sie ergründen müssen, um sich davon zu befreien.

»Tanja Dückers hat ein perfektes Buch geschrieben. … Indem sie das Familiengeheimnis nur Stück um Stück preisgibt, erzeugt sie einen Erzählsog, dem man sich nicht entziehen kann.«                    *Hansjörg Schertenleib*, Die Weltwoche

# Tanja Dückers

# Himmelskörper

Roman

Aufbau Taschenbuch Verlag

Dies ist ein Roman. Namen, Gestalten und Begebenheiten sind Erzeugnisse der Phantasie der Autorin. Historische Persönlichkeiten und Ereignisse sind ebenfalls fiktiv verwendet. Die Handlung ist keine Darstellung tatsächlicher Vorgänge, und es handelt sich nicht um Portraits realer Personen. Eventuelle Übereinstimmungen oder Ähnlichkeiten zu Personen und Ereignissen sind rein zufällig.

ISBN 3-7466-2063-5

2. Auflage 2005
Aufbau Taschenbuch Verlag GmbH, Berlin
© Aufbau-Verlag GmbH, Berlin 2003
Umschlaggestaltung gold, Fesel/Dieterich
unter Verwendung eines Fotos von Ute Henkel
Druck Oldenbourg Taschenbuch GmbH, Plzeň
Printed in Czech Republic

www.aufbau-taschenbuch.de

# Inhalt

»Geliebte Wega – rast uns mit fünfundsiebzigtausend Stundenkilometern entgegen, vielleicht platzt sie eines Tages in unser System hinein und kreist dann mit unserer Sonne rings um die gemeinsame Gravitationsmitte. Es wird wunderbar sein, zwei Sonnen zu sehen ...«
*Stanisław Ignacy Witkiewicz, »Das Geheimnis eines Septembermorgens«*

»[...] die allgemeine Subordination ging so weit, daß ein Sonnenaufgang ohne Weckruf in diesem Staate keine Gültigkeit hatte.«
*Stanisław Lem, »Die erste Reise«*

»Der Sonnenuntergang ist schön, aber mein fester Wille, von Tag zu Tag härter geworden, sagt mir, daß es nun genug ist, daß man den Anblick nicht in die Länge ziehen darf, man sollte sich jetzt umdrehen und den Hügel hinabsteigen.«
*Edward Stachura, »Ein lichter Aufenthalt am Fluß«*

»Im besonnten Berghang klafft plötzlich eine kohlschwarze Höhle. Der Führer steckt Kerzen an. [...] Warum wurde gerade dieser Ort zur Wiege des Himmelsgottes auserwählt? Hätte er nicht vielmehr auf einem Berggipfel geboren werden müssen oder in einem weiten, sonnenerfüllten Tal? Warum wurde sein Ursprung in die Tiefe einer Höhle verlegt?«
*Zbigniew Herbert, »Versuch, die griechische Landschaft zu beschreiben«*

»›Vielleicht beschert uns der liebe Gott noch irgendeinen Krieg‹, griff der Bauer seufzend ein anderes Thema auf und sah zum Himmel, mit der Reflexbewegung des Landwirts, der voraussehen möchte, was das Morgen bringt: Regen? Gutes Wetter?«
*Józef Mackiewicz, »Requiem auf ein Land«*

# I

# Bahnsteig, abends

Ich hatte das Foto nicht dabei. Unruhig durchwühlte ich meine Reisetasche, durchblätterte einen Notizblock, eine Zeitung, schlug meinen Paß auf, suchte zwischen Bahn-Card und Bibliotheksausweis, zwischen Thermoskanne und getrockneten Früchten das kleine Schwarzweißbild, das ich gestern aus dem Foto-Schuhkarton genommen und auf meinen Schreibtisch gelegt hatte. Ich biß mir vor Wut auf die Lippen. Als ich den Kopf hob, begegnete ich dem Blick eines stark geschminkten jungen Mädchens, der nicht Mitleid, sondern Verachtung ausdrückte. Schließlich schlug ich den weißen Ordner mit den vielen Klarsichtfolien wieder auf, einen Ordner, der mich seit Jahren weite Reisen unternehmen ließ.

»EINE BITTE UM WOLKENBILDER. – Die Internationale Meteorologische Konferenz hat beschlossen, bei ihrem nächsten Treffen, 1894 in Uppsala, einen farbigen Wolken-atlas zu veröffentlichen, um die typischen Wolkenformatio-nen nach der Nomenklatur von Hildebrandsson und Aber-cromby darzustellen. Das mit der Durchführung betraute Komitee bittet um die Ausleihe von farbigen Zeichnungen oder Gemälden nach der Natur, damit die geeignetsten in dem Atlas repoduziert werden können. Solche Wolkenstu-dien können zur Beurteilung an das amerikanische Mitglied der Kommission geschickt werden, A. Lawrence Rotch, Blue Hill Observatory, Readville, Massachusetts. Sie wer-den den Verleihern in gutem Zustand zurückgegeben.«

Mit dieser 1892 im American Meteorological Journal er-schienenen Anzeige – nur ein typisches Beispiel von vielen ähnlichen Aufrufen – wollte ich morgen meinen Vortrag beginnen. Ich sortierte meine Notizblätter, die lose im hinteren Teil des Ordners gelegen hatten, auf meinem Schoß. Der Treibhauseffekt, die Klimaerwärmung würden natürlich ein Thema auf dem Kongreß sein, auch die Frage, wie man ohne Mitarbeit der USA an einem wirksamen Abkommen zur Reduktion der Luftverschmutzung arbeiten könnte. Es wurden Beiträge aus London, Rom, Kioto, Sydney und Wellington erwartet, auf die ich sehr gespannt war, aber auch Referenten wie Dr. Tuben aus Wien, der über »Esoterik und Exosphäre« sprechen würde, interessierten mich, weil sie unkonventionelle Ansätze versprachen.

Ich selbst wollte einen historischen Überblick über die verschiedenen Wolken-Klassifikationsmodelle geben, um anschließend ein leidenschaftliches Plädoyer für einen neuen, umfassenderen Wolkenatlas mit internationaler Beteiligung zu halten.

»237 Kilometer pro Stunde« verriet die flackernde Anzeige. Ein kleines Kind neben mir weinte im Rhythmus des schaukelnden Zuges vor sich hin. Der Papierstapel auf meinem Schoß zitterte.

»Goethe glaubte, die Anziehungskraft der Erde und die Elastizität der Luft bewirke die Formung des atmosphärischen Wasserdampfs zu wolkenartigen Gebilden«, las ich meine in der Unruhe der letzten Wochen niedergeschriebenen Zeilen, »diese Ansicht gab er erst auf, als er 1815 eine Übersetzung von Luke Howards Abhandlung gelesen hatte. Mit Howards neu eingeführten Wolkentypen: Stratus, Kumulus, Zirrus und Nimbus betitelte er vier Gedichte – unter dem Obertitel ›Howards Ehrengedächtnis‹.«

Mein Doktorvater Dr. Remler würde wenig Verständnis für meinen poetischen Exkurs aufbringen. War das nicht schon immer so gewesen? Im Studium hatte ich zur verachteten Minderheit gehört, die Dr. Tubens ausufernden, Kunst- und Kulturgeschichte und selbst Parapsychologie berührenden Gastvorträgen gelauscht hatte.

Einen Moment schaute ich aus dem Fenster: Stratocumulus, Fractocumulus, gemischt mit Altocumulus Castellanus, turmförmigen Haufenwolken, darunter geziegelte Häuschen, Felder, ein Traktor, winzige Menschen, die auf den Boden anstatt in den Himmel guckten; kleine Regentropfen fingen an, schräg das Zugfenster zu streifen.

Peter im blauen Overall, im Garten, Kirschen über die Ohrmuscheln gehängt, lachend. Mäxchen mit Krücken am Bleichen See, vermutlich im Gespräch mit Silberlügenaalen, sehr nachdenklich. Jo auf einer Anhöhe stehend, mit bunter Daunenjacke, eine Kamera in der Hand. Paul auf Peters Arm, ihn mißtrauisch beäugend: Ich starrte auf die Fotos, die ich aus dem zerschlissenen Umschlag, den ich auf jeder Reise dabeihabe, gezogen hatte. Ein Foto jeder Person. Das genügte. Ich besaß keine Alben zu Hause.

Ich blickte noch einmal auf das Bild von Peter mit den Kirschen über den Ohren und mußte wieder daran denken, wie mein Vater früher taubengraue Briefe an »Gott« geschrieben und ins Meer geworfen hatte. »Papa, was hast du denn Gott geschrieben?« fragten Paul und ich. Peter antwortete nur: »Das bleibt mein Geheimnis.« Nach dem Abendessen stand er oft auf und verschwand. Erst im Morgengrauen kehrte er mit zerzausten Haaren und Blättern an den Ärmeln seines wetterfesten Anoraks zurück. Manchmal erzählte er uns, er habe im Wald mit Elfen gesprochen. Und dann malte Peter diese Elfen für uns. Paul und ich stritten oft, wer denn diese Zeichnungen jetzt in seinem Zimmer anstelle der langweiligen Tierposter aus der Apotheke aufhängen durfte. Meine Mutter lachte nur, wenn wir sie baten, etwas für uns zu zeichnen. »Das kann ich nicht«, sagte sie verlegen. Nicht einmal Silberlügenaale wollte sie malen, dabei gab es doch wirklich nichts Einfacheres. Man brauchte nur einen silbernen Edding dafür. Sie glaubte immer, etwas nicht zu können.

Der Regen wurde stärker, und bald waren die Häuschen, die Felder und die Traktoren nur noch rote, gelbe und grüne Flecken, begleitet von einem beständigen Prasseln und Trommeln. Pe-ter. Pe-ter. Pe-ter. Peter, der Kopfschmerzen hat, den eine Wespe gestochen hat, der am Strand auf eine Qualle getreten ist. Der am ersten Urlaubstag in Dänemark alle mit seiner schlechten Laune quälte, weil er keinen Zigarettenautomaten neben der Blockhütte fand. Der seine lustigen Geschichten schrieb, bis man vor Müdigkeit, und weil auch Lachen auf die Dauer anstrengend ist, nicht mehr konnte.

Weder Paul, der aus dem Stegreif Geschichten erfinden konnte, noch ich, das Mathe-As und Knobeltalent, und schon gar nicht meine Mutter, von der jeder glaubte, sie und ihre Frauenzeitschriften, ihren Kräutergarten und ihre Königsberger Klopse in- und auswendig zu kennen, standen im Mittelpunkt unserer Familie. Nein, es war immer Peter. Pe-ter. Die Regentropfen wiederholten seinen Namen mit geisterhaften nassen Zungen. Pe-ter. Pe-ter. Hatte schöne braune Augen, in denen der Schalk geschrieben stand, und Arme, die uns hoch in die Luft werfen konnten, als wir klein waren.

Breite Schlieren rannen die Scheiben entlang. Vom Fahrtwind wurde der rasche Weg der Wassertropfen nach unten gebremst, und sie liefen wie im Gleichschritt quer übers Fenster. Noch einmal versuchte ich, mich auf meine zum Unverständnis meiner Kollegen mit Füllfederhalter zu Papier gebrachten Sätze zu konzentrieren. Luftmassen, Haufenwolken, Kaltluftfronten schoben sich an mich heran. Doch bald wanderten sie weiter, die Gedanken, wie die eigensinnigen Regentropfen auf der Zugscheibe: Mein Vater, kein Held mehr, mit grauer Haut und fahrigen Bewegungen. Immer wieder versuchte er, vom Nikotin loszukommen, lief nachts in der Wohnung herum, fraß Schokolade. Und irgendwann rochen seine Lippen, seine Finger, seine Haare doch wieder nach Rauch. Paul und ich verstanden nicht, daß Peter irgend etwas nicht konnte. Etwas, das sich in nichts als Rauch auflöste, brachte ihn zum Weinen. Das Trinken dagegen hatte er sich abgewöhnt. Viele Jahre hatte Peter jeden Tag ein, zwei Flaschen Wein getrunken. Irgendwann hörte er damit von heute auf morgen auf und fing nie wieder an. Anfangs malte er sich noch jeden Abend mit Filzstiften, die er von uns Kindern borgte, eine Flasche Wein auf die Serviette neben dem Besteck, dann ließ er auch das. »Diese Glühstimmel sind teuflischer als eine Weinbrandflasche, mit der man jemanden erschlagen könnte«, sagte er einmal, bevor er durch die Hintertür in seine Praxis schlich.

Ich sah mein Spiegelbild in der Zugscheibe zittern und zerrinnen. Zwischen den platzenden Regentropfen suchte ich meine Augen. Die dunklen Augen und die dichten Wimpern, die ich von Peter geerbt hatte. Nicht nur das. Wie er stand auch ich gern im Mittelpunkt. Ich dachte an meine Liebhaber vor Christian: Sie waren geduldig an meiner Seite in Gummistiefeln am Strand entlanggestapft, während ich nur in den Himmel guckte und selten zu ihnen hinüber. Wenn es eine besondere Sternkonstellation gab, war ich nächtelang mit dem Fernrohr unterwegs. Bei den Männern konnte ich mir immer viel herausnehmen: Im Studienbereich Meteorologie lag der Frauenanteil bei 17 Prozent.

Ich versuchte wieder, einen Blick auf meine Unterlagen zu werfen, aber als ich anfing, die Überschrift als zitternden schwarzen Regenwurm zu sehen, spürte ich, daß Tränen in meine Augen getreten waren. Ich lehnte den Kopf ans Fenster und schaute in den Himmel, suchte ihn unwillkürlich nach Cirrus Perlucidus ab, dem durchsichtigen Cirrus, der einzigen Cirrus-Formation, die ich bisher nur von Beschreibungen aus verschiedenen Wolkenatlanten kannte und die ich seit Jahren überall auf der Welt suchte. Cirrus Perlucidus ist nämlich nicht zu verwechseln mit Cirrus Translucidus, dem durchscheinenden Cirrus, aber ihre Abgrenzung ist die Frage einer bisher niemals wissenschaftlich determinierten Nuance. Wann ist etwas durchscheinend, wann durchsichtig? Sonder- oder Begleitformen wie Arcus, eine Wolke mit Böenkragen, oder Virga, mit verdunstenden Fallstreifen, waren fotografisch dokumentiert worden, nur mit Cirrus Perlucidus wollte sich niemand recht beschäftigen. Selbst Luke Howard, mein Idol der Wolkenforschung aus dem 19. Jahrhundert, auf dessen Wolkenklassifikation noch alle gegenwärtigen Systeme Bezug nehmen, hat sich nicht mit der Unterscheidung dieser beiden Typen befaßt.

Die wenigen bisher in der Forschung erstellten Aufnahmen machten das Eigenartige, Fremde, Ungreifbare dieser Wolkensorte nicht deutlich, sie sah einfach nur aus wie eine schwache Ausprägung des gemeinen Cirrus Duplicatus oder gar des grätenförmigen Cirrus Vertebratus. Perlucidus war schließlich von geringem wissenschaftlichem Interesse, da er nicht an Unwetterbildung beteiligt sein konnte; aufgrund seiner hohen Sonnenlichtdurchlässigkeit hatte er auch keinen Einfluß auf die Landwirtschaft. Er war, in 13 000 Meter Höhe, nichts als ein Hauch – nichts und niemand interessierte sich für diese Wolke, die vielleicht nicht einmal den Namen »Wolke« verdiente, so wenig war von ihr zu sehen –, manchmal mußte ich an die geisterhaften Körper der Quallen denken, die ich vor Jahren im Aquarium von Osaka bestaunt hatte.

Das Kind neben mir klopfte jetzt mit einer bunten Rassel auf meine Oberschenkel und lachte. Lautstark schimpfend bemühte sich seine Mutter, ihm das Spielzeug abzunehmen. Mit einem Blick auf meinen Bauch machte sie eine Bemerkung über das, was mir noch Übles bevorstünde. Dann rang sie ihrem Kind endlich die Rassel ab und schüttelte sie, während sie mich scharf ins Auge faßte, heftig wie eine Hexe. Ich senkte den Blick und holte, um beschäftigt zu wirken, noch einmal den Briefumschlag mit den Fotos aus meiner Reisetasche hervor. Beinahe wären mir die Bilder aus der Hand gefallen, so sehr schaukelte der Zug gerade. Und plötzlich rutschte in der nächsten Kurve aus meinem provisorisch angelegten Wolkenatlas das Bild von Renate heraus. Ich mußte es heute morgen sehr gedankenverloren eingesteckt haben. Mich überfiel unendliche Erleichterung.

Jahrelang hatte ich nur Bilder von Peter, Paul, Jo und Mäxchen mit mir herumgetragen. Erst Christian, dem ich in der Straßenbahn die Fotos gezeigt hatte, machte mich darauf aufmerksam, daß Renate fehlte; ich war peinlich berührt. Bei meinen Eltern hatte ich in vielen alten Alben geblättert und überlegt, welches Foto von Renate ich mit mir herumtragen wollte. Gestern wußte ich es plötzlich: Meine Mutter, so alt wie ich jetzt, ausnahmsweise nicht nur menschliche Haltevorrichtung für niedliche lockige Kleinkinder, sondern einmal nur sie selbst: Sie sitzt auf einer Schaukel, und ihre langen hellblonden Haare fliegen im Wind. Die Schaukel steht auf einer Art Anhöhe, ein Heer von dunklen Zwergtannen säumt den erdigen Platz, als wäre es ehrfurchtig vor meiner schaukelnden Mutter zurückgetreten. Renate lacht, aber ihr Blick ist nicht selbstgefällig auf die Kamera gerichtet. Sie schaut, so sieht es aus, in den Himmel, und der Wind bringt ihr Haar endlich einmal in Unordnung, läßt ihren Rock aufbauschen und ihre Lippen sich kräuseln. Es scheint, als sei das Foto geschossen worden, ohne daß sie es gemerkt hat, denn sonst hätte sie bestimmt ihren Rock zurechtgeschoben und das Haar aus dem Gesicht gestrichen. Der Himmel ist von unzähligen Cirrus Undulatus bevölkert, und die Kargheit der Landschaft steht im Kontrast zur Bewegtheit dieses wellenförmig aufgelockerten Himmels – und zum Schwung der Schaukel mit meiner Mutter.

Der Zug hielt in Wolfsburg, einige Minuten vergingen. Dicke Regentropfen trommelten gegen die Scheibe. Als ich mich nach meiner Mineralwasserflasche bückte, wurde mir übel. Ich lehnte mich zurück und versuchte, langsam und tief zu atmen. Mir stiegen wieder Tränen auf, das Foto vor meinen Augen verschwamm.

Der Gedanke, daß Renate meine Mutter ist, kam mir unwirklich vor. Mit dem Bild einer Mutter verband ich eine laute, herrische Person, von der man abhängig ist und gegen die man sich gleichzeitig auflehnt. Mutter: Das ist eine personifizierte Nabelschnur. Doch Renate war anders: Leise war sie, oft flüsterte sie ohne Grund. Sie war sehr schlank und hübsch mit ihrem feingeschnittenen slawischen Gesicht, den blonden langen Haaren und den blauen Augen, doch sie schminkte sich nie, zog sich möglichst unauffällig an, um keine Aufmerksamkeit auf sich zu lenken. Ihre halbherzigen Versuche, mich für das Kochen zu interessieren, gab sie bald auf. Statt uns Kindern im Haushalt ein paar Pflichten zu übertragen, erledigte sie das meiste stillschweigend selbst. Mit der fatalen Folge, daß ich erst nach meinem Auszug, mit über Zwanzig, kochen lernte und mein Bruder bis heute kein Bett beziehen kann, ohne daß sich die Daunendecke in einer Ecke des Bettbezugs zusammenknüllt.

Wir Kinder hatten immer das Gefühl, ein wenig Angst um unsere Mutter haben zu müssen. Es war und blieb uns ein Rätsel, warum sie damals als Masseurin und Orthopädieassistentin so erfolgreich gewesen war. Man konnte sich kaum vorstellen, wie sie den Rücken eines Mannes derart durchkneten konnte, daß er aufschrie vor Schmerz. Aber sie konnte das. Wenn sie, wie so oft, mit geradem Rücken abends am Tisch saß und Peter sich neben ihr genußvoll auf dem Sofa fläzte, schien es mir, daß sie ihre Energien sehr viel sinnvoller einsetzte als er. Peter nahm jede Herausforderung an, die ihm das Leben bot, um dann allerdings über die Begleiterscheinungen seiner chronischen Überforderung wie Nervosität, Schlafmangel und das extreme Rauchen zu klagen. Manchmal kam es mir vor, daß meine Mutter aus der Betrachtung der Tannen vor unserem Fenster mehr Kraft schöpfte als mein Vater aus all seinen exzessiven Weinprobe-Abenden, Kneipennächten, spontanen Kinobesuchen oder Kurzreisen.

Doch meistens fand ich meine Mutter langweilig. Still, wie sie war, gab es keine Reibung, kaum Kontakt. Ich vertiefte mich in mein Studium, zog von zu Hause aus, nahm ein Stipendium in Island wahr, schrieb ihr gelegentlich nichtssagende Ansichtskarten. Manchmal deutete ich darauf an, daß ich von all den vielen aufregenden Dingen, die ich in Island erlebte, nach meiner Rückkehr ausführlich berichten würde, doch als ich wieder da war, schenkte ich Renate lediglich einen selbstgebastelten Kalender mit Geysir-Aufnahmen zum Geburtstag. Peter hingegen erzählte ich nächtelang von meinen Kommilitonen, unserem Projekt und der sagenhaften Natur.

Manchmal, wenn meine Mutter regungslos im Wohnzimmer vor ihren Strohblumen stand, übersah ich sie schlicht. Sie stand da vor der Fensterbank, und wenn sie nach zehn Minuten ein Wort sagte, ich lag längst mit einem Buch auf der Couch, fuhr ich zusammen. Meine Mutter hatte ein enormes Talent im Nicht-anwesend-Sein entwickelt. Mein Vater hingegen konnte gar nicht anders, als mit zerlesenen Zeitungen, zerknüllten Pfefferminzbonbontütchen und natürlich einer zum Schneiden dicken Luft Spuren zu hinterlassen.

Plötzlich fuhr der Zug langsamer und hielt mitten auf der Strecke an. Eine Minute verging, in der ich nur den Regen hörte. Dann raste weißrot wie ein verrückter Gedanke ein ICE an uns vorbei. Über uns rissen die Cumuluswolkenbänke auf, verteilten sich als feinfaserige Watte, und hinter ihnen leuchtete gedämpft die Sonne. Die letzten Irrläufer der Regentropfen streiften die Scheiben. Fest. Flüssig. Gasförmig … Mein Bruder und ich, wir waren flüssig. Ständig oszillierten wir zwischen Mutter und Vater, zwischen drinnen und draußen, der Stadt und dem Wald, mit- und gegeneinander, unruhig, jung, formlos. Paul oszillierte ganz besonders. Er hatte ein weicheres, unentschiedeneres Gesicht als Peter und lief oft stundenlang ziellos durch den Wald. Wenn er zwischen mir und Peter ging, streckte er eine Hand nach mir und eine nach Peter aus. Nie werde ich vergessen, wie er damals meine Kinderhand drückte, als Renate auf dem Pferd verschwand: Wir waren bei Onkel Kazimierz in Warschau gewesen und machten auf dem Rückweg halt bei einem Gestüt in Oberschlesien. Peter fachsimpelte mit allen möglichen Leuten, die halbwegs des Deutschen mächtig waren, über das, was er über Pferde wußte. Vermutlich hielten sie ihn für einen Tierarzt. Als er Paul auf ein Pony heben wollte, fing der an zu weinen, und ich versteckte mich schnell in einer Futterbaracke. Aus einem Spalt zwischen zwei Holzbohlen starrte ich hinaus. Auf einmal sah ich, wie meine Mutter sich auf ein großes weißes Pferd – kein Pony – setzte und jenseits der Einzäunung losgaloppierte. Sie trug einen roten Schal, der wie eine Fahne, ein stolzes Banner hinter ihr herflog, vom Wind aufgebläht und wieder zusammengestaucht. Mir verschlug es den Atem, ich stand hinter den Holzbohlen und konnte nichts tun außer zugucken, wie sie auf ihrem Schimmel zwischen den Birken verschwand. Ich weinte, als wäre sie für immer fortgeritten.

Bald darauf diskutierten die Leute aufgeregt in polnisch und deutsch, wo sie denn hingeritten sein könnte. Erst zwei Stunden später kam sie zurück. Mit vom Wind geröteten Wangen und flatterndem Schal. Sie beachtete Peter keine Sekunde, nur dem Pferdebesitzer drückte sie eine ordentliche Summe Złoty in die Hand. Mit keinem Wort äußerte sie sich zu dem Vorfall, weder damals noch irgendwann später. Als Peter ihr hilflos Vorwürfe machte, nickte sie wie ein Schulmädchen und fing an, Pauls Hemdkragen zurechtzurücken. Und jeder Ruck ging durch meinen Körper mit, denn Paul umklammerte meine Hand.

Die Abteiltür wurde aufgerissen, ein Schaffner mit gezwirbeltem Schnauzbart fragte nach in Wolfsburg Zugestiegenen.

Ich starrte hinaus in die Dämmerung. Ein leichter Bodennebel dampfte von den Feldern, als wären sie heiß wie Herdplatten. Und langsam wurde das ausglühende Rot vom Blau der Nacht verschluckt. Dieses besondere Blau, das für wenige Minuten unglaublich hell und durchdringend, wie Lapislazuli, wie der Sitz des versteckten Herzens des Himmels, leuchtete. Für einen Moment schoß mir die »blaue Stunde« und mein seltsames Gespräch vor einer Weile mit Renate durch den Kopf. Dann vergaß ich alles wieder.

Altocumulus verdichtete sich, eine stürmische, orangefarbene Glut inmitten eines violetten Ozeans aus Luft, nur um Minuten später dunkler als dieser zu werden. Würde diese geheimnisvolle Bühne, wie Dr. Tuben bisweilen den Himmel nannte, mir jemals einen Blick auf Cirrus Perlucidus gestatten? Oder würde ich die durchsichtige Wolke in 13 000 Meter Höhe, die ich schon mit meinem ersten Wald-und-Wiesen-Feldstecher gesucht hatte, einfach nie erblicken können? Mir fiel wieder ein, daß Goethe an Caspar David Friedrich die Bitte herangetragen hatte, einen Satz Zeichnungen zu den von Howard klassifizierten Wolken anzufertigen. Doch Friedrich lehnte ab. Für ihn waren Wolken naturale Metaphern einer Grenzen und Gesetze überwindenden Freiheit – und die Vorstellung, sie auf eine Weise zu systematisieren, die er als aufgezwungene wissenschaftliche Ordnung betrachtete, erfüllte ihn mit großem Unbehagen.

Der Zug bremste ab, und ich sah die Buchstaben »Hannover« aus einem schwarzen zitternden Streifen heraus Konturen annehmen.

In zweieinhalb Stunden würde ich in Köln sein. Ich blickte auf den unspektakulären Bahnhof von Hannover und hoffte, daß der Zug bald abfuhr. Auf einmal zuckte ich zusammen. Da draußen lief meine Mutter!

Ich stand sofort auf, durchquerte das Abteil und trat an die Scheibe auf dem Gang. Das war sie, eine so perfekte Doppelgängerin konnte es doch gar nicht geben! Ich starrte auf den Bahnsteig. Es war zweifellos meine Mutter. In ihrem dunkelblauen langen Mantel, grauen Leinenhosen, mit einem geblümten Halstuch. Sie zog ihren kleinen Koffer auf Rollen hinter sich her. Siedend wurde mir der Zusammenhang bewußt: Noch am Vormittag hatte ich mit ihr telefoniert, dann hatte sie auflegen wollen, weil sie den Zug zu meiner Großmutter, deren Zustand sich verschlimmert hatte, seit mein Großvater gestorben war, erreichen mußte. Ich hatte nebenbei erwähnt, daß ich zu einem Kongreß fahren würde. Daß mein Zug nach Köln über Hannover fuhr und wir tatsächlich vorhatten, denselben Zug zu nehmen, war mir entgangen.

Die modernen ICE-Züge haben durchgehende Scheiben ohne Öffnungsmöglichkeit; ich überlegte, ob ich zur nächsten Tür hasten sollte. Neben mir standen eng gequetscht einige bepackte Mädchen und Jungen. Der Rucksack eines Hünen streifte mein Gesicht. Der Besitzer merkte es nicht einmal. Ich gab den Gedanken auf, meine Mutter zu überraschen, und starrte hinaus: Da lief sie, da – lief – sie.

Selten, wahrscheinlich noch nie seit dem Ausritt auf dem Gestüt in Oberschlesien, hatte ich Renates Anblick so in mir aufgesogen. Völlig unerwartet, wie sie hier auftauchte, nahm ich sie viel intensiver wahr. Gleichzeitig machte es mich verrückt, ihr nichts zurufen zu können, hinter der dicken Plexiglasscheibe des ICE gefangen zu sein. Wie oft hatte ich am Abendbrottisch neben ihr gesessen und nicht gewußt, worüber ich mich mit ihr unterhalten sollte. Wie oft habe ich sie beim Abwaschen allein gelassen, weil sie mich gelangweilt hatte und ich mir lieber von Peter auf dem Sofa etwas über Waldgeister erzählen ließ. Wenn sie jetzt doch wenigstens ein Handy gehabt hätte! Dann könnte ich sie mit dem Satz überraschen: Rate mal, wo ich bin?, und sie könnte schnurstracks an mein Fenster gelaufen kommen, und wir würden lachend, wenngleich tonlos, die Scheibe zwischen uns, voreinander stehen.

Sie ging zum Gleis auf der gegenüberliegenden Seite. Ihr Rücken war sehr gerade beim Gehen, ihr Schritt gemessen. Manchmal verfingen sich die Rädchen ihres Koffers in einer Bodenunebenheit, und er begann zu schlingern. Dann hielt meine Mutter inne und ging ganz langsam weiter. Jetzt wartete sie mit einem Grüppchen von Leuten vor einer Zugtür, ein Schaffner sprang heraus und ließ die Menschen einsteigen.

Ich war so erschüttert über unsere Unfähigkeit, unsere Reisepläne miteinander zu koordinieren, daß mir wieder Tränen aufstiegen. Hilflos schlug ich gegen die Scheibe. Da stand sie, meine Mutter, eine fremde Frau, ihre blonden Haare mit jener Haarspange zusammengehalten, die ich ihr letztes Jahr zu Weihnachten geschenkt hatte, ein wenig ängstlich hielt sie ihr Gepäck fest. Ich lehnte meine Stirn erschöpft gegen die Scheibe.

Für einen Moment schoß mir ein furioser Hoffnungsschimmer durch den Kopf. Vielleicht fuhr Renate ja gar nicht zu ihrer Mutter …? Vielleicht hatte sie es deshalb versäumt, ihre Zugreise mit meiner abzustimmen. Diesen wilden Moment lang, in dem ich auf meinen linken Daumenknöchel biß, bis er weiß wurde, wünschte ich mir, daß sie eine geheimnisvolle Reise anträte, daß sie *Rudolf* heimlich treffen, daß er sie hier mit einem von seiner Nervosität und seiner Hast schon halb zerfledderten, doch farbenprächtigen Blumenstrauß vom Bahnhof abholen würde –

doch auf Gleis 4 fuhr in fünf Minuten ein Regionalexpreß nach Minden ab, wo meine Großmutter lebte. Ich schloß die Augen und sah meine Mutter in einem weiten, vom Ostwind aufgeblähten Rock auf einer Schaukel – meine Mutter, die einmal als junge Frau die finnische Küste von Turku bis Kokkola abgefahren ist – die einzige Reise, die Peter und sie ohne Kinder unternommen hatten, in einem nicht enden wollenden Spätsommer. Seitdem wollte meine Mutter immer wieder mit uns allen dorthin, aber daraus wurde nie etwas. Peter und seine Wehwehchen, unsere Schularbeiten, das Haus, seine vielen Ecken, Winkel, Hängeböden und Kellerräume …

Allen ließ sie mit gesenktem Kopf den Vortritt: dem alten Mann mit dem flaschengrünen Hut, dem wild gestikulierenden Pärchen in identischen Anoraks, sie ließ auch den jungen Mann mit der umgedrehten Schirmmütze und das dünne Mädchen mit den weißblond gefärbten Haaren und den glitzernden Plateaustiefeln vor. Schließlich stieg sie ein: schnell, behende, mit einem Satz war sie drinnen.

Ich stand vor dem nicht zu öffnenden Fenster des ICE und versuchte, nicht zu weinen. Noch einmal stellte ich mir in einem trotzigen Aufbegehren gegen die Wirklichkeit vor, der Zug auf Gleis 4 würde nach Rom oder Paris fahren, wenn er schon keine Flügel anlegen und nach Kokkola fliegen konnte. Kokkola, das Städtchen an der finnischen Ostseeküste, in dessen Nähe Peter Renate auf der Schaukel vor den Zwergtannen fotografiert hatte, ohne daß sie es gemerkt zu haben schien.

Wir haben uns verpaßt, diese Tatsache war so unmittelbar und deutlich – als unsere Züge sich in verschiedene Richtungen in Bewegung setzten, mußte ich laut und falsch lachen.

# 2

# Cirrus Inflatus

Langsam traten unsere Gesichtszüge aus dem beschlagenen Spiegel hervor, als würden sie, wie auf den Gemälden des präsurrealistischen amerikanischen Malers Elihu Vedder, hinter einem Wolkenschleier zum Vorschein kommen. Über Vedder hatte ich bei Dr. Tuben einen Vortrag gehört; ich erinnerte mich an die Dias, die Tuben nach mühseligen Versuchen, den Diaprojektor in Gang zu setzen, endlich schräg und zitternd an die Wand warf. Verschwommene Mädchengesichter unter riesigen Hüten – Cumulonimbus –, die sich drohend und unheilverkündend über peitschenden Ozeanen erhoben. Auch steinerne Sphinxen in trostlosen Phantasie-Wüsten, vor denen Wanderer in abgeschabter Kleidung mit geneigtem Kopf lauschend knieten, entwarf dieser seltsame Maler schon vor hundert Jahren. Damals, als in fast allen herkömmlichen naturwissenschaftlichen Disziplinen eine zunehmende Rationalisierung, eine Objektivierung eintrat und völlig neue Forschungsgebiete aus der Taufe gehoben wurden, unterstützt von einer enorm anwachsenden Flut empirischer Daten, stellte Vedder den Menschen terrestrischen Urgewalten oder ihren Symbolen als schutzlos ausgeliefert gegenüber.

Erst sah man unsere Nasen, dann Pauls Kinn, meine Stirn, den leuchtenden Kragen seines hell- und dunkelgrün karierten Hemdes, meine kräftig gezeichneten Augenbrauen. Wir lächelten uns an, als würden wir uns gerade zum erstenmal sehen.

»Erinnerst du dich noch, wie wir früher überlegt haben, was in unseren Gesichtern die Leute dazu bringt, zu wissen, wer von uns das Mädchen und wer der Junge ist? Da waren wir vielleicht sieben.«

Ich blickte zu Paul. Er hatte jetzt kinnlange schwarzgefärbte Haare im Cleopatra-Schnitt, ich eine Glatze. Er trug silberne halbmondförmige Ohrringe arabischer Herkunft, ich hatte nicht einmal Ohrlöcher.

»Wir haben uns auf die Nase und vor allem auf das Kinn geeinigt«, rief er mir in Erinnerung und legte einen Arm um meine Schultern.

»Weißt du, daß ich schon zehn Pfund mehr wiege? Dabei bin ich erst im fünften Monat!«

»Ich wollte es ja nicht so direkt sagen, aber man sieht es schon ein wenig …« Paul zwickte mich in eine Wange. Ich pustete noch einmal kräftig in den Spiegel, um unsere Nasen im Dampf verschwinden und wiederkehren zu sehen. Dann nahm ich Pauls Hand, und wir gingen vom Bad in sein »Kabinett«, wie er es nannte. Die großen hohen Fenster klapperten uns geräuschvoll entgegen, die Zugluft wirbelte ein paar bunte Papierbögen auf. Ich legte sie mit einem Briefbeschwerer, einem runzligen Stein, in dem Paul eine Kröte zu sehen meinte, auf ein Tischchen. Dann trat ich an die Fensterbank und schaute hinaus. Mein Bruder wohnte am Rand eines kleinen Parks; tagsüber hörte man von unten Kinderstimmengewirr, ein auf- und abschwellendes, helles Geräusch, aus dem sich kein einziges Stimmchen hervorhob. Eine Windböe trieb mir ein paar winzige Tropfen ins Gesicht, ich starrte in den Himmel, spürte den steifen, frischen Wind aus Nordost. Mir ging durch den Kopf, wie Beaufort, der mit Luke Howard befreundet war und nach dem die Beaufort Sea nördlich von Alaska benannt wurde, die Windtypen klassifiziert hatte. Die Nachteile einer rein beschreibenden Terminologie zeigten sich auch bei den verschiedenen Wind-Klassifikationsmodellen, besonders im Falle von Stürmen auf See. Was das eine Jahrhundert für einen fürchterlichen Sturm hielt, war für das andere nicht mehr als ein kräftiger Wind. A Fine Breeze, A Small Gale, A Fresh Gale, A Top-Sail Gale, A Hard Gale of Wind, A Fret of Wind, A Storm, A Tempest – so nannte man Anfang des 19. Jahrhunderts die verschiedenen Windstärken. Schon Daniel Defoe hatte 1703 in seinem Bericht über einen Sturm den Mangel an Objektivierbarkeit dieser Ermessensbegriffe beklagt. Die Naturgewalten, befand Luke Howard hundert Jahre später, bedurften zuvörderst einer sprachlichen Kontrolle. Es war ein Zeitalter, in dem eine neue Sprache nachhaltig kulturell wirkte: »Galvanismus«, »Umwandlungswärme«, »Wahlverwandtschaften«, »stabiler Zustand«; neue Wörter kursierten schnell, der wissenschaftliche Diskurs begann die Alltagssprache zu infiltrieren. Wer konnte schon widerstehen, seine Rede mit Begriffen wie Magnetismus, Mesmerismus oder gar dem von Coleridge erfundenen Ausdruck »psychosomatisch« zu würzen? Bald entbrannte ein Streit darüber, ob lateinische oder englische Begriffe in den internationalen Zeitschriften verwendet werden sollten …

Paul konnte mir stundenlang zuhören. Während ich sprach, malte er. Nach unserem großen Zerwürfnis näherten wir uns einander langsam wieder, einfach indem ich am Fenster stand und erzählte, ohne ihn anzugucken. Von ihm hörte ich über Stunden nur das Eintunken seines Pinsels in den Wasserbecher und das Anrühren neuer Farbe. Manchmal hörte ich eine Eierschale knacken – Paul mischte seine Farben auf Ei-Basis – und roch den Staub der Trockenfarbe, der von seinen heftigen Rührbewegungen aufgewirbelt wurde. Lange Zeit habe ich Paul mehr gehört und gerochen, als mit ihm geredet.

Jetzt sah ich mit einem Blick über die Schulter, daß Paul gerade mit meiner Lieblingsfarbe, dem »6-Uhr-Winterblau«, Formen malte, die man mit viel Phantasie für Wirbel, Windhosen, Sturmböen, Hoch- und Tiefdruckgebiete auf einer Wetterkarte halten konnte. So war es immer: Ich schwadronierte vor mich hin, entwarf ganze Kapitel meiner Doktorarbeit vor Pauls riesigen Atelierfenstern, und er hörte zu und malte selbstvergessen vor sich hin.

Im übrigen hatte er eine recht seltsame Angewohnheit: Er signierte seine Bilder nur selten mit seinem Namen oder einem Kürzel, er betitelte sie auch nicht (oder nur gelegentlich – Paul war kein Mensch der Prinzipien; »ausnahmsweise« war eines seiner Lieblingsworte), statt dessen schrieb er auf jedes Bild, an unterschiedlichen Stellen, eine Gradzahl: 15 Grad, 27 Grad, 666 Grad, 1000 minus 1 Grad. Die auf den Bildern angegebene Gradzahl schien meist keineswegs kongruent mit der inhaltlich oder atmosphärisch vermittelten »Temperatur« des Bildes. Oft machte mich erst eine Minuszahl auf die versteckte Bösartigkeit eines Bildes oder ein überraschend hoher Wert auf so etwas wie subkutane, unter der Haut der Leinwand versteckte Leidenschaftlichkeit aufmerksam. All die Ordnung, die ich mit meinem noch spezifischeren Wolkenatlas in der Natur nachzuweisen versuchte, meine Grübeleien über sprachliche Finessen wie »wann ist etwas durchscheinend und wann durchsichtig?«, meine Suche nach etwas, das eigentlich nicht mehr Objekt und doch noch nicht ganz entmaterialisiert ist, meine Suche nach Cirrus Perlucidus, verwandelte sich in Pauls Gemälden wieder in ihren ursprünglichen, amorphen Zustand. Doch auf mir unbegreifliche Weise liebte ich Pauls Zerrüttung meiner Begriffe. Er hatte bereits ein beleibtes Monster, das höchstens ein Cumulus-Wesen hätte sein können, »Cirrus Inflatus« genannt …

Als das Rascheln und Streichen von Pauls Pinsel, das Umrühren von Wasser und Farbe lange Zeit nicht mehr zu hören gewesen war, wandte ich mich um. Paul starrte nachdenklich auf seine Leinwand, die auf der rechten Hälfte von verschiedenen kleinteiligen 6-Uhr-winterblauen Wesen bevölkert und auf der linken – diese Seite hatte er nicht weiß grundiert – bis auf eine verdrehte eichenblattbraune Spirale leer war. Dann spürte er, daß er beobachtet wurde, und hob den Blick.

»Ich habe Renate neulich an einem Ort gesehen, wo ich nicht mit ihr gerechnet hatte ... auf dem Bahnhof von Hannover ...«

Ich löste mich von meinem Fensterplatz und trat ins Zimmerinnere. Paul war vermutlich der einzige Maler auf diesem Planeten, der in seinem Atelier über türkische Teppiche lief. Die Wände waren mit Zeichnungen, Skizzen, ausgeschnittenen Schnipseln und Notizen übersät; eine ausrangierte Schulkarte mit den chemischen Elementen, die ich ihm einmal geschenkt hatte, hing an der Decke neben einem Sonnensystemmobile.

Pauls Sofa stand unter einem langen freskenhaften Ölgemälde mit dem Titel »Sonnenblumenurlaub – vermutlich 27 Grad«. Urlaub nahmen nicht gestreßte Zeitgenossen, sondern die Sonnenblumen selbst. Überall fielen sie, als einziges buntes Element auf dem erdfarbenen Gemälde, in Bars und Cafés ein, bummelten auf Boulevards, zogen in langen Kolonnen durch Vergnügungsviertel und tanzten im Regen. Der »Sonnenblumenurlaub« war schon fast zehn Jahre alt und eines seiner wenigen formal realistischen Gemälde.

Während Paul sich mit einem Taschentuch Farbe von den Händen wischte, erzählte ich ihm von meinem Nicht-Treffen mit Renate auf dem Weg zum Kölner Kongreß. Mittlerweile sprachen wir auch wieder über solche persönlichen Dinge.

Paul pustete etwas getrocknete blaue Farbe von seinem Handrücken.

»Dich beschäftigt Renate sehr in letzter Zeit?«

Ich zuckte die Schultern, nickte.

»Hat das damit zu tun?« Er schob eine seiner braunen,

schlanken Hände vorsichtig auf meinen Bauch und tätschelte ihn.

»Vielleicht … es hat mich neugierig auf sie gemacht … seitdem ich die Nachricht verdaut habe, daß ich schwanger bin« – ich brach kurz ab und dachte an den Abend, an dem ich mit Christian, den ich noch nicht lange kannte, überlegte, was wir nun tun sollten, und an dem wir nach einigem Hin und Her zu dem Schluß kamen, daß der Gedanke, auf den »perfekten Zeitpunkt« für ein Kind zu warten, etwas Zwanghaftes und Unrealistisches hatte und wir uns lieber »überraschen« ließen –, »seitdem ich also weiß, daß ich selbst Mutter werde, muß ich sehr oft an Renate und auch an Jo denken. Es gibt so viel Ungeklärtes in unserer Familie, das mir plötzlich keine Ruhe mehr läßt. Als hätte mit meiner Schwangerschaft eine Art Wettlauf mit der Zeit begonnnen, in der ich noch offene Fragen beantworten kann … ich weiß auch nicht genau, woher meine Unruhe stammt … vielleicht ist es ein unbewußter Drang, zu wissen, in was für einen Zusammenhang, in was für ein Nest ich da mein Kind setze …«

Ich schloß die Augen und sah Renate vor mir. Ich sah auch Jo und meine Urgroßmutter, alle mit dicken Bäuchen. Plötzlich war ich Teil einer langen Kette, einer Verbindung, eines Konstrukts, das mir eigentlich immer suspekt gewesen war. Und mir ging durch den Kopf, daß ich schon allein dadurch aus dem Rahmen fiel, die einzige Frau in unserer Familie zu sein, die ein uneheliches Kind bekam – und studiert hatte. Und – das betraf zumindest meine Mutter und meine Großmutter – die nicht im Krieg geboren worden war. Sowohl Renate als auch Jo waren jeweils im ersten Kriegsjahr zur Welt gekommen.

Paul pustete jetzt etwas getrocknete Ei-Tempera von meinem Ärmel. Dann rückte er näher und murmelte:

»Weißt du noch, wie Renate damals auf dem Pferd weggeritten ist? Oder wie sie manchmal, ohne ein Wort zu sagen, sich in den Zug gesetzt und zu Onkel Kazimierz nach Polen gefahren ist?«

»Und all die Bücher, die sie verschlingt …«

Paul hatte aufgehört, mein kleines Bäuchlein zu streicheln. »Hast du manchmal Angst um sie?« fragte er unvermittelt.

Ich sah Paul lange an. Dann antwortete ich ausweichend:

»Mir ist nicht mehr jeden Morgen übel.«

Paul streichelte sofort meinen Bauch wieder. »Ein Glück …«

Wir schwiegen eine Weile.

»Hast du dich langsam mit dem Bauch angefreundet …«, sagte Paul. Es war keine Frage, sondern eine vorsichtige Feststellung. Ich legte wortlos meine Hand auf Pauls flachen Bauch.

»Geht's dir gut mit Christian?« wollte mein Bruder nun noch wissen – eine für ihn ungewöhnlich direkte Frage.

»Bisher sehr gut. Aber laß uns über die Vergangenheit, nicht über die Zukunft reden. Das ist eine andere Geschichte. Ich hätte mir wirklich nie träumen lassen, daß ausgerechnet ich mal Mutter werde«, ich lachte und strich mir über die Glatze. Paul fuhr ehrfurchtsvoll über meine Kopfhaut.

»Deine BDM-Glatze«, murmelte er, und spielte auf eine Geschichte an, die er »Verschwundene Zöpfe« getauft hatte, und ich mußte grinsen: Ich trug schon seit vielen Jahren Glatze, zum nie verschmerzten Verdruß meiner Großmutter, die mir früher gern die Zöpfe geflochten und uns Fotos aus »der glücklichsten Zeit ihres Lebens« gezeigt hatte: sie, mit langen blonden Zöpfen wie ihre beiden jüngeren Schwestern, brav in Reih und Glied, nur die Kinderhände spielen am Rocksaum. Aber ich hatte mir eines Nachts einfach die Haare geschoren und meine langen Zöpfe ordentlich auf den Schreibtisch gelegt. Und meine

Mutter, die nichts, aber auch wirklich gar nichts, wegwerfen konnte, nahm sie verstohlen an sich und hängte sie ins Schlafzimmer.

Als ich schließlich so alt war wie Jo in ihrer BDM-Zeit, nahmen Paul und ich zum zweitenmal in der Schule das NS-Regime durch und bedrängten die Erwachsenen einige Wochen lang aufgeregt mit unseren Fragen. Es war die Zeit, wo ich keine Lust mehr hatte, den Abwasch zu machen oder den Müll hinunterzutragen, irgend etwas zu tun, das nicht gerade meiner Laune entsprach. Ich schmierte »Null Future«, das mir damals wie eine originelle Mischung aus Null Bock und No Future erschien, an meine Zimmerwand. Es war die Zeit, in der Paul anfing, Yoga-Unterricht zu nehmen und zu malen. Es war nicht die glücklichste Zeit meines Lebens.

Paul und ich tranken den Rest des Abends Unmengen Grünen Tee mit Ingwer und Zitrone, seit langem Pauls Lieblingsgetränk. Später sprachen wir über Wieland und stellten uns wieder einmal die Frage, wo in aller Welt er sich wohl jetzt aufhalten könnte. Seit Jahren hatten wir nur gelegentlich Ansichtskarten von ihm bekommen ... Marseille, Narvik, São Paulo, Katmandu ... Wir entwarfen verwegene Hypothesen, ich zitierte Bücher und Romanhelden, sprach über Renate und Westpreußen, Peter und die Elfen, über den Bleichen See und unsere Mittelinsel, natürlich über jenen besonderen Abend mit meiner Mutter, an dem ich zum erstenmal von Rudolf erfuhr, der immerhin Pate für Pauls zweiten Namen gestanden haben mußte, und mein Bruder starrte auf seine Finger, an denen immer noch winzige Spuren blauer Ei-Tempera klebten.

# 3
## Blaue Stunde

Die »blaue Stunde« war eigentlich ein schlecht gewählter Name, denn er könnte den »blauen Dunst« nahelegen, dabei hat er viel eher mit der Redewendung »Ins Blaue reden« zu tun. Und mit der Uhrzeit, zu der sie begann: an einem lauen Herbsttag, als die Dämmerung mir die Haut fahl werden und die Adern auf Schläfen und Handrücken durchschimmern ließ. Meist nimmt man diese Zeit gar nicht wahr: Man sitzt in elektrisch beleuchteten Zimmern, man steht kurz vor Ladenschluß noch zwischen neonbeleuchteten Supermarktregalen oder hastet wieder nach Hause. Der Himmel ist keine nennenswerte Größe in einer Stadt, er ist so selbstverständlich wie die Kopfhaut und wird normalerweise nicht weiter beachtet.

Es war fünf nach sechs, und bei Christian machte niemand auf. Das irritierte mich, denn wir waren verabredet, und Christian ist ein zuverlässiger Mensch. Ich verordnete mir, bis halb sieben zu warten. Da Christian nicht kam – später erfuhr ich, daß er sich lediglich mit der Straßenbahn verfahren hatte –, überlegte ich, was ich tun sollte. Plötzlich kam mir die Idee, bei meinen Eltern vorbeizuschauen. Als ich mich schon auf dem Weg befand, fiel mir ein, daß mein Vater übers Wochenende zu einem Freund fahren wollte. Einen Moment lang zögerte ich, denn ohne meinen Vater versprach der Abend nicht halb so lustig zu werden.

Meine Mutter stand irritiert, fast ein wenig erschrocken, in der Tür. Aber dann bat sie mich herein und schien sich auf einmal doch zu freuen. Wir gingen in die Küche, wo sie sich gerade einen Salat machte. Ich setzte mich und schnippelte ein paar Tomaten, Gurken- und Käsewürfel dazu. Zum Essen zündete Renate eine Kerze an.

Ich weiß nicht, wie wir es schafften, binnen weniger Minuten von ein paar Bemerkungen über meine Arbeit mit dem Wolkenatlas und Peters Schlafstörungen auf ihre erste Zeit mit meinem Vater zu sprechen zu kommen. Waren es einige meiner lockeren, aber forschen Scherze, war es die Tatsache, daß gemeinsames Essen immer etwas Verbindendes hat, oder war es dieses unglaubliche Licht, das auf unsere Gesichter fiel und uns das Gefühl gab, in einer Art Auszeit, einer kurzen Pause vom Leben, sprechen zu können, so als könnten diese Zwitterstunden später ausgelöscht werden und konsequenzlos bleiben?

Meine Mutter erzählte, wie Peter einmal auf ihren Balkon im ersten Stock der düsteren Grevestraße geklettert war und wie sie ein andermal nachts, nur mit einem Bademantel bekleidet, klopfenden Herzens die Stufen hinuntergelaufen ist, um ihn heimlich in die elterliche Wohnung zu nehmen. Mein Vater war wohl damals ganz vernarrt in meine bildhübsche und schüchterne Mutter und hatte sich jeden erdenklichen Spaß ausgedacht, um ihre Aufmerksamkeit und Liebe zu gewinnen, selbst eine Schnitzeljagd quer durch die Stadt, bei der er am Ende mit einem Lebkuchenherzen unter einem Baum stand.

Während wir Zitroneneis zum Nachtisch aßen, auf das der Schatten unserer Kerze flackernd fiel, erzählte Renate auf einmal von einem sommersprossigen Jungen namens Rudolf, der bei Onkel Kurt in der Baumschule gearbeitet hatte. Sie hatten beide nie gewagt, mehr als ein paar flüchtige Sätze miteinander zu sprechen, aber einmal, als sie sich auf der Couch ausruhte, hatte er plötzlich vor ihr gekniet und sie geküßt …

Die Baumschule Hillig bestand schon seit drei Generationen. Es gab Gewächshäuser, schnurgerade Reihen fast identisch aussehender Bäumchen; alles schien seit langem seine Ordnung zu haben. Hier war Natur, aber sie war nicht gefährlich. So pendelte Renate zwischen der städtischen Wohnung ihrer Eltern – die mit viel zu vielen Möbeln und Erinnerungen vollgestopft war, in der ihr Vater in seinem aufgepolsterten Stuhl, sein rechtes Bein hochgelagert, Patiencen legte und ihre Mutter stundenlang nähte, ohne ein Wort zu sprechen – und dem Gelände ihres schon in frühen Jahren glatzköpfigen Onkels und ihrer praktisch-fürsorglichen Tante mit den kräftigen, orthopädische Griffe gewohnten Händen. Tante Lena, die zusammen mit Jo und der kleinen Renate vor »dem Russen« geflohen war und die nach Ansicht aller Familienmitglieder nach dem Krieg mit Onkel Kurt eine gute Partie gemacht hatte.

Kinder hatten sie allerdings nur eines, Tante Marion; auch Renate hatte keine Geschwister. Warum, fragte niemand.

Als Renate in die Untersekunda ging, diskutierten ihre Eltern, ob sie nicht vielleicht statt dem Abitur eine Ausbildung bei Tante Lena als Orthopädieassistentin anfangen sollte. Abi, diese Silben klangen wie ein Ticket in eine Welt jenseits der grünen Gummistiefel, mit denen Onkel Kurt durch die Gewächshäuser lief, jenseits der Heckenrosen und der fuchtelnden Schere in Tante Lenas weißbehandschuhten Händen, jenseits der Weihnachtssterne aus silbernem Kaugummipapier am Küchenfenster ihrer Eltern.

Renate wollte fort. Der Gedanke, monatelang Tante Lena dabei zuzuschauen, wie sie alten Männern wieder das Gehen beibrachte, zuzuhören, wie ihre im Krieg zerschossenen, im Krankenhaus zusammengeflickten Hüften nur so knirschten, ein Knirschen, das Renate für immer mit dem Anblick weißer, enger Flure in Verbindung bringen würde, stimmte sie unbehaglich. Nicht nur, daß auch ihr Vater lange bei Tante Lena aus- und eingegangen war, ihr Vater, der früher, als es sie noch nicht gab, so daß sie es folglich kaum glauben konnte, als Pfadfinder in fernen Ländern wie Norwegen oder Schweden Wanderungen unternommen hatte in einer geheimnisvoll klingenden Region, die er »jenseits der Baumgrenze« nannte, der jetzt einmal die Woche mit seinem Schwerbehindertenausweis ins städtische Schwimmbad ging, wo er sich mühsam mit seinem Stumpf und seinen Krücken durch die vielen mit Dampf beschlagenen Türen quälte.

Wenn Renate aus dem kleinen quadratischen Fenster – der Anbau für Lenas Orthopädie-Praxis war nach dem Krieg errichtet worden – hinausschauen würde, reichte ihr Blick nicht einmal bis zur Straße, wo bärtige Männer in schmutzigen Lastwagen vorbeirasten – Männer, vor denen Mutter und Tante Lena sie früher gewarnt hatten: Du darfst auf keinen Fall in so einen Wagen einsteigen, wenn er neben dir anhält, die wollen junge Mädchen mitnehmen. Das klang bis dahin noch nicht wirklich bedrohlich. Irgend etwas mußten Mutter und Tante Lena also verschweigen. Vielleicht fuhren die Männer ja mit den Mädchen in ein Land jenseits der Baumgrenze. Aber diese Männer, von denen sie als Kind angenommen hatte, daß sie Kopftücher wie Piraten trügen, würde sie nicht einmal sehen können, sondern nur, ein paar Handbreit entfernt vom Fenster, die dunstbeschlagenen Scheiben des niedrigen Gewächshauses, aus dem etwas verschwommen ihr Onkel winken würde.

Vielleicht hatte Renate damals gespürt, daß die Reihenfolge verkehrt war und sie erst einmal etwas über die Körper in Erfahrung bringen mußte, bevor sie zu ihrer Behandlung schreiten konnte. Ihr Körper, unter dessen Oberfläche ihre Brüste plötzlich wie unheilvolle Vulkane mit einem kleinen, roten, runzligen Krater hervorgeschoben wurden und der Haare in einer anderen Farbe als auf ihrem Kopf an allen möglichen und unmöglichen Stellen hervorbrachte. Natürlich würde Renate Anatomiebücher lesen und Tante Lenas dicken Fuß in einer Hand wiegen, um daran das »Überbein« zu studieren, aber sie würde nicht wissen, wie sich die Haut eines Menschens anfühlt, der eine Berührung erhält, die nicht ärztlich verordnet ist – abgesehen von den ritualhaften Gute-Nacht-Küssen, die sie mit ihren Eltern austauschte, und dem freundschaftlichen Klaps, den Tante Lena ihr manchmal gab. Sie würde noch nie einen gesunden Körper berührt haben, bevor verspannte, steife Nacken, schlecht zusammengewachsene Brüche, Sehnenrisse, Bandscheibenvorfälle und die Kriegsknirschhüften unter ihren Händen liegen würden.

Aber Renate war nicht gut in der Schule, und ihre Eltern wollten ihr die Demütigung ersparen, die Untersekunda wiederholen zu müssen. Sie strengte sich zum erstenmal in ihrem Leben richtig an und wurde versetzt. Johanna, ihre Mutter, gab Renates Vater einen flachen Klaps auf den Hinterkopf, als der etwas von »Wozu braucht ein Mädchen denn das Abitur?« murmelte, und Renate durfte die Oberstufe besuchen. Allerdings nur unter der Voraussetzung, daß sie gleich nach dem Abitur die Orthopädie-Ausbildung absolvieren würde, damit sie nicht noch obendrein, wie ihr Vater meinte, auf die hirnverbrannte Idee käme, ein Studium anzufangen.

Ein Grund dafür, weshalb Renate froh war, die Ausbildung aufschieben zu können, weshalb sie nicht öfter als nötig bei Onkel Kurt und Tante Lena sein wollte, war die Geschichte ein paar Monate zuvor im Winter, als sie befürchtet hatte, schwanger zu sein.

Sie hatte sich damals nach dem Mittagessen, es gab, was es immer dienstags bei den Hilligs gab: Pellkartoffeln, Königsberger Klopse und Schwarzwurzeln, im Wohnzimmer auf die Couch gelegt und ein bißchen gedöst. Plötzlich wachte sie von einer Bewegung auf. Rudolf, er war genauso alt wie sie, fünfzehn, hatte rote, kurze Haare und überall in seinem Jungengesicht Sommersprossen, hockte vor ihrer

Couch. Er lächelte verlegen. »Ich wollte dich nicht wekken«, murmelte er, schaute zu Boden und dann doch wieder sie an. Renate musterte ihn erstaunt. Plötzlich schob er seinen Kopf vor und gab ihr einen Kuß auf den Mund. Dann lief er nach draußen, wo Onkel Kurt schon auf ihn wartete. Renate schmeckte noch seinen Speichel auf ihren Lippen, im nächsten Moment sah sie Tante Lena, die auf dem Flur mit einer weißen Handschuhhand, an der noch Massage-Öl glänzte, eine Fliege erfolgreich verscheuchte. Renate hatte keine Zeit mehr, über die Berührung, den Geschmack, das Geräusch, das ihre und Rudolfs Lippen bei ihrer raschen Kollision verursacht hatten, nachzudenken, da stand Tante Lena schon vor ihr.

»Renate, du brauchst nicht zu weinen«, sagte sie, dabei weinte Renate gar nicht, »diesen Burschen werde ich gleich zur Rede stellen und ihm eine Lektion erteilen.« Sie legte Renate für einen Moment eine Hand auf den Kopf, als wollte sie ihn wieder zurechtrücken, etwas Böses, Unheimliches mit dieser Geste austreiben – eine Gegenberührung zu der, die eben stattgefunden hatte. Es war kein Streicheln, kein Über-die-Haare-Streichen, Tante Lena legte nur einmal ihre große, schwere Hand auf Renates Kopf. So kam zu dem Geschmack von Rudolfs Lippen der Geruch von Massageöl in ihrem Haar hinzu, und beides verschmolz in ihrer Erinnerung.

Nachts zu Hause allein in ihrem Bett, dachte Renate nach über das, was ihre Mutter einmal vage über den Austausch von Körperflüssigkeiten und das Kriegen von dikken Bäuchen und kleinen Kindern gemurmelt hatte, während sich im Spülbecken das schmutzige Abwasser und das frische aus dem Hahn mischten und ein weißer geiler Schaumrand sich auf allen Tellern und Tassen aufblähte und wieder in sich zusammenfiel. Renate, verwirrt von all den Gerüchen und Geschmäckern an ihrem Körper, bekam auf einmal große Angst …

Renate hatte drei lange Wochen Angst. Auch noch Angst, als ihre Brüste sich vergrößerten, wie immer vor der Menstruation, und sie gereizt und unruhig wurde. Dann, endlich, als sie ihre Tage bekam, legte sich die Furcht, schwanger zu sein.

Ich wischte mit einem Lappen den Schaum und einige Krümel aus dem Ausguß und gab Renate den letzten Teller zum Abtrocknen. Meine Mutter konnte schmutzige Teller nicht eine Stunde stehenlassen, selbst wenn sie Besuch hatte. Sie hängte das Tuch an seinen Haken und nahm sich einen Lakritzbonbon aus dem umgedrehten Deckel, der immer mit ihrem Lieblingsnaschwerk gefüllt neben dem Herd stand.

Ich hatte bisher geglaubt, mein Vater wäre der erste Mann gewesen, der meine Mutter geküßt hatte. Der Wandkalender mit den Heilkräuter-Abbildungen in Tante Lenas Praxis hatte Januar 1955 angezeigt. Rudolf wurde am nächsten Morgen gefeuert.

Natürlich wurde meine Mutter nicht von Rudolf schwanger, dafür aber von einem jungen Assistenzarzt, den sie kennenlernte, als sie nach den drei Jahren Orthopädie-Ausbildung noch ein unbezahltes Soziales Jahr absolvierte. Dieser junge, gutaussehende Assistenzarzt hieß Peter und stand – Ironie des Schicksals – einem Orthopäden zur Seite. Eine Weile lang führten sie das, was Jo pikiert »wilde Ehe« nannte, fuhren übers Wochenende ins Wiehengebirge zelten, anstatt ihre Eltern zu besuchen, und unternahmen mehrere lange Reisen, von denen sie in Zügen, Bussen oder an Stränden geschriebene, fast unleserliche Karten schickten, die Jo und Mäxchen in helle Aufregung versetzten.

Doch als Renate schwanger wurde, heirateten sie schnell, denn ihre Eltern wollten auf keinen Fall ein uneheliches Enkelkind. Und schon gar nicht zwei. Als wir Zwillinge kamen, gab Renate natürlich ihren Beruf auf.

Sie zogen in die große, ferne Stadt im Osten, quasi hinter die Mauer, die meiner Mutter unheimlich war, aber mein Vater bekam dort eine bessere Stelle und war wenig später in der Lage, seine eigene Praxis zu gründen. Am Rand dieser Stadt konnte meine Mutter, wenn sie allein am Fenster stand, auf die engstehenden Tannen schauen und sich etwas vorstellen, das vielleicht dahinter liegen könnte.

Wie oft habe ich sie beobachtet und mich gefragt, wo sie eigentlich gerade ist. Wo, in welcher Zeit und mit wem?

Nachdem Renate und ich in Windeseile das benutzte Geschirr weggeräumt hatten, wollte sie wissen, ob es mir etwas ausmachte, wenn sie ihr allabendliches Fußbad nehmen würde.

»Kann ich nicht auch eins nehmen?« gab ich zurück, denn ich wußte, daß der Vorschlag, ihr Fußbad auf später zu verschieben, meine Mutter nur aus der gewohnten Routine herausreißen, also beunruhigen würde.

Ich folgte Renate ins Bad, wo sie zwei grüne Plastikeimer in die Wanne stellte und heißes Wasser, zu dem sie Fichtennadelöl gab, einlaufen ließ. Wir zogen Schuhe und Strümpfe aus, setzten uns wie Vögel auf der Stange auf den Badewannenrand und tunkten unsere Füße in die Eimer.

Meine Mutter guckte mich auf einmal erstaunt an.

»Du lackierst dir ja die Fußnägel! Weiß!«

Ich lachte. »Das mache ich schon seit Jahren!«

»Ah ja?« murmelte meine Mutter und begann eine Wassergymnastik mit den Zehen.

»Und wie läuft es so mit deinem Freund? Ist das noch dieser Sven?«

Es mag absurd klingen, aber es war das erste Mal, daß wir so miteinander sprachen. Ich erzählte ein bißchen von Christian, daß wir manchmal streiten würden, es aber besser liefe als mit Sven; wir planten sogar eine Reise zusammen. Daß ich schwanger war, wußte ich zu diesem Zeitpunkt noch nicht.

Plötzlich unterbrach meine Mutter ihre Wassergymnastik.

»Weißt du, ich habe ihn wiedergetroffen!« sagte sie unvermittelt und ungewohnt leidenschaftlich.

»Wen?«

»Ihn.«

Sie hatte Rudolf vor zwei Monaten, auf der Beerdigung von Onkel Kurt, wiedergesehen. Meine Mutter hatte die Geschichte, wie sie meinte, »komplett verdrängt«, aber der ältere Herr, den sie Blumen ins Grab werfen sah, kam ihr merkwürdig bekannt vor. Er war, besonders nun, wo seine Haare mehr grau als rot schimmerten, ein ähnlicher Typ wie Peter, vielleicht ein wenig schlanker, mein Vater ist etwas gedrungen.

Renate fiel auf, daß er sie während der Beerdigung musterte. Später, als alle bei Kaffee und Kuchen angelangt waren und die Stimmung sich hob, setzte er sich zu ihr und stellte sich vor. Meine Mutter hatte, wie sie mir beschrieb, während ihr linker Fuß kleine unruhige Wellen im Eimer produzierte, erst verlegen geguckt und dann doch etwas gelacht. »Lange her, aber vergessen hab ich's nicht«, hat sie schließlich zu ihm gesagt.

»Ich auch nicht«, hat Rudolf ihr mit einem gespielt schuldbewußten Blick zugeflüstert. Dann haben sich beide noch lange unterhalten. Er habe seine Frau vor zwei Jahren verloren, erzählte Rudolf und zeigte Renate ein Foto.

»Seine Frau sah mir gar nicht unähnlich, war mein erster Gedanke«, tuschelte meine Mutter jetzt, dabei waren wir doch allein im Haus. Sie habe auch blondes, glattes Haar und hohe Wangenknochen gehabt. Auf dem Foto guckte sie ganz ernst, als würde sie nicht gerne fotografiert werden.

»Zum Glück«, hatte Rudolf gesagt, »sind mir unsere zwei Kinder, ein Mädchen und ein Junge, geblieben.« Und meine Mutter berichtete dann von Peter und uns und daß es uns allen gut ginge. Nur um Peters Gesundheit würde sie sich Sorgen machen. Aber als Rudolf fragte, warum, wechselte sie das Thema.

»Er konnte so galant Wein einschenken ... ein guter Tänzer ist er bestimmt auch«, flüsterte meine Mutter sehnsüchtig und machte mit ihren Füßen energisch Roll- und Knickübungen.

Während Renate über Rudolf sprach, mußte ich manchmal an die »Waldgeister« denken. Aber von ihnen wagte ich nun doch nicht zu berichten – so erstaunlich unsere heutige Offenheit war. Sogar als ich Renate später erzählte, wie Christian und ich einmal auf einem Dach unter einem phantastischen Himmel, der sich schon am Abend durch kleine hohe Quellwolken ankündigte, miteinander geschlafen hatten, guckte sie mich nur verstohlen, aber durchaus amüsiert an.

Als ich endlich gegen Mitternacht in der Tür stand, umarmten wir uns und ließen uns einen Moment nicht los. Von der ganzen langen U-Bahnfahrt durch die Stadt bekam ich kaum etwas mit, die ein- und aussteigenden Menschen huschten wie Figuren eines Comics, den man zu schnell durchblättert, an mir vorbei – so sehr war ich noch erfüllt von dem Gefühl dieses unglaublichen Abends.

In den nächsten Wochen traf ich meine Eltern nur gelegentlich, und eigentlich waren das Verabredungen mit Peter. Im Park sprang mein Vater ausgelassen herum und ließ sich von mir dabei fotografieren, wie er sich hinter Denkmälern versteckte und immer dort, wo man es nicht erwartete, sein Gesicht, eine Hand oder auch sein Gesäß plötzlich hervorlugen ließ. Beim Essen in einem brasilianischen Restaurant brillierte mein Vater mit seinen Portugiesisch-Kenntnissen und ließ sich von den Kellnern in ein lautes und offenbar lustiges Gespräch verwickeln, nur verstanden meine Mutter und ich wenig davon. Aber anstatt dann untereinander zu reden, blickten wir beide nur stumm zu den lachenden Männern – bis endlich mein Vater meiner Mutter eine Hand auf den Arm legte und einen der Witze übersetzte.

Je mehr Zeit verging, desto irrealer kam mir Renates und mein Abend vor; wenn ich die Stimme meiner Mutter hörte, schien es mir unmöglich, daß sie mit mir über Rudolf gesprochen hatte. Es mußte eine andere Stimme gewesen sein, schien mir, eine, erfunden von einer launigen Dämmerung für nichts als ein paar Stunden – und nur, wenn meine Mutter mit dieser Stimme sprach und ich mit einer anderen, die ich schon mit Ablösung der Dämmerung durch die Nacht wieder verloren hatte, konnten wir miteinander reden.

# 4

# Waldgeister

Mein Vater und ich liefen auf einem Pfad durch den dichten Wald; die Stämme der Tannen schienen sich in nichts aufzulösen, je höher sie reichten – so neblig war es. Paul war im Garten geblieben, er wollte aus ein paar Steinen, Zweigen und Blättern für einen heute früh gefangenen Lurch ein »Schloß« bauen.

Mein Vater trug einen knallgelben Rucksack mit schwarzen Riemen, der ihn vor den dunklen Stämmen und dem matten Licht dazwischen grell wie ein Warnschild erscheinen ließ. Wenn ich die Augen zu schmalen Schlitzen zusammenkniff, um weiter als ein paar Meter gucken zu können, fühlte ich mich, als ob ich hinter einer Milchglasscheibe stehen würde. Ab und zu streifte ein feuchter Ast mein Gesicht. Schon seit drei Stunden starrte ich auf den gelben viereckigen Fleck vor mir, meinen Nebelscheinwerfer. Bei jedem Schritt, den mein manchmal unsichtbarer Vater tat, hörte ich die Wasserflasche in seinem Rucksack glucksen.

Das Wetter war merkwürdig: neblig, aber nicht kühl, sondern richtig warm. Warum das so war, darüber wollte ich später noch mal nachdenken. Zu meinem letzten Geburtstag hatte ich ein Ravensburger Taschenbuch mit dem Titel »Das Wetter« bekommen und schon viel mit meinem Füller darin angestrichen.

Es war so warm heute, daß ich meine Bluse ausgezogen hatte und nur noch ein gestreiftes Unterhemd trug. Ich stellte mir meine Mutter in dieser Bluse vor. Jeder Baumstumpf, jeder Stein würde ihre Brüste zum Hüpfen bringen. Ihre Bewegungen fänden ihren Ton in dem Glucksen von

Peters Flasche, und ich fragte mich, wie das wäre, später, wenn man Mutter wird und die Brüste voller Milch sind. Ob die dann auch manchmal glucksende Laute von sich gäben?

Mein Vater hielt an, fast wäre ich gegen ihn gerannt. Er drehte sich zu mir um, fuhr mir mit einer Hand kurz übers Haar, ein geheimnisvolles Lächeln auf seinen Lippen.

»Hier habe ich sie zum erstenmal gesehen!«

Ich nickte bedeutungsvoll. Mein Vater beschrieb stumm mit beiden Händen Umrisse auf der tiefgrünen, nassen Wiese vor uns, wobei das Mondlicht auf seine tanzenden Finger fiel und sie sehr weiß und bleich erscheinen ließ. Als die Sonne unterging, hatten wir uns auf eine Wiese gesetzt und bei einem Picknick aus Käsebrötchen, Müsliriegeln und Wasser zugeschaut, wie die Sonne unaufhaltsam herabsank, dabei ihre Farbe wie ein Chamäleon, das im Begriff ist, sich zu verstecken, gewechselt hatte.

Obwohl es dunkel war, hatte ich darauf bestanden weiterzugehen, bis an diesen Ort, an dem wir uns jetzt befanden. Wir hatten in der letzten Stunde keinen Menschen mehr gesehen.

»Papa!« schrie ich auf, direkt hinter mir hatte es geknackt. Mein Vater fuhr herum, der Rucksack gluckste wild, und wir sahen ein kleines pelziges Tier weglaufen.

»Das war ein Iltis.« Mein Vater zündete sich eine Zigarette an.

»Was ist ein Iltis?« fragte ich.

»Na, so was eben!« brummte mein Vater.

»Aha.«

Er bückte sich und faßte ins feuchte Gras. Dann legte er zwei Plastiktüten auf den Boden, setzte sich auf die größere und winkte mich heran.

»Komm.«

Ich ließ mich nieder und blickte mich um. Die Wiese war kreisrund und von Tannen umstanden. Ein Hinweis auf Geisteraktivität war bisher nicht zu finden gewesen.

»Hier waren die, Papa?«

»Ja, sie trugen weiße, leichte Kleider und sahen sehr lieblich aus.«

»Waren das Männer oder Frauen?«

»Frauen, aber ich habe auch schon Männer gesehen.«

»Gab es auch welche mit Kriegsknirschhüften?«

»Nein, Freia, auch keine mit Prothesen …«

»Warum denn nicht, wenn du sagst, daß es vielleicht verstorbene Seelen sind, mit denen du sprichst, dann müßten doch manche auch Krücken und Prothesen haben! Vielleicht hast du nicht so genau hingeguckt«, gab ich meinem Vater noch eine Chance. Aber er überhörte sie.

»Die Geister haben nicht unsere Art von Leiden, Krankheiten und Verwundungen …«

»Aber sie haben doch Körper!« warf ich irritiert ein. Manchmal war mein Vater einfach unlogisch.

»Geister sehen aus wie wir, aber sie sind nicht wie wir. Wenn du versuchen würdest, sie anzufassen, würdest du durch sie hindurchfassen …«

»Ist Mama vielleicht ein Geist?«

»Wie kommst du denn darauf?«

»Weiß nicht.«

»Hm.«

»Papa, wie ist das, wenn ein Mann und eine Frau miteinander schlafen?«

»Schön.«

»Wie schön? Warum schön?«

»Okay: Wenn ein Mann und eine Frau sich lieben, dann gibt's Kinder, wenn ein Geist und eine Geistin sich lieben, gibt's einen Regenbogen.«

»Und wenn sie was falsch gemacht haben, regnet's.«

Mein Vater lachte. Er griff nach meiner Hand, küßte sie und legte sie auf seinen Oberschenkel. Hoffentlich hatte er kapiert, daß ich einen Scherz gemacht habe. Ich bin doch nicht blöd.

»Noch mal ernst: Es gibt nichts Schöneres auf der Welt, als wenn ein Mann und eine Frau sich lieben. Wenn man miteinander schläft, hat man das Gefühl, sich selbst zu vergessen und mit dem anderen eins zu werden ... es ist ein bißchen wie ohnmächtig werden und zu wissen, daß man aufgefangen wird.«

»Warum, wenn es nichts Schöneres als das gibt, bist du dann nicht immer bei Mama, sondern nachts so oft hier draußen?«

Mit dieser Frage schien mein Vater nicht gerechnet zu haben. Er steckte sich wieder eine Zigarette an, schwieg einen Moment.

»Triffst du dann die Geister hier?« fragte ich arglos.

»Ja, ich treffe einen schönen Geist hier«, murmelte mein Vater abwesend.

»Einen Geist also und keine Geistin?« fragte ich weiter.

»Ach, lassen wir das.«

Mein Vater faßte mir an die Schulter, um meine Aufmerksamkeit auf etwas anderes zu lenken. »Schau mal, dort ...«

»Ja?« Ich legte meinen Kopf an seine Brust.

»Siehst du etwas?«

»Ja!«

Ich starrte auf die zitternden Grashalme, die ein Windstoß – von woher bloß – oder eine unsichtbare Hand hin und her bewegte.

»Jetzt kommt sie«, sagte mein Vater leise und beantwortete damit auch meine Frage, ob er hier einen Geist oder eine Geistin traf.

»Ich sehe nichts ...«, flüsterte ich.

»Du mußt auf eine andere Art sehen als normalerweise, mehr mit der Vorstellung als mit den Augen, verstehst du? Die Geister haben andere Körper als wir, sie sind uns näher, als wir denken, oft können wir sie nur ahnen ... Und noch etwas: Sie sind scheu, nie treten sie aus dem Nebel heraus, sie lassen ihn durch ihre Finger gleiten wie du manchmal den Schaum in der Badewanne, sie legen sich einen Schal aus Nebel um ihren hellen Hals oder formen sich Armringe daraus, die sie über ihre bleichen Ellbogen die langen Oberarme hochschieben ... manchmal legen sie diese Ringe auch um ihre Füße, ihre dünnen Fesseln, mit denen sie so leichtfüßig durch den Wald gelaufen kommen – manchmal bis fast an unser Haus. Und dann ruft sie mich, meine Geistin, und ich eile zu ihr, und ihr Kuß ist kühl wie das Mineralwasser, das du dir morgens mit dem Pausenbrot aus dem Kühlschrank nimmst, und dann rennt sie – ihr Gesicht immer ein bißchen verschleiert, ihr Haar wie aus Zuckerwatte – neben mir, und ich komme mir so plump und schwer und alt neben ihr vor!«

Mein Vater sah mich ernst an und wirkte auf einmal traurig.

»Dann ist es also nicht nur schön, Geister zu treffen?« versuchte ich, seinem plötzlichen Stimmungswechsel auf den Grund zu gehen.

»Doch, doch, wunderschön ...«, sagte er leise. Wir schauten beide auf die Wiese, das Gras, das Zacken in die schwarze Nacht schnitt.

»Dort kommt sie ...«, sagte meine Vater ehrfürchtig.

»Ich seh nichts!«

»Komm, ich zeig's dir.« Mein Vater war wieder der alte, energisch griff er meine Hand und deutete dann mit einer Kopfbewegung in Richtung Wald.

»Dort, wo die nackten abgebrochenen Zweige wie Pfeile in den Himmel ragen ... ihre Pfeilspitzen vom Nebel versteckt, da fliegt sie ein ... lange Haare hat sie, Haare, die sich in der Farbe des Mondlichts über uns ergießen ...«

»Weiße Haare also, wie alt ist die denn?«

Mein Vater ignorierte meinen Einwurf.

»Haare, die sich über mich ergießen, Haare, die sie mir immer wieder um den Finger gewickelt hat ...«

»Welchen Finger?«

»Du darfst nicht reden, Freia, du mußt dich auf die Geistin konzentrieren. Wenn du ihr nicht Beachtung schenkst, ist sie eingeschnappt und schwingt sich fort, bevor wir sie überhaupt zu Gesicht bekommen haben.«

»Da hat sie ja was mit mir gemeinsam!«

»Freia, du wolltest doch heute unbedingt mitkommen, dann mußt du jetzt auch ein bißchen still sein und mitmachen …«

»Ja.«

»Siehst du, wie sie mit ihren dünnen Armen die Nebelschleier vor uns lüftet?«

»Ja.«

»Siehst du, daß sie ihre Arme biegen kann wie du deine Lakritzstangen, nur daß sie weiß sind?«

»Ja.«

»Siehst du, wie sie sich jetzt zu Boden wirft, ihre Stirn einmal an den Stein vor uns legt, und hörst du, wie sie dabei mit windiger Stimme in sich hineinmurmelt und einen leisen Gesang anstimmt?«

»Ja!«

»Und siehst du, wie sie sich jetzt auszieht, als wolle sie zu einem nächtlichen Bad schreiten, siehst du, wie sie einen Schleier nach dem anderen, wie sie ihren Schal und ihre Armreifen, ihr Kleid und ihren Schmuck in Richtung Wald wirft?«

»Ja!«

»Siehst du, wie der Nebel ihre Kleider vom Boden hebt?«

»Ja!«

»Und siehst du, wie sie jetzt eine lockende Geste macht, ihre Hand ausstreckt und mich anschaut, einen Zeigefinger mit einem Nagel, glänzend und lang wie die Schneide eines Taschenmessers, nach mir ausstreckt und ihn wieder zu sich heranholt?«

»Ja, Papa, und ich glaube, sie lacht dabei wie eine Eule.«

»Genau, verstehst du jetzt, weshalb ich nachts manchmal herkomme?«

»Ja!«

»Versprichst du mir, daß du das niemandem erzählst, auch nicht Mama?«

»Ja. Versprochen!«

»Schau mich an …«

Mein Vater faßte mir unters Kinn, drehte meinen Kopf zu sich und blickte mich an. Sein Gesicht war sehr ernst, Wehmut oder Sehnsucht zeichnete sich wie so oft darin ab, weshalb ich ihn sehr gern mochte, und drum sagte ich ja.

»Wir müssen jetzt gehen, Freia, die Geister möchten sich nicht wie Zootiere fühlen, wir müssen unauffällig gehen, so tun, als wäre alles normal.«

»Aha, in Ordnung.« Das konnte ich verstehen.

Mein Vater setzte den knallgelben Rucksack, meine Boje im Meer des Waldes, wieder auf. Den Rucksack, von dem ich mich jetzt fragte, wie die Geistin ihn wohl fand. Unauffällig?

»Kann ich einen Schluck trinken?«

Mein Vater gab mir die Flasche aus einer schmalen Seitentasche, und ich ließ einen Teil des Wassers in den Ausschnitt meiner Bluse laufen. Wie sich das wohl anfühlte, die kühlen Liebkosungen von einem Geist? Das mußte ich meinen Vater beim nächstenmal fragen.

»Sag mal, hast du die Geister auch gefüttert?« fragte ich plötzlich.

»Nein, das sind doch keine Enten!« Mein Vater wirkte richtig unwirsch.

»Tschuldigung!« gab ich etwas beleidigt zurück.

»Was essen die denn deiner Meinung nach?« fragte ich doch noch.

»Luft und Ideen.«

»Ich möchte auch ein Geist sein!«

Mein Vater lachte wieder, sagte aber nichts weiter. Je näher wir schließlich den blinkenden Lichtern der Häuser, dem Rauschen der Autos kamen, desto weniger melancholisch wurde er. Er nahm mich an der Hand und erzählte mir ein paar Witze.

»Papa, hat die Geistin denn einen Namen?«

Er ließ meine Hand los, lief ein paar Schritte langsamer und schien angestrengt nachzudenken. Das mußte ein schwieriger Name sein.

»Aphrodite heißt sie.« Ich hatte recht gehabt.

»Wie? Aforite?«

»Aph-ro-di-te.«

»Also dieses ›dite‹ am Ende gefällt mir nicht, aber ›Afro‹ klingt ganz lustig. Bißchen komisch, der Name, aber Geister sind ja anders als wir, nicht?«

»Genau, meine Freia, nun laß dich noch mal ganz fest in den Arm nehmen … guck mal, was siehst du da? Unser Haus! Gleich sind wir da, und du gehst sofort schlafen, nicht wahr?«

»Ja.«

»Und was du gesehen und gehört hast, das bleibt unser Geheimnis. Peters und Freias Geheimnis, Ehrenwort?«

»Ehrenwort.«

Mein Vater blieb im Garten stehen, wo keine Spur von Paul und seinem Lurchschloß war, wahrscheinlich schlief mein Bruder schon. Peter steckte sich noch eine Zigarette an und schloß genießerisch die Augen, als er den ersten Zug tat. Ich sah zu, wie er den Rauch ausblies, wie sein großes, rundes Gesicht für einen Moment hinter dem Qualm zu verschwinden drohte. Er kam mir auf einmal sehr fremd vor, ein heimlicher Bewohner einer anderen Welt, mit der er mich heute ein wenig bekannt gemacht hatte.

# 5
## Die Insel

Von dem Zigarettenrauch, der sich im Lichtkegel unter unserer Wohnzimmerlampe bildete, waren Paul und ich immer vollkommen fasziniert. Wir griffen in die Luft nach den dichten Schlieren und Fäden, schoben sie zusammen und zerhackten sie. Immer wieder waren wir fassungslos, wie diese Gebilde vor unseren Augen zerrannen, verwehten und verschwanden.

Zwischen den einzelnen Patientenbehandlungen stürmte unser Vater regelmäßig durch die kleine, schamrot leuchtende Hintertür, damit seine Patienten ihn nicht bei seinen heimlichen Rauch-Eskapaden erwischen konnten. Peter hatte mit vielen Patienten, denen gerade wegen Durchblutungsstörungen ein Bein abgenommen worden war, das Gehen mit einer Prothese trainiert. Inquisitorisch fragte er jeden von ihnen über sein Rauchverhalten aus. Unser Vater gab ungefähr genausoviel Geld für Pfefferminzbonbons wie für Zigaretten aus.

Wenn Jo und Mäxchen zu Besuch kamen, mußte Peter sich allerdings immer ein wenig zusammennehmen, denn Mäxchen hatte aus Rußland nicht nur ein zerschossenes Bein, sondern auch eine von vielen kalten Wintermonaten angegriffene Lunge mitgebracht. Renate hatte ihren Vater nie anders denn als Schwerbehinderten erlebt. Als er unter Hitler in den Krieg zog, war er noch Maximilian. Später, als beinamputierter Mann, der völlig auf die Pflege meiner Großmutter angewiesen war, wurde er nach und nach erst Max, dann Mäxchen. Jo hingegen hieß eigentlich Johanna und mutierte nach dem Krieg zu Jo.

»Mäxchen, iß noch ein Wurstbrot, du hast ja heute abend kaum etwas gegessen!«

Unsere Großmutter beugte sich über den Eßtisch, den mein Vater eben noch von Zeitungsbergen befreit hatte. Sie schnitt eine Scheibe Vollkornbrot energisch in acht kleine Häppchen. Unser Großvater saß mit einem umgebundenen Lätzchen vor seinem Teller und sah ihr verdrießlich zu. Dann hob er eine zitternde Hand, näherte sie dem Teller von oben wie ein müder Adler, um dann nach einem Stück zu picken und es in langsamer Bewegung zum Mund zu führen.

Paul zwickte mich in die Seite.

»Freia, jetzt können wir seine Krücken klauen!«

Ich legte meinen Fuß als Zeichen des Einverständnisses auf den seinen, schnell warfen wir uns einen verschwörerischen Blick zu, dann standen wir vom Tisch auf.

»Wohin gehen denn die Herrschaften?«

Jo sah uns herausfordernd an.

»Spielen!«

Paul und ich standen in unseren gestreiften Latzhosen und roten T-Shirts vor den Erwachsenen.

»Aber kommt nicht zu spät zurück – wenn der Himmel so blau ist, wie's blauer nicht geht, müßt ihr umkehren – dann wird's nämlich ganz schnell pechschwarz!« sagte Jo, bevor sie jeden einmal kurz am Ohrläppchen zog.

Wir nickten brav, um wegzukommen. Großvaters Krücken lehnten im Flur vor der Eßzimmertür. Mit acht Brotstücken würde er noch eine Weile beschäftigt sein, außerdem war die Wurst sehr fettig, und er hatte angefangen, den Fettrand mit dem stumpfen Messer abzupulen, das konnte dauern. Paul und ich nahmen uns jeder eine Krücke, sprangen die Treppen hinunter, und schon waren wir draußen.

Es war immer ein großartiger, feierlicher Moment, die wenigen Meter Rasen zu verlassen, die unser Haus vom Wald trennten, und plötzlich von der Dunkelheit umgeben zu sein. Obwohl wir täglich in den Wald liefen, blieb der Moment des Eintritts für uns etwas Besonderes. Vielleicht lag es daran, daß die Tannen sehr dicht standen, ausnehmend viele Nadeln trugen, vielleicht war der Rasen besonders ordentlich gemäht und kurz – jedenfalls hielt ich bei den ersten Schritten immer die Luft an, um die finsteren Tannen mit dieser demütigen Geste gnädig zu stimmen. Kaum war ich dann zwei, drei Meter im Dunkeln, durfte ich wieder atmen.

Paul und ich warfen uns beglückte Blicke zu, als wir durch den Wald rannten. Nach ein paar Minuten kamen wir an den Bleichen See, den wir so getauft hatten, weil Peter einmal behauptet hatte, dort in der Nacht eine besonders bleiche Geistin beobachtet zu haben. Wir liebten diesen See, vollkommen still war er, und wir begrüßten ihn immer auf die gleiche Weise: Hand in Hand traten wir ans Ufer und beugten uns nach vorne: Da standen wir, zwei Kinder in gestreiften Hosen, mit kurzen Haaren, einander zum Verwechseln ähnlich, noch einmal verbeugten wir uns in der Stille vor dem See, dann war das Begrüßungszeremoniell abgeschlossen.

Nun faßten wir die Mittelinsel ins Auge, die wir für das Heiligtum schlechthin hielten. Kreisrund wie der See, lag die Insel in seiner Mitte, mit Farn und hohen Gräsern bewachsen. Manchmal nisteten Vögel dort.

Ungefähr drei Meter trennten die Insel vom Ufer. Einen halben Meter vom Ufer entfernt ragte ein morscher Baumstumpf aus dem See. Man konnte auf ihn steigen – das war zwar alles andere als sicher, aber ins Wasser gefallen waren wir bislang noch nicht. Ein Stück weiter konnte man auf ein kleines Holzbrett treten, das Paul und ich auf zwei voneinander entfernt stehende Baumstümpfe gelegt und mit Schnürsenkeln befestigt hatten. Aber danach trennten die Insel immer noch ungefähr zwei Meter vom Ufer. Doch mit Krücken konnte man, wenn man geschickt war, zweimal auf den sehr flachen Seeboden aufsetzen und sich auf die Insel schwingen. Wir losten immer aus, wer zuerst dran war: So schnell wie möglich mußten Paul und ich die Reihenfolge der Planeten aufsagen. Derjenige, der zuerst fertig! rief, hatte gewonnen. Merkurvenusmarserdejupitersaturnuranusneptunplutopalmolon-fertig! Palmolon hatte Paul sich für den mutmaßlichen Planeten hinter Pluto ausgedacht. Seiner Meinung nach war er würfelförmig und auf jeder Seite mit struppigen Palmen, die er »Kältepalmen« nannte, bestanden. Diesmal gewann ich. Baumstumpf – beinahe das Gleichgewicht verloren! – Holzbrett – wakkelt! Achtung! – und jetzt – Krücke aufsetzen – einen Fuß auf dem Holzbrett lassen, bis die nächste Krücke aufgesetzt ist – mit den Beinen einmal kräftig durchschwingen – und sich auf die Insel fallen lassen!

Ich atmete tief durch und kniete mich an den Uferrand, um Paul die Krücken übers Wasser zu reichen. Jetzt kam er dran. Eins, zwei, drei, vier! Wir waren zusammen auf unserem Eiland.

Der Farn war hier so hoch gewachsen, daß er uns bis an die Hüften reichte, wir hockten uns in sein Dickicht und fühlten uns wie in einem dichten grünen Herzen. Irgend wo raschelte eine Heuschrecke, Libellen hoben zum Flug an; wenn wir uns hinknieten, war der Farn höher als wir. Wir legten uns hin, schauten zwischen den gezackten Farnblättern in den Himmel. Dort, auf »unserer« Insel, muß meine Liebe für Wolken begonnen haben. Manchmal ruhten sie ebenso träge am Himmel, wie wir im Farn lagen, und manchmal flogen ihre ausgefransten Ränder durch den gezackten Irrgarten der Farnblätter. Manchmal glühten sie rot vor uns auf, und ihre Leiber schienen fest wie Fleisch, und manchmal leuchteten sie am Himmel in fast transparenten Streifen, wie das Pauspapier, das wir in der Schule zerschnitten.

Manchmal lagen wir in der Sonne und wurden braun,

ohne es zu merken. Später sahen wir den weißen Streifen unter unserem Uhrarmband. Und manchmal wurden wir plötzlich von warmem Sommerregen überrascht. Dann lagen wir, mit triefender Kleidung, in fast ekstatischer Bewegungslosigkeit, naß im Nassen und starrten hinauf in das wilde Spektakel von Dunkel und Hell, um – selten – einen schwachen Regenbogen wie ein phantastisches Zeichen von einem anderen Stern zu entdecken.

Natürlich war es längst pechschwarz, als Paul und ich unseren gefährlichen Krückenheimweg antraten. Paul trug eine winzige Taschenlampe an seinem Schlüsselbund, mit der er uns den Weg wies. Man mußte aufpassen, wo man die Krücken auf dem Seegrund aufsetzte, sie konnten bei Gewichtsverlagerung unerwartet tiefer sinken oder von einem Stein abrutschen. Jedesmal, wenn wir wieder am anderen Ufer ankamen, waren wir erleichtert – auch wenn wir voreinander taten, als wären wir die erfahrensten Naturbezwinger.

Man mußte den Weg gut kennen, um sich im finsteren Wald zurechtzufinden. Paul und ich hatten keine Angst, uns im Wald zu verlaufen, obwohl das Märchen von Hänsel und Gretel uns einmal eine ganze Nacht lang nicht hatte schlafen lassen. Doch im Gegensatz zu Hänsel und Gretel trugen wir beide einen Kompaß in der Brusttasche unserer Latzhosen. Zehn Minuten später sahen wir schon das rote Türchen durch die Tannen.

Nun kam ein anderer besonderer Moment: Der Austritt aus dem Waldreich und der erste Schritt auf dem Rasen. Es war, als würde man einen Schleier, ein Kleidungstück, einen schwarzen, schweren Mantel von sich abstreifen – Befreiung und Verlust –, wir taumelten aus den letzten Tannenreihen, die Rückseite unseres Hauses vor uns.

Paul und ich schlichen mit den Krücken zurück ins Haus. Leise schlossen wir auf und zogen gleich die Schuhe aus, um kein Geräusch zu machen. Wir tappten in den Flur. Ich reckte den Kopf und spähte ins Eßzimmer. Die Erwachsenen saßen noch wie vor einer Stunde am Abendbrottisch, Peter hielt große Reden – es ging irgendwie um Knieverletzungen und Krankenkassen –, die Jo ab und zu barsch unterbrach. Auf Großvaters Teller lagen einige Fettränder und zwei abgelehnte Brotstücke. Ein mit Apfel- und Klementinenstücken überladener Nachtischteller wartete auch noch auf ihn. Und neben dem Nachtischteller lagen, ein ordentliches Häufchen, Großvaters Patience-Karten.

Schnell stellten Paul und ich die Krücken in den Flur, kratzten noch etwas Erde von den Stoppern, dann traten wir, als wäre nichts geschehen, in unseren clownhaften Latzhosen ein.

»Halt! Da sind sie!«

Jo hielt ein Brotmesser militärisch in unsere Richtung, lachte aber laut, rauh und warm. Großvater guckte nur kurz auf und nickte wohlwollend. Diesmal war es Renate, die uns, als wir näher traten, in die Ohrläppchen kniff – das machte sie nur, wenn ihre Mutter zu Besuch war.

Ich fragte, während wir uns setzten, nach der Keksdose. Ein Abend ohne Kekse? Unvorstellbar. Peter holte sie aus dem Schrank und warf mir Zuckerkringel wie Diskusscheiben zu.

»Fangen!«

»Mit Essen spielt man nicht! So was war mal kostbar!« fuhr Jo ihn an.

»Bin ich hier in meinem Haus oder du?« rief Peter zurück.

»Das – sind – meine – Enkel, und ich will nicht, daß sie sich an so einen Umgang mit Lebensmitteln gewöhnen!« gab Jo ungerührt zurück.

Meine Großmutter war der einzige Mensch, den ich kannte, der meinem Vater widersprach. Wie die Geister mit ihm umsprangen, wußte ich nicht so recht. Aber da er sie oft aufsuchte, mußte das Verhältnis ja ganz gut laufen.

Hätte meine Mutter so einen Satz von sich gegeben, mein Vater hätte sich eine gepfefferte Widerrede einfallen lassen, aber Jo war ihm nicht geheuer. Renate war während des Wortgefechts ans Fenster getreten und schaute unbeteiligt in die Dunkelheit. Wie oft hatte ich mich in solchen Momenten gefragt, was sie da draußen eigentlich sieht.

Meine Mutter drehte sich vom Fenster wieder zu meinem Vater und Jo um.

Mein Vater beugte sich vor zu Jo, und sie stierten einander einen Moment lang an – mein braungebrannter, kräftiger Vater, der immer sehr leger gekleidet war, und meine kleine, hagere Großmutter in ihrem perfekt sitzenden Kostüm mit passenden Schuhen –, dann tat Peter so, als würde er auch einen Keks-Diskus nach Jo werfen. Man sah schon, wie sich ihr Gesicht vor Wut verzog, aber er warf sich den Keks in den Mund und kaute geräuschvoll.

Paul guckte mich warnend an. Dann kamen seine warmen Füße unter dem Tisch angekrabbelt und legten sich schützend auf meine. Die Großen konnten uns mal.

Ehrenwort.

# 6

## Cirrus Opacus
### (Frau Flugkapitän)

Ich stand am Fenster und starrte in die Dämmerung. Paul hatte Teewasser aufgesetzt, das Pfeifen des Kessels wurde vom Wind und vom Regen verschluckt.

Früher hatte ich ihm einfach nur erzählt, was mir gerade durch den Kopf ging – meistens hatte es etwas mit den Wolken zu tun, die vor dem Fenster an mir vorbeizogen, und er malte dazu.

Doch nun hielt ich einen Gegenstand nach dem anderen hoch, der nach dem Tod unserer Großmutter bei der Wohnungsauflösung übrig war. Renate hatte kubikmeterweise Hausrat auch auf die Keller von Pauls und von meiner Wohnung verteilt, und ich war entschlossen, alles wegzuwerfen. Vorher aber beschrieb ich diese Gegenstände meinem Bruder, erzählte, was mir zu ihnen einfiel, und hinter meinem Rücken verwandelten sich Schuhanzieher, Duschhauben, Zahnstocherdöschen, Haarspangensortimente, Muschel-, Knopf-, Schnürsenkel-, Gummibänder- und Brotpapiersammlungen, getrocknete und gepreßte Blätter und Schachteln voller abgerissener Eintrittskarten in Ei-Tempera und Luft.

Paul und ich hatten viel herausgefunden über unsere Mutter und ihre Eltern in den letzten Wochen vor und während der Wohnungsauflösung, staunend hatten wir Kisten und Kästen geöffnet, Briefe gelesen, Postkarten und Fotos betrachtet, und doch schien alles erst ein Anfang zu sein. Die Geburt von Christians und meiner Tochter stand bevor, und Paul und ich knieten vor Bergen von Dingen, die wir nie gesehen hatten, die nie erwähnt worden waren, die uns als einzige Spur geblieben waren, denn Jo und Mäxchen waren nicht mehr da.

Zu Hause hatte ich in Geschichtsbüchern oder Lexika nachgeschlagen, um dem einen oder anderen Fundstück auf den Grund zu gehen, und nun erzählte ich Paul etwas darüber. Hatte er seine Zeichnung oder sein Gemälde beendet, warf ich die entsprechenden Gegenstände weg, oft mit einem Gefühl von Befreiung. Solange Paul aber noch nicht fertig war, beschäftigten diese Fundstücke mich so, daß ich mich nicht von ihnen trennen konnte.

Daß Renate Einwände gegen unsere »Transformationsarbeit« und das anschließende Entsorgen hätte, stand fest, scherte uns aber wenig. In den weitläufigen Kellern unseres Elternhauses konnte man seit langem keinen Fuß mehr setzen, die Schränke waren vollgestopft, und nun war Renate entschlossen, unsere Wohnflächen in die gleichen lichtlosen Museen zu verwandeln.

Jetzt hielt ich ein Bild hoch, das die NS-Fliegerin Hanna Reitsch vor dem Segelflugwettbewerb für Frauen auf der Wasserkuppe abbildete. »1937« war mit blauem Füllfederhalter in Jos Handschrift auf die Rückseite geschrieben. Aufseufzend trat ich zu meinem Bruder und stellte ihm das Foto in den gespannten Rahmen.

Mein Bruder zuckte die Schultern. »Das ist eine harte Nuß. Es fällt mir wirklich leichter, zu malen, wenn du etwas erzählst, als wenn du mir nur irgendwelche Gegenstände hinlegst.«

Also begann ich:

»Ich melde mich hiermit zum Selbstopfer-Einsatz als Führer der bemannten Gleitbombe. Ich bin mir bewußt, daß dieser Einsatz mit dem Tod endet«, rief ich mit gellender Stimme und salutierte zum Dreiviertelmond im Fenster. Ich hörte es klacken, ein dumpfes, abgefedertes Geräusch; Paul war der Pinsel auf den türkischen Teppich gefallen.

»Das ist eine Erklärung, die im Jahr 1944 tatsächlich nicht weniger als siebzig Freiwillige unterschrieben haben. Immer noch bereit, für Hitler zu sterben. Das war der sogenannte SO-Plan. Die Nazis hatten ja für alle Einfälle immer knappe, präzise, Vernunft suggerierende Bezeichnungen. SO steht für Selbstopferung. Und diese Dame hier«, ich deutete auf das Foto, »hat die jungen Freiwilligen gewissenhaft für ihren Einsatz ausgebildet. Diesen Irrsinn hat zum Glück die Landung der Alliierten unmöglich gemacht. Von der Richtigkeit dieses Kamikaze-Projekts ist Hanna Reitsch jedoch bis an ihr Lebensende überzeugt geblieben.«

»Wo ist denn mein Mondgelb …«, schimpfte Paul, »SO, SOS, mal sehen, was mir einfällt …«

Ich trat zurück ans Fenster.

»Die Frau Flugkapitän hat Hitler übrigens auch noch in den letzten Tagen im Führerbunker besucht – angeflogen kam sie, als die Russen schon überall waren, eine der Treuesten der Treuen, Hitler hatte ja großen Erfolg bei Frauen.«

»Hm, hm«, machte Paul, und ich hörte in den folgenden Minuten des Schweigens, wie sein Pinsel in Wasser getunkt und über die Leinwand gezogen wurde. Ich starrte in den Abend, sah zu, wie sich dichter Cirrus vor den Dreiviertelmond schob und ihn wieder freigab. Ich wollte nicht, daß Foto gleich Foto war. Weihnachtsbild, Selbstopfereinsatz. Ich wollte nicht, daß Brief gleich Brief war. Letzter Gruß der ehemaligen Nachbarn, Familie Wiesentheuer, an meine Großeltern, bevor die Eltern erst ihre Kinder und dann sich selbst umbrachten. Vorschrift für den Gratulationsbrief an Göring zur Geburt seines einzigen Kindes. Das ewig gleiche Blau der Tinte. Diese gräßliche Gleichgültigkeit. Diese vermeintliche Objektivität. Pauls Bilder, angeregt durch meine Erzählungen, würden eine andere Sprache sprechen … wenn wir bloß erst einmal durchkämen durch diese schiere Masse an Erinnerungsstücken aller Art! Kaum hatte man einen Karton aus dem Keller geholt, stand man vor dem nächsten. Jo und Mäxchen hatten an die fünfzig Jahre in der gleichen – sehr großen – Wohnung gelebt.

Während ich mich hier mit einem Zuviel beschäftigte, beschäftigte ich mich beruflich mit einem Zuwenig. Ich suchte immer noch Cirrus Perlucidus, angeblich um meinen Wolkenatlas zu vervollständigen. Ich wußte, Dr. Remler würde sich nicht daran stören, wenn in »Clouds for the 21st Century« unter dem Vermerk »Cirrus Perlucidus« kein Foto zu sehen war, sondern lediglich eine Beschreibung des seltenen Wolkentypus. Er tröstete mich immer wieder damit, daß es kaum ein hundertprozentig vollständiges Nachschlagewerk in irgendeiner Disziplin gab. Außerdem war ich ja noch so jung, und mein Projekt würde in jedem Fall ein Erfolg. Doch insgeheim hatte ich schon beschlossen, das Foto für mich zu behalten und niemals in »Clouds for the 21st Century« zu veröffentlichen – falls ich Cirrus Perlucidus je finden würde. Ich würde meine zittrigen Fotos – denn sicherlich würde ich vor Aufregung zittern, wenn ich nach Jahren die seltene Wolkenformation doch noch entdecken würde – neben Pauls 6-Uhr-winterblaue Serie kleben und nicht zwischen die Serie der Wolken über 10000 Meter Höhe.

Wann ist etwas durchscheinend, durchsichtig, unsichtbar? Wie verhält sich das Unsichtbare zum Nicht-Vorhandenen?

Ich suchte C. P., wie Remler zu sagen pflegte, und Paul und ich verwandelten die unzähligen Relikte aus dem Leben unserer Großeltern in Buchstaben, $H_2O$-Farben und Luft.

»Was macht der Wolkenatlas?« fragte Paul mich jetzt, als könnte er Gedanken lesen. Ich erwiderte, daß es den Plan gebe, mit meinem Professor nach Neuseeland zu fliegen, wo sich auf der Südinsel besonders günstige klimatische Bedingungen für sehr hohe Cirrus-Formationen finden ließen. Mit Remler war ich auch schon am Nordkap, in Kasachstan und in Hokkaidō gewesen. Reisen, um die Wieland mich sicherlich beneidet hätte. Reisen, auf denen ich oft an ihn dachte. Und sogar – vor wenigen Jahren noch unvorstellbar – darüber traurig war, daß nicht einmal Paul noch mit ihm Kontakt hatte, denn lange Zeit war mein Bruder die einzige und letzte Brücke zu ihm gewesen. Eine ungewöhnliche Brücke, deren steiler Schwung, deren Glänzen in der Dunkelheit, deren betörender Schatten auf dem nächtlichen Wasser mich eifersüchtig gemacht hatten. Aber vielleicht war das doch besser als gar kein Kontakt?

Ich trat zurück ins Zimmer, schlenderte zur Leinwand und warf einen Blick auf Pauls Gemälde:

Die Frau Flugkapitän stand nicht auf einer V1-Rakete, sondern auf einem bunt bemalten Osterei. Und sie küßte eine andere Frau. In Pauls Bildsprache war die andere Frau durch das astronomische Zeichen der Venus angedeutet – scheinbar flüchtig hingezeichnet wie von einem Kalligraphen, tänzelnd, unfaßbar, in hellblau zerlaufender Farbe. Im Hintergrund marschierte eine Art Ameisenkolonne zu einem bunten Heißluftballon, auf dem stand: »SoSo« Nur die Gradzahl fehlte noch.

Ich umarmte meinen Bruder von hinten, und er lehnte sich zurück, an meinen Bauch.

Dann traten wir gemeinsam ans Fenster:

Die Schornsteine der Häuserfront gegenüber leuchteten in einem matten Ziegelrot vor dem abendlichen Himmel. Aus einem von ihnen qualmte es leicht, ein Rauch, der sich als sanfter Schleier für Momente vor den Mond legte. Wir starrten in den Himmel, und ich entdeckte eine Boeing 747. Aus ihrer Flugrichtung versuchte ich Abflugsort und Destination zu bestimmen. Mit Flugzeugen kannte ich mich recht gut aus. Meine Eltern behaupteten immer, mein erstes Wort wäre nicht »Mama« oder »Papa« oder gar »Ham Ham«

wie bei Paul, sondern »Ugzeug« gewesen. Vielleicht stimmte es ja. Die Boeing stach in Cumulus Pileus – ein Cumulus mit hoch aufragender »Kappe« – ein und trat wieder aus, um höher zu steigen und schließlich auf gleichbleibender Höhe unter einem dichten Cirrus, Cirrus Opacus, scheinbar schwerelos, die Abendsonne leuchtete rot auf den breiten, Schutz versprechenden Flügeln, auf einer perfekten Bahn unter einer perfekt gefächerten Wolke zu gleiten, keine Vergangenheit, keine Dachböden und Keller, nur in Leichtbauweise konstruierte Kabinen, sanft flimmernde Filme, nur Zukunft. Destination: mein Auge.

# 7

## Verschwundene Zöpfe

Wenn ich geradeaus schaute, konnte ich verfolgen, wie meine Mutter mir einen Scheitel zog. Im Spiegel sah ich mein Gesicht zwischen meinen dünnen, erhobenen Armen und darum, wie ein weiterer, größerer Rahmen, die Arme meiner Mutter.

Ich trug hüftlange Haare, die meine Mutter mir flocht. Und ich fand es komisch, daß sie einerseits die Frisur bestimmte, andererseits aber auch ein bißchen in der Rolle meiner Dienerin war; daß sie meinen Kommentaren: »Hier ziept's!«, »vorsichtiger«, »da wird's schief!« gehorchte und sich im wahrsten Sinne des Wortes die Finger wund flocht. Manchmal hatte ich das Gefühl, daß Renate meine Haare viel länger bürstete, als es nötig gewesen wäre.

Längst fielen meine Haare glänzend und glattgebürstet herab, und doch hob und senkte meine Mutter ihren Arm immer wieder. Meine elektrisierten Haare stellten sich in der Dämmerung auf und sanken langsam nieder. Mein Haar war mir dann unheimlich, fremd. Es war ein verlängertes Körperteil, etwas, das noch ich und nicht mehr ich war. Etwas, das abbrechen und zu Boden fallen konnte, ohne daß ich Notiz davon nahm, etwas, das mich zum Aufschreien bringen konnte. Meine Mutter streichelte meine Haare, und ich wußte nicht, ob sie damit mich meinte oder nicht.

Wenn ich in unseren aufgeklappten Alibert-Spiegel guckte, sah ich uns beide unendlich oft gespiegelt. Dann fragte ich mich, ob Jo Renate, als sie klein war, auch die Haare gebürstet und Zöpfe geflochten hatte. Und ob meine Urgroßmutter Jo Zöpfe geflochten hatte. Im Spiegel meinte ich all unsere Gesichter, all unsere langen glatten Haare wiederzuerkennen.

Einmal, als Renate mir die Zöpfe flocht, stand Jo plötzlich hinter uns.

»Das erinnert mich an früher«, meinte meine Großmutter sehnsuchtsvoll. Als sie mich später ins Bett brachte und mir einen Gute-Nacht-Kuß gab, zeigte sie mir ein Foto, das sie immer in ihrer Handtasche bei sich trug: Es zeigte sie mit ihren beiden Schwestern. Sie standen in hellen, ärmellosen Sommerkleidern der Größe nach hintereinander, mit langen Zöpfen. Irgendeine größere Feier fand im Hintergrund statt, eine prunkvolle Kutsche wurde von Spalieren junger Männer flankiert. Meine Großmutter war jedoch nicht diejenige, die mit keckem Blick neugierig den Kopf wendete, wie ich zuerst annahm, sondern jenes kleine Mädchen, das schüchtern die Augen vor dem Fotografen niederschlug.

In den nächsten zwei Wochen löste meine Großmutter oft meine Mutter beim Kämmen und Flechten meiner Haare ab. Meine Mutter wollte aber ihre Aufgabe nicht an ihre Mutter abtreten, so daß regelrechte Kräche entstanden, wer mir denn nun die Zöpfe flechten durfte. Wenn Jo sich durchgesetzt hatte, erzählte sie mir, wie sie ihrer Schwester Lena die Haare geflochten hat und wie sie dann gemeinsam zu Festen oder Sportveranstaltungen, deren Namen ich nicht im Kopf behalten konnte, gegangen sind. Jo hatte lustige Geschichten aus dieser Zeit parat, die sie mehr als einmal »die glücklichste in meinem Leben« nannte. Ausflüge, Ferienlager – meine Zöpfe brachten Jo dazu, von früher zu erzählen, ohne daß Paul und ich drängeln mußten: »Erzähl mal, als du Kind warst.« Aber wenn man Jo später, beim Essen, beim Spazierengehen oder beim Patiencen-Legen, noch einmal zu diesen Erlebnissen befragte, dann schüttelte sie den Kopf und meinte nur dumpf: »Ach, darüber habe ich schon viel zuviel geredet. Lassen wir das.«

Insofern war es mir lieber, wenn Jo meine Haare flocht, weil sie dann zum Beispiel die Geschichte von dem Mädchen erzählte, das nicht singen konnte:

Jo war mit ihrer Schwester Lena und vielen anderen Mädchen in ein Feriencamp gefahren. Jeden Abend sangen sie am Lagerfeuer Lieder. Aber eines dieser Mädchen fing immer an zu weinen, wenn die anderen sangen, ohne daß sie das irgendwie erklärte. Erst am Ende des Ferienlagers, als die anderen Mädchen ihm versichert hatten, daß alles gut würde, daß die besten Zeiten für dieses Land anbrächen, die es je gesehen hätte, ob sie das denn nicht merken würde? Erst am Ende, als Jo und Lena diesem Mädchen Mut gemacht hatten, erzählte es, daß sein Vater im Krieg, gerade als er mit zwei Kameraden singend eine Landstraße entlangmarschiert war, von einem Schuß in den Rücken niedergestreckt worden war.

Der Kamerad, der überlebt hatte, hatte dies ihrer Mutter berichtet, um sie zu beruhigen: Ihr Mann hatte nichts geahnt, nicht gelitten, keinen Todeskampf ertragen, sondern war mitten »im Vergnügen«, wie durch einen plötzlichen Herzschlag, aus dem Leben gerissen worden.

Manchmal redete mich Jo sogar aus Versehen mit »Lena« an, wenn sie so etwas erzählte.

Wer von beiden, Jo oder Renate, hinter mir stand, um meine Haare zu flechten, merkte ich auch bei geschlossenen Augen sofort an der Art, wie sie dies taten: Jo setzte zwei grobe Kämme gleichzeitig an meinem Scheitel an und zog sie in beide Richtungen fest nach unten. Binnen kürzester Zeit hatte ich einen millimetergenauen Scheitel, und meine Kopfhaut brannte von den Zinken der Kämme.

Meine Mutter hingegen faßte erst einmal vorsichtig in mein Haar, warf es auf und sortierte es vor. Dann legte sie sanft mit beiden Zeigefingern einen Scheitel, den sie lang-

sam, kaum spürbar mit einem Kamm immer feiner nach-
zog.

Ich konnte auch merken, in welcher Verfassung sie waren, wenn sie sich über meinen Kopf beugten. Manchmal
konnten Jo nur gellende Aufschreie davon überzeugen,
daß sie ihren Ärger über Mäxchen, der ihr wieder zu langsam, zu begriffsstutzig oder zu faul war, an meinen Haaren ausließ. Wenn sie mit dem grobzinkigen Kamm über
meine Ohren kratzte, war der Beweis eindeutig erbracht,
daß meine Großeltern gerade im Clinch miteinander lagen.

Wenn wiederum Renate gar nicht aufhörte, meine Haare
zu streicheln, und versuchte, mit ihren Fingern statt einem
Kamm den Scheitel zu ziehen, wenn ihre Finger nicht nur
über meine Haare, sondern auch über meine Ohren strichen, dann wußte ich, daß Peter zu oft nachts weggefah-
ren und sie zuviel allein gewesen war.

Als Jo und Renate sich wieder einmal kurz angifteten,
wer denn jetzt das Kämmen übernehmen sollte, stellte
sich Paul zu ihnen und sagte, daß er auch gerne Zöpfe haben würde. Diese Idee war keineswegs abwegig, denn er
hatte, der damaligen Mode entsprechend, schönes, volles,
schulterlanges Haar. Tatsächlich widmete sich Renate
dann Pauls Haar, mit dem Unterschied, daß sie Paul nicht
zwei, sondern fünf in alle Richtungen abstehende Zöpfe
flocht, die ihn sehr drollig aussehen ließen. Er konnte sich
auf der Straße oder beim Einkaufen bald gar nicht mehr
vor entzückten älteren Damen retten, und ich wurde eifersüchtig wegen der vielen Bonbons, die sie ihm zusteckten.
Renates und Jos Verhältnis entspannte sich deutlich, als
dieser zweite Kopf in ihr Visier geraten war, und Pauls
Zöpfchen wurden ein gewohnter Anblick bei uns am
Stadtrand.

Peter hatte dem Theater, das Renate und Jo um meine
Haare machten, von Anfang an verständnislos gegenüber-

gestanden; auch Jos abenteuerliche Geschichten schienen ihn nicht weiter zu interessieren. Aber die geckenhaften Zöpfchen seines Sohns wurden ihm irgendwann zuviel. Eines Nachts kam er in unser Zimmer und kitzelte Paul aus dem Bett. Dies war die geschickteste Methode, die vorgab, gewaltfrei zu sein, um meinen Bruder zu irgend etwas zu bewegen. Paul wand sich und schnappte nach Luft; als er erschöpft war, trug Peter ihn auf den Armen hinaus. Ich wunderte mich ein wenig und beschloß, den beiden heimlich zu folgen. Peter trug Paul quer durchs Haus, durch den Waschmaschinenraum, an der Kellertür vorbei und schließlich in die Garage. Ich war alarmiert: Wollte er mit Paul wegfahren? Wohin? Wollte er Paul stehlen und mit einer Elfe ein neues Leben anfangen? Ohne mich und Renate? Ich bekam solche Angst, daß mein Mund ganz trocken wurde und ich mich beherrschen mußte, um nicht in die Garage zu stürmen und loszuschreien. Aber es erklangen keine Motorengeräusche. Ich wagte es, noch weiter aus der Diele vorzutreten, stand in der Tür zur Garage und lugte hinein. Peter setzte Paul auf einen ölverschmierten Plastikstuhl und flüsterte ihm etwas ins Ohr. Dann sagte er laut: »Schön stillhalten«, und hob eine riesige Heckenschere. Schnipp, schnipp fielen Pauls lange Haare auf den fleckigen Boden, und Paul schaute stumm und, wie mir schien, mit gemischten Gefühlen auf seine Haarpracht, die zu seinen Füßen lag. Am Ende schnitt Peter noch mit einer kleineren Haushaltsschere nach. Ich schaute atemlos zu. Paul sah mit dem kurzen Mecki-Schnitt auf einmal so anders aus. So anders als sonst, so anders als ich! Mich überfiel Wut auf meinen Vater. Wie konnte er es wagen, ohne Paul, ohne mich, ohne Renate gefragt zu haben …? Es war die Zeit, in der mein Vater gerade aufgehört hatte, violette Hosen mit Elefantenbeinen und orange-grüne Krawatten zu tragen, und plötzlich, der allerneuesten Mode entsprechend, enge

Jeans, bedruckte T-Shirts und Lederjacken anzog. Ein paar Wochen zuvor hatte er entschlossen seine eigenen Haare ein Stück gekürzt.

Meine Mutter kleidete sich weniger nach der Mode und sah, seitdem ich denken konnte, immer unverändert aus in ihren marineblauen oder grauen Kostümen. Ihre blonden Haare färbte sie ein wenig in ihrem Naturton nach, über die Schatten, die sich unter ihren Augen ausgebreitet hatten, fuhr sie mit einem marmorfarbenen Stift.

Vor Wut zitternd, schlich ich zurück in unser Kinderzimmer. Ich zögerte nicht lange, und mir blieb auch nicht viel Zeit, denn gleich würde Peter Paul zurückbringen: Ich öffnete die Schublade meines kleinen Schreibtisches, fischte eine mit ausgelaufenem Uhu verklebte Bastelschere zwischen Geo-Dreieck und Heftzwecken heraus und trat vor unseren Spiegel.

Vor dem Schlafengehen hatte ich meine Zöpfe nicht gelöst, so daß alles ganz schnell gehen konnte. Ich setzte oben an der Kopfhaut an, und schon fielen die beiden fast einen halben Meter langen Zöpfe zu Boden. Ich hob sie auf, legte sie ordentlich auf meinen Schreibtisch, verstaute meine Schere wieder und setzte mich mit gefalteten Händen aufs Bett.

Das Schlafzimmer unserer Eltern war ein Ort, den wir Kinder nicht betreten durften. Hier schien die Zeit stehengeblieben: Nur Fotos von uns Kindern und von meinen Eltern aus der Zeit ihrer Hochzeit waren auf einem Stück bordeauxfarbenen Filz festgepinnt. Aus Renates Kindheit hatte ich nur ganz selten Fotos zu sehen bekommen – wenn Paul und ich besonders lange danach gequengelt hatten. Aus der glorreichen Zeit ihrer eigenen Zöpfe berichtete meine Mutter nie. Wenn sie mir die Zöpfe flocht, hielt sie die Zeit an und schwieg.

Manchmal, wenn meine Mutter mit müdem Gesicht aus

der Schlafzimmertür trat, erhaschte ich im fahlen Licht einen Blick auf mein Haar. Ich erschrak immer wieder, wie meine beiden Zöpfe da losgelöst von meinem Kopf an der Wand hingen. Und meine Mutter öffnete mein totes Haar und flocht es wieder und wieder. Auf ihrem heiligen Stück bordeauxfarbenen Filz, im abgezirkelten Bereich ihres Schlafzimmers flocht sie hingebungsvoll meine Haare.

Einmal sah ich, wie meine Mutter mit ihrem kleinen Tischstaubsauger, einem grauen Plastikreptil, über meine Zöpfe fuhr. »Damit die nicht einstauben!« sagte sie leise, als sie meinen Blick in der Tür bemerkte.

Meine Mutter hatte meine Zöpfe kommentarlos vom Schreibtisch und an sich genommen. Mit einer grimmigen Entschlossenheit, wie ich sie selten an ihr erlebt hatte. Sie setzte sich auch erfolgreich gegen Jo durch, die meine Zöpfe selbst gern nach Minden mitgenommen hätte. Jo lamentierte noch wochenlang, welch eine verrückte Göre ich sei, und schimpfte natürlich auch mit Peter. Und Peter schimpfte mit Renate und Jo, daß sie ihn niemals gefragt hätten, was er denn von den Zöpfen seines Sohnes hielte. Jeder schimpfte mit jedem. Und Paul und ich trauerten den aufregenden Geschichten nach, die wir jetzt leider nicht mehr zu hören bekamen.

# 8

## Die Zwillinge

Man las uns gerade zum Einschlafen ein Märchen vor, Renate tat das mit sehr leiser, wirklich ehrfürchtiger Stimme, die keinen Zweifel daran ließ, daß jedes Wort der Wahrheit und nichts als der Wahrheit entsprach. Daß die eigentliche Welt nicht so war wie die Schule, nicht so war wie die Stadt, die hupenden Autos, die knallenden Türen und die Nachbarn, das meinten Paul und ich schon lange begriffen zu haben. Schließlich sahen wir genau gleich aus und hatten am selben Tag Geburtstag – niemand war so wie wir, und doch waren wir ganz lebendig und konnten uns sogar in die Arme kneifen, um uns davon zu überzeugen. Andere Kinder wollten auf Kettcars fahren, einen Bonbonregen vom Himmel fallen sehen und ständig mit anderen spielen. Wozu? Die Welt, die für uns am Stadtrand anfing, war perfekt: Ein Junge und ein Mädchen, die, gleich groß, im Kapuzenanorak nicht voneinander zu unterscheiden waren, mit einem grünen und einem blauen Bonanza-Fahrrad. Der eine konnte schon gut schreiben, die andere war gut im Kopfrechnen, der eine konnte sich Geschichten ausdenken, die andere die Namen der Sternbilder aufsagen, der eine konnte, wenn wir zu Onkel Kazimierz fuhren, »Dzień dobry« sagen und »Do widzenia«, die andere wußte, wie viele Millionen Einwohner Warschau besaß und auf welchem Breiten- und Längengrad die Stadt lag, der eine aß gerne die obere Hälfte vom Brötchen und unreife Bananen, die andere die untere Hälfte und halb matschige Bananen – wir beide vermißten niemanden und nichts, wenn wir zusammen am Bleichen See vorbeiliefen, in dem sich der Himmel und seine faszinierenden weißen Bewohner spiegelten.

Später einmal würden dieser Wald, dieser See und dieser Himmel von gefallenen Engeln, einst Elfen und dann nach Schweiß riechenden Frauen, bevölkert sein, von viel zu vielen, zuviel Gestank, Gerüchen – doch noch gehörte das Land hinter der Stadt uns. Es gab einen hohen Berg in unserem Land, der »Teufelsberg« hieß. Gelegentlich fuhr Peter mit uns dorthin zum Drachensteigen, und wir malten uns jedesmal vorher aus, wie wir die dort oben hausenden Geister überlisten konnten, damit sie unsere Drachenschnüre nicht verhedderten. Über dem Teufelsberg türmten sich besonders bauschige Regenwolken, die mich von den bösen Geistern, nach denen der Berg benannt war, überzeugten. Irgendwann später würde der Berliner Teufelsberg sich als 25-Millionen-Kubikmeter-Schuttberg entpuppen, der seine Entstehung dem Zweiten Weltkrieg zu verdanken hatte – was seinem Namen plötzlich eine ganz andere Note verlieh. Doch noch waren wir so klein, daß wir weder etwas über den Krieg wußten, noch überhaupt eine Vorstellung davon hatten, in welchem Land wir wohnten. Wir wohnten »am Stadtrand«. Das war unsere Welt. Da unsere Mutter sehr nuschelte, fast flüsterte, hatten wir beide sogar eine Weile lang geglaubt, in »Merlin« zu leben …

Daß wir ein Junge und ein Mädchen waren und dies ein »großer Unterschied« wäre, kam Paul und mir damals nicht in den Sinn. Wir hatten die gleiche Schuhgröße und konnten voneinander anziehen, was wir wollten. Selbst im Sport waren wir ungefähr gleich gut. Später, als ich zwölf war, konnte ich sogar schneller schwimmen als Paul und war zweieinhalb Zentimeter größer. Ich wurde beim Fußball als einziges Mädchen geduldet; als Zwillingsschwester von Paul hatte ich einen Sonderstatus, war ein Zwitterwesen, das bei Jungen- und bei Mädchenspielen mitmachen durfte. Aber meistens machte es mir mehr Spaß, mit den

Jungs herumzuziehen. Auf den Waldlichtungen, die Paul und ich so gut kannten, lauschten alle meinen Ausführungen zur Astronomie: Schließlich wohnten die anderen in der Stadt, wogegen Paul und ich viel Zeit draußen verbrachten, er malte und zeichnete tags, und ich folgte nachts dem Lauf der Planeten mit meinem kleinen Fernrohr. Ich wußte, daß Uranus ein außergewöhnlicherer Planet war als Saturn: nicht nur, daß er auch über ein Ringsystem verfügte, wenngleich ein weniger sichtbares, sondern vor allem drehte er sich als einziger Planet des Sonnensystems sozusagen von oben nach unten, um eine West-Ost-Achse. Würde die Erde wie Uranus rotieren, lägen ihre Pole vielleicht in Kolumbien und auf Sumatra. Und ich wußte, daß der Marsvulkan Nix Olympica mit 24 Kilometern knapp dreimal so hoch wie der Mount Everest war und daß es Sterne gab, auf denen eine Streichholzschachtel 30 Tonnen wiegen würde. Und die riesigen Gasplaneten unseres Sonnensystems müßten irgendwo zwischen ihren heißen, metallischen Kernen und den kalten, giftigen Gaswolken eine Zone gemäßigter Temperatur aufweisen, in der wir in fünfhundert Jahren vielleicht campen gehen könnten …

Sprach ich von Hochsitzen und Vogelnestern wie sie von Kettcars und Kontaktlinsen, meinten meine Klassenkameraden, Geschichten von einem anderen Kontinent zu lauschen. Natürlich überschätzten sie die Höhe der Hochsitze und die Tiefe des Waldes und der Seen.

Für Paul und mich war Peter damals das große Vorbild. Peter, der schneller schwimmen konnte als wir, der feuerspeiende Monster zeichnete, Honig auf unsere Nasenspitzen klebte und uns Kirschen über die Ohren hängte.

Zu Hause erledigte meine Mutter, die mit den Monstern nicht mithalten konnte, stillschweigend einen Großteil der Schularbeiten für uns, von den Hausarbeiten ganz abgesehen.

Freundinnen hatte ich damals keine. Mädchen spielten mit Barbiepuppen und Monchichis oder redeten nur über sich selbst, anstatt etwas Interessantes zu unternehmen. Auf dem Schulhof standen sie in Grüppchen eng beieinander und kicherten schon, wenn ein Junge eine Kaugummiblase in ihrer Nähe platzen ließ. Mädchen, die sich nichts sagen ließen und denen es egal war, was die Jungs über sie dachten, gab's nur im Film. Hätte mir damals jemand gesagt: Irgendwann mußt du auch einmal Mädchen werden, wäre ich in Tränen ausgebrochen.

Leider kündigten sich bald unübersehbare Anzeichen dafür an, daß es mir wirklich beschieden war, eine Frau zu werden: Eines Morgens hatte ich merkwürdige Schmerzen im Unterleib. Später fand ich Blutflecken in meiner Unterhose. Ich erinnerte mich daran, daß sowohl Frau Sporn im Bio-Unterricht als auch Renate mir diese »Tage«, wie sie diese dramatische Veränderung schlicht nannten, angedroht hatten. Ich war ernsthaft deprimiert. Schrecklich ungerecht fand ich es, daß ich mich mit dieser blutigen, schmerzhaften Angelegenheit jeden Monat herumplagen sollte, Paul aber an diesen Tagen wie immer zum Fußballspielen gehen konnte. Es gab Momente, in denen ich unglaubliche Angst hatte: Ich war es gewohnt, alles, was mich beschäftigte, mit Paul auszutauschen. Aber ich ahnte, daß er plötzlich nicht mehr das gleiche erlebte wie ich. Seine T-Shirts spannten nicht auf einmal an der Brust, er krümmte sich nicht einmal im Monat vor Schmerzen und mußte im Bett bleiben – was sollte ich ihm davon erzählen? Ich beschloß, all das für mich zu behalten, damit ich ihm nicht fremd werden würde und er keine Angst vor mir bekäme.

Eines Tages prophezeite mir meine Mutter, als sie mich zum Abwaschen in die Küche bat, obwohl Paul weiter Radio hören durfte, daß mein Bruder sich wahrscheinlich in den nächsten Monaten mehr und mehr von mir zurückziehen würde – denn das machten alle Jungen in diesem Alter. Sie badeten nicht mehr gemeinsam mit ihrer Schwester und erzählten ihr nicht mehr alles, was ihr Herz bewegte. Ich war tief erschüttert nach dieser ungewöhnlich bestimmten Rede meiner Mutter und weinte später in mein Kopfkissen.

Mir kam es so vor, als würde meine Mutter nun besondere Anstrengungen machen, mir näherzukommen. Ich wich ihr aus, so gut es ging. Was sollten wir uns jetzt zu sagen haben, was vorher nicht möglich gewesen war? Meine Mutter fing ernsthaft an, mich ab und zu herbeizurufen, wenn sie kochte, damit ich ihr »über die Schulter schauen könnte«. Ich sah überhaupt nicht ein, warum ich mich plötzlich für etwas wie Kochen interessieren sollte, bloß weil einmal im Monat Blut in meiner Unterhose war.

Aber Paul tat nichts von alldem, was meine Mutter prophezeit hatte. Er kam jeden Abend vorm Schlafengehen in mein Zimmer, legte sich neben mich ins Bett und erzählte, was ihm durch den Kopf ging. Er blieb auf dem Schulhof bei mir stehen und guckte nicht zu den Mädchengruppen hin, die er ebenso bescheuert fand wie ich.

Der Winter kam, der Sommer kam – und nichts änderte sich. Irgendwann beschloß ich, daß meine Mutter eine ganz gemeine Lügnerin sei, die mein Verhältnis zu Paul aus Eifersucht zerstören wollte. Je mehr sie sich um mich bemühte, je öfter ich ihr in der Küche »über die Schulter gucken« sollte, desto mehr zog ich mich von ihr zurück. Ich war fest entschlossen, so zu werden wie mein Vater: handfest und doch den Kopf voller Elfen, wild, lustig und lebensfroh … und heiraten wollte ich sowieso nicht.

Die nächsten Jahre vergingen nicht viel anders als die vorausgegangenen; ich ertrug die Veränderungen meines Körpers stoisch, versuchte mich aber ihnen, soweit wie möglich, zu widersetzen. Das ging so weit, daß ich eine Weile lang weniger aß, weil ich hoffte, auf diese Weise das

Wachstum meiner Brüste zu bremsen. Leider hatte ich nur weniger Kraft zum Fußballspielen oder Schwimmen. Außerdem hörten die wabbeligen Dinger, die mir in einem Traum als dicke, fleischige Korallen von einem düsteren Meeresgrund entgegenwuchsen, überhaupt nicht auf, weh zu tun. Und wie sie störten! Kaum rannte man ein Stück, wippten sie auf und ab, lächerlich sah das obendrein aus. Ich trug immer besonders weite T-Shirts, die so wenig wie möglich von meinen Brüsten zeigten.

Auch wenn Paul sich mir gegenüber nicht anders verhielt als früher, so merkte ich doch, daß ein paar unserer Fußballkumpels plötzlich verlegen wurden, wenn ich zu ihnen in die Runde trat. Einmal meinte sogar der große Ulf, der schon einen richtigen Oberlippenbart hatte, ich solle jetzt nicht mehr bei ihnen mitspielen. Es gab ein erbittertes Gespräch, bis Paul schließlich Partei für mich ergriff. Ich spielte sehr gut, schoß mehr Tore als manche der Jungen und hatte auch nicht mehr Angst davor als sie, mich in den Matsch zu werfen. Unter der Androhung, daß er sonst die Truppe verlassen würde, überzeugte Paul die anderen schließlich davon, daß ich zu bleiben hatte.

In dieser Zeit brach sie richtig aus: die Sammelwut meiner Mutter. Ich erinnere mich gut, wie sie jede Kritzelzeichnung, die Paul machte, jede kleine Sternbildskizze, die ich im Wohnzimmer auf der Rückseite einer Fernsehzeitschrift entwarf, jeden Schmierzettel mit »Renate, bin um 6 wieder da, lieben Gruß, Freia« aufbewahrte. Alles verschwand auf den unergründlichen Hängeböden, die so verschiedene Dinge wie die Kartentasche meines Großvaters aus dem Krieg, aus der Mode gekommene Bettwäsche in Hippiefarben, vergilbte Lappland-Bildbände und verstaubte Einmachgläser, die in der Speisekammer keinen Platz mehr gefunden hatten, beherbergten. Paul und ich fingen sogar schon an, in unseren Augen mißlungene Zeichnungen in Papierkörbe auf der Straße zu werfen, um sie vor dem Zugriff unserer

Mutter zu bewahren. Und – ja – es war augenfällig: Je unfreundlicher und ruppiger wir zu unserer armen Mutter waren, desto geflissentlicher sammelte sie alles von uns. Bei meinem Vater war sie besonders obsessiv: Sie hatte einige seiner Zigarettenstummel aufbewahrt mit der Begründung, an dem Tag hätte er ihr einen besonders schönen Guten-Morgen- oder Guten-Abend-Kuß gegeben. Mein Vater war wie in so vielen Dingen auch hierin das genaue Gegenteil. Die Dinge, die ihm etwas bedeuteten, schienen nicht auf Dachböden oder in Familienalben Spuren zu hinterlassen.

Als Paul und ich sehr klein gewesen waren, hatten wir oft zusammen Vater-Mutter-Kind gespielt. Seppi, unser Uralt-Teddy von Peter, war der Sohn, und wir setzten uns neonfarbene Plastikringe auf, die wir für einen Groschen aus einem Automaten an der Schule zogen. Wenn man mich fragte: Freia, wenn du groß bist, wen wirst du dann heiraten?, zeigte ich sofort und ohne zu überlegen auf Paul. In dieser Zeit schickte unser Vater Paul sogar einmal einen Monat lang zu unseren Großeltern, weil er fand, daß wir unabhängiger voneinander werden mußten. Und ich tollte mit Peter durch den Wald, wir spielten »Wildschwein und Graf«, was bedeutete, daß ich auf seinem Rücken querfeldein galoppierte, aber ich schrieb natürlich doch täglich einen langen Krakelbrief an Paul, der immer mit einem doppelt so langen, mit kleinen Zeichnungen versehenen beantwortet wurde.

Bei unseren Vater-Mutter-Kind-Spielen übernahm Paul selbstverständlich die Mutterrolle und ich die des Vaters. Nie haben wir das groß in Frage gestellt. In unserer Welt waren andere Dinge verwunderlich. Zum Beispiel, daß man vom Schnee-Treten im Wald heiße Füße bekam.

Später, beim Fasching, war ich jahrein, jahraus der Zauberer und Paul die Hexe. Er malte sich mit schwarzem Stift die Vorderzähne an, was ihn sehr böse aussehen ließ, obendrein setzte er eine rote Fransenperücke auf. Meine

Klassenkameradinnen hatten sich als Prinzessinnen, Schmetterlinge oder Blumen verkleidet, nur ich trug einen spitzen, kegeligen Sternenhut, auf dem Uranus sich um seine einsame West-Ost-Achse drehte.

Und Renate bewahrte jedes unserer Kostüme, aus denen wir doch schon im nächsten Jahr herausgewachsen sein würden, ordentlich zusammengefaltet auf in einem vollgestopften Schrank.

# 9

## Der Krieg ist eine Fliege …

»Es waren einmal ein Junge und ein Mädchen, sie schwammen zu kreisrunden Inseln, versteckten sich im Farn und sprachen mit den Tieren. Sie konnten keiner Fliege etwas zuleide tun und ließen auch Schmetterlinge in Ruhe, die ja sterben, wenn man ihre Flügel anfaßt. Nur manchmal humpelten sie, ein weißes Tuch um ein Bein gewickelt, durch den dunklen tiefen Wald, und niemand verstand, warum.«

Die Märchen, die Paul unseren Eltern oder Großeltern abends erzählte, drehten sich immer um Dinge, die wir gerade erlebt hatten. Sie trugen Titel wie »Der Prinz und das alte Kaugummi«, »Vater, Mutter, Kind kann nicht schlafen« oder »Der verschwundene Vater und das Flüstern der Elfen«. »Kalte Grüße aus Fensalir« hieß eine Geschichte, die Paul sich ausdachte, nachdem er in Großmutters »Nordischem Mythenlexikon« ein Bild der Göttin Frija entdeckt hatte, die in ihrer Nebelhalle Fensalir über Wind und Wetter regierte. Die Hauptfigur der Geschichte hatte sehr viele Ähnlichkeiten mir mir, und seitdem er das Märchen vorgetragen hatte, nannte erst Paul und dann nach und nach auch die restliche Familie mich Freia. Erst viel später war mir Großmutters »Nordisches Mythenlexikon« nicht mehr geheuer, aber es war schier unmöglich, meiner Familie und meinen Klassenkameraden »Freia« wieder abzugewöhnen, zumal ich meine eigentlichen Namen noch weniger mochte: Eva Maria! »Eva« verkörpert nun einmal Weiblichkeit schlechthin, und damit konnte ich mich nicht gut anfreunden. Obendrein hieß auch noch

Hitlers Geliebte und Ehefrau-für-einen-Tag so. Mein Vater hatte die Namen ausgesucht und sich, wie ich ihn kannte, nicht viel dabei gedacht. Eva Maria hieß seine Lieblingstante – mein Vater stammte aus Bayern. Meine Mutter hatte Pauls Namen gewählt.

Pauls Geschichte über die mit um die Beine gewickelten weißen Tüchern durch den Wald humpelnden Zwillinge führte zu unserer Überraschung zu einer großen Familienkrise. Doch diesem Streit unter den Erwachsenen war eine lange Zeit vorausgegangen, in der wir uns mit Großvaters aufregendem Bein befaßten. Das Aufregende an diesem Bein war, daß es nicht da war. Wenn Großvater sich an- und auszog, konnten wir seinen Stumpf betrachten. Direkt unter dem Kniegelenk hörte das Bein mit einer von schrumpeliger Haut überzogenen Rundung auf. Jo rieb Mäxchen täglich morgens und abends die vernarbte Haut mit Ringelblütencreme ein. Großvater lag dann mit gespreizten, sehr dünnen weißen Beinen auf dem Rücken im Bett – ein bißchen wie ein Baby, das gewickelt wird. Manchmal stöhnte und fluchte er, wenn die Haut an seinem Stumpf von der Prothese wund gerieben war. Ständig seufzte Großvater, daß die Prothese zu eng oder zu weit säße, und gelegentlich lief Jo mit der Prothese in einer besonders großen Plastiktüte zum Fachgeschäft, um eine Änderung des Übels zu erreichen. Ich hatte mich manches Mal gefragt, ob die Leute auf der Straße oder im Bus wohl umrißhaft erkennen konnten, was sich in Jos riesiger Tüte verbarg.

Seitdem wir denken konnten, faszinierte es uns, daß man gegen dieses Bein treten konnte, ohne daß Großvater davon die geringste Notiz nahm. Großvaters Prothesenbein wurde täglich wie dem anderen der Socken gewechselt, und es bekam einen schwarzen oder braunen Herrenschuh angezogen. Jeden Tag band Großvater sorgfältig die Schleife zu. Wenn man die Wäscheleine oder sein Schuhregal sah, konnte man denken, daß Mäxchen zwei Beine hatte.

Ich erinnere mich nicht mehr, wann ich Großvaters geheimnisvollen Stumpf zum erstenmal bewußt wahrgenommen hatte. Ich weiß nur, daß es mir gar nicht in den Sinn kam, Mäxchen als »behindert« – ein Wort, das ich erst viel später lernte – anzusehen, er erschien mir ganz einfach nur besonders. Zumal die Tatsache, Prothesenträger zu sein, ihm unendlich viele Vorteile verschaffte. Im Schwimmbad, beim Minigolfen oder im Naturkundemuseum mußte er aus unerfindlichen Gründen weniger Eintritt als die anderen Erwachsenen bezahlen. Wenn andere Autos Schlange standen, um zum Beispiel vorm Thermalbad, das Großvater liebte, einen Parkplatz zu bekommen, konnten wir uns einfach auf einen der nahe dem Eingang gelegenen markierten Parkplätze stellen. Wohin wir auch kamen, wurden uns die Türen aufgehalten und der Weg frei gemacht. Großvater schien eine Art Bundeskanzler zu sein.

Auf unsere neugierigen Fragen, warum Großvater denn so ein Schrumpelbein habe, bekamen wir immer die gleiche Antwort, nämlich daß Großvater »im Krieg« gewesen sei. Was das bedeuten sollte, wurde uns nicht klar. »Krieg« schien jedenfalls ein schrecklicher Ort zu sein, eine Gefahrenzone, in die aus irgendeinem Grund nur Männer kamen. Es hieß noch, daß »Großvater hart gekämpft und Großmutter lange auf ihn gewartet« habe. Das wiederum konnten wir uns gut vorstellen: Jeden Morgen, wenn Großvater sich unendlich langsam im Badezimmer wusch und rasierte, rief Jo irgendwann verärgert: »Herr Bonitzky, wird's bald!?«

Paul und mich beschäftigte die Frage nach dem verschwundenen Bein sehr. Schließlich kamen unsere Großeltern ein paarmal im Jahr, oft für Wochen, zu Besuch, und wir verbrachten viel Zeit mit ihnen.

Wenn Paul und ich auf der Mittelinsel des Bleichen Sees lagen, stellten wir verschiedene Überlegungen an, wie

Großvater denn wohl zu seinem Stumpf gekommen war. Den vagen Begriff »Krieg«, von dem die Eltern entweder mehr wußten, als sie sagten, oder selber nicht viel Ahnung hatten, wollten wir mit einer schlüssigen Geschichte füllen.

Während wir auf unserer Insel miteinander sprachen, bis die Dämmerung kam und lange, unscharfe Schatten von Schilf und Farn auf unsere Gesichter warf, beobachtete ich, wie dicke Wolkenbänke den Mond verdeckten und wieder freigaben. Manchmal konnte dies in Sekunden geschehen, manchmal in Stunden. Nach langem Hin- und Herüberlegen, in dem Wölfe, die aus »Krieg« kamen, und kämpfende Ritter mit Schilden und blitzenden Schwertern eine Rolle spielten, entschieden wir uns für folgende Möglichkeit:

Nachts hatte sich ein durch das Leuchten von Großvaters Taschenlampe gestört fühlendes Grübelmonster, ein Silberlügenaal oder ein Futterneidhai aus dem Bleichen See erhoben und einmal kräftig nach Großvaters Bein geschnappt. Wie Großvater uns erzählt hatte – womit er einen wichtigen Hinweis für diese uns am wahrscheinlichsten erscheinende Theorie gab –, war er als junger Mann oft nachts in tiefen Seen schwimmen gegangen. Großvater war Pfadfinder gewesen. Paul und ich waren uns nicht ganz sicher, ob »Krieg« eher einen Ort oder ein Ereignis bezeichnete. Ganz sicher aber war Vollmond, als »Krieg« passierte. In den Märchen, die Großvater uns aus einem riesigen Buch namens »Der Goldene Schlüssel« vorlas, wenn er nicht Patiencen legte, passierten die schrecklichen Dinge immer bei Vollmond. Wir wollten auch wissen, ob Großvater wohl den Silberlügenaal, der sein Bein erwischt hatte, anschließend mit einem Schwert geköpft hatte.

Großvater lachte immer in sich hinein, was eher wie ein leichtes Husten klang, wenn wir ihm unsere Überlegungen schilderten. »Ach, Kinder«, sagte er manchmal kopfschüttelnd, was uns verwirrte und hochnäsig vorkam. Wir hatten ihm die Ergebnisse unserer nächtlichen, schlafraubenden

Überlegungen schließlich sehr ernsthaft vorgetragen. Jo dagegen schien sich zu freuen, wenn wir von Grübelmonstern, Futterneidhaien und Silberlügenaalen erzählten. »So oder so ähnlich wird's gewesen sein«, rief sie dann fröhlich, klatschte in die Hände und warf einem von uns ein Geschirrtuch zu, das uns gelegentlich auf den Kopf fiel, damit wir uns an den Abwasch machten.

Die Hauptbewohner des Bleichen Sees – jene Grübelmonster, Futterneidhaie und Silberlügenaale – hatten ihre eigene Geschichte: Das Grübelmonster schaute uns skeptisch an, wenn wir uns über die Wasseroberfläche beugten und nachdenklich unsere Gesichter studierten. Wir sahen einander so ähnlich und waren doch ein Junge und ein Mädchen – was auch immer das genau bedeutete. Es gab den Unterschied, daß Paul weiter pinkeln konnte als ich, aber wieso behaupteten die Erwachsenen, schon beim Anblick unserer Gesichter zu wissen, wer das Mädchen und wer der Junge sei? Was machte diesen Unterschied aus? Wir hockten Hand in Hand am Ufer des Bleichen Sees und studierten unsere Mienen, die sich so klar im Wasser abzeichneten wie von Geisterhand projiziert – und Paul war der Ansicht, daß dort unten im Wasser ein Wesen mit zwei Köpfen hauste, das Grübelmonster, das uns diese schwer lösbaren Aufgaben stellte.

Die Futterneidhaie waren weitaus weniger geheimnisvoll als das zweiköpfige verschlossene, mürrische, mit keiner Antwort zufriedene Grübelmonster. Sie schnappten mit kleinen Kinderfingern nach einem Keks oder einem Gummitier, das einer von uns gerade aus dem Anorak holte und ungern teilen wollte. Die Futterneidhaie hießen eigentlich Paul oder Freia. Aber die Vorstellung war schöner, daß sie sich blitzschnell aus dem Wasser erhoben und rasch nach einem Leckerbissen schnappten. Diejenigen Futterneidhaie, die auch Paul heißen konnten, schienen geringfügig kräftigere Kiefer zu haben.

Die Silberlügenaale waren die unheimlichsten Bewohner des Bleichen Sees. Sie waren heimtückische, unsichtbar am Boden des Sees liegende Verschwörer, die – von den Elfen beauftragt – unseren Vater Dinge sagen ließen, an denen Erdbewohner manchmal zweifelten. Wir stellten uns vor, daß sie sich in der Nacht, wenn Peter umschlungen mit einer Elfe auf der kreisrunden Mittelinsel saß, aus dem Wasser erhoben und mit ihren langen, glitzernden silbernen Körpern wie Delphine über die Wasseroberfläche glitten und wieder eintauchten und verschwanden. Unser Vater starrte auf die glatten, funkelnden Körper, war verzaubert und vergaß darüber Renate, Paul und mich ...

Alle diese Wesen kamen als Hauptverdächtige in Frage. Aber es gab noch etwas anderes, was uns sehr beschäftigte: Wo war Großvaters Bein geblieben, nachdem es im »Krieg« oder durch »Krieg« verlorengegangen war? Manchmal, wenn Paul und ich auf der runden Mittelinsel des Bleichen Sees standen, suchten wir seinen Grund nach Großvaters Bein ab. Schon manche Glasflasche und manchen Ast hatten wir mit langen Stöcken im Wasser umgedreht in Erwartung eines Beins mit braunem Herrenschuh und schwarzem Strumpf ...

Daß es unendlich viel mehr Seen auf der Welt gab als den Bleichen See, hatte Peter einmal behauptet. Langsam begannen Paul und ich in Erwägung zu ziehen, daß Großvater bei den Pfadfinderwanderungen durch ein anderes Grübelmonster in einem anderen See, fern unserem Haus, vielleicht sogar fern unserer Stadt, um sein Bein gekommen war.

Wie Großvater lachten auch die anderen albern, wenn wir ihnen unsere neuesten Theorien vorstellten. Noch mehr lachten sie, als wir anfingen, uns Handtücher ums jeweils rechte Bein zu wickeln und »Prothese« zu spielen. Wir taten das in erster Linie aus strategischen Überlegungen: Wenn jemand mit Prothese überall eine Extrawurst bekam, dann wollten wir natürlich auch um jeden Preis eine haben. Wir humpelten herbei und wollten mit Luftschokolade, die damals gerade neu auf dem Markt war, gefüttert werden. Manchmal wollten wir einfach auch einmal mit Jos gut riechender Ringelblumensalbe eingerieben werden und hoben die eingewickelten Kinderbeine bittend hoch.

Als wir zum drittenmal an einem Tag zu Jo hinkten, gab es einen kleinen Eklat, der ein Vorgeschmack auf den Streit war, der folgen würde.

»Mäxchen, jetzt spielen sie schon den ganzen Tag Prothese! Ich möchte nicht, daß sie dir immer zugucken, wie du den Stumpf massierst und all das. Andere Kinder spielen Hüpf-mein-Hütchen!« erboste sich Jo, die uns zu Weihnachten ein wunderschönes Hüpf-mein-Hütchen-Spiel geschenkt hatte. Großvater war zwar offiziell auch der Schenker, aber er wußte nie, was Großmutter für uns in die vielen bunten Papiere eingewickelt hatte. Wenn wir dann ein Buch, ein Stofftier, ein Spiel, einen Malkasten oder ein Kleidungsstück auspackten, tat er nur so, als hätte er vorher genau gewußt, was das Päckchen enthielt.

»Sie gucken mir eben zu, wenn ich morgens die Prothese anlege …«, verteidigte Großvater sich.

»Sie müssen so was noch nicht sehen, nicht so, und auch nicht nackt«, entfuhr es Jo, und sie schloß Großvater, der gerade ein Mittagsschläfchen halten wollte, einfach im Schlafzimmer ein, um deutlich zu machen, daß sie sich mehr Abstand uns gegenüber wünschte.

Was genau Großvater mit oder im »Krieg« passiert war, bekamen wir nicht heraus. Es ärgerte uns, daß die Erwachsenen entweder nur riefen »So oder so ähnlich könnte es gewesen sein« wie Jo oder gar nichts sagten wie Renate oder wie Peter einfach nur: »Könnt ihr noch mal von was anderem reden? Großvater hat sein Bein im Krieg verloren, wie, weiß ich auch nicht.« Manchmal stöhnte auch einer von ihnen: »Kinder, ihr fragt uns Löcher in den Bauch!«

Eines Abends kam es schließlich zu besagtem Familienstreit.

Das Märchen, das Paul diesmal vorlas, handelte von einem Mädchen und einem Jungen, die mit Tieren sprachen, und es wurde beiläufig erwähnt, daß sich jeder von ihnen ein Bein mit einem Handtuch umwickelte. Schon die Erwähnung dieses Details schien Jo aufzubringen. Gemeinhin endeten diese Märchen damit, daß irgendein Tier uns ein Geheimnis offenbarte, wir bei Vollmond etwas Verbotenes, Gefährliches taten, manchmal am Grund eines tiefen Sees einen Schatz fanden, und am Ende war ein Siebenmeilenstiefelfuchs, ein goldener Tausendklumpfüßler oder ein Riesenjumbokäfer mit Kneifzangen wie ein Nußknacker wieder lebendig. Doch diesmal erzählte Paul, wie das Mädchen und der Junge durch einen besonders finsteren Wald liefen. Vögel fielen blutig von den Bäumen, Kleidung lag herum. Schüsse fielen. Am Horizont brannte eine Stadt. Der Wald war riesig und schwarz und hieß »Rußland«. Es war sehr kalt dort, und die beiden hatten erst rotgefrorene, dann weiße und schließlich schwarze Finger und Zehen, sie bluteten. Plötzlich traten ganz viele Männer in zerrissener Kleidung aus dem Wald. Hier unterbrach sich Paul und sagte, sie hätten einen besonderen Namen, den er vergessen habe, so ähnlich wie Party und Parmesan. Parmisanen, glaube er.

Die Parmisanen hielten richtige Gewehre in der Hand und schossen auf die beiden. Dann wurde der Wald noch schwärzer, die Wolken bluteten, anstatt zu regnen, die Grübelmonster, die vorher ständig ihre beiden sich stets widersprechenden Köpfe aus dem Wasser gehoben hatten, stellten nie wieder eine einzige Frage, denn da war niemand mehr zum Antworten, die Futterneidhaie starben, denn da war niemand mehr, dem sie etwas wegnehmen konnten. Nur die Silberlügenaale räkelten sich in dem blassen, kalten Licht, das eine milchige Sonne in den Wald und auf seine unzähligen Seen und Flüsse tropfte. Sie räkelten sich mit ihren glänzenden Leibern, erzählten vom nahenden Frühling und nannten »Rußland« jetzt »Rosenland« ...

Paul hatte kaum geendet, da wandte sich Jo an Mäxchen.

»Was – um – Himmels – willen – hast du ihnen alles bloß erzählt?«

Mäxchen zuckte etwas hilflos mit den Schultern und trank erst mal einen großen Schluck Kaffee. Dann murmelte er: »Neulich hab ich wieder ein Märchen aus dem ›Goldenen Schlüssel‹ vorgelesen«, er unterbrach sich und hob die Hände mit einer fragenden, ratlosen Geste, »aber sie wollten es nicht mal zu Ende hören. Haben nur gefragt, wie das denn mit meinem Bein passiert sei«, versuchte er sich zu verteidigen.

»Und dann? Was – hast – du – ihnen – dann – erzählt?« fragte Jo lauernd.

Renate stand, an die Wand gelehnt, und schaute aus dem Fenster.

Peter seufzte auf und sagte laut: »Gleich kommt die Tagesschau!«

Ausnahmsweise ignorierten ihn alle.

Mein Großvater fuhr sich übers Kinn, kratzte sich am Kopf und sah Jo ängstlich an.

»Was – hast – du – ihnen – erzählt?« bohrte Jo wieder.

Mein Großvater wand sich, holte einmal tief Luft, gab sich einen Ruck und sagte dann plötzlich mit völlig veränderter, fester Stimme, die mir zum erstenmal deutlich machte, daß mein Großvater ein ganz anderes Leben vor seinem Ohrensessel-Dasein geführt hatte:

»Ich hab ihnen mal wirklich was erzählt, Johanna! Von Hitler-Deutschland, vom Rußlandfeldzug, von meinen Erfrierungen, vom Wundbrand, vom Lazarett, von meinen Kameraden, die's nicht überlebt haben. Herrgott! Sie glauben immer noch, obwohl sie ab Herbst in die 4. Klasse gehen werden, daß mir eine, was weiß ich …« – er machte eine hilflose, ausladende Geste –, »Riesenschlange oder so was das Bein abgebissen hätte!«

Großvater sprach die letzten Worte voller Hohn aus und schüttelte den Kopf. Dann sah er sich mit einer Art von Verachtung um, gerichtet gegen all jene, die nicht das gleiche erlebt hatten wie er. Jo war auf einmal ungewöhnlich kleinlaut. Sie biß sich auf die Lippen, wischte mit einer Serviette Fettflecken von der Vitrine, rupfte welke Blätter von einem Blumenstrauß. Peter, dem Großvaters geringschätziger Blick am meisten gegolten hatte, nahm seine Jacke und ging wortlos zur Tür – vermutlich zur Garage. Plötzlich schien es ihm egal zu sein, daß die Tagesschau gleich begann. Nur Renate lehnte noch an der Wand und schloß die Augen.

An den nächsten Tagen wurde die Stimmung nicht besser. Die Erwachsenen tuschelten oft, und ich bekam mit, daß es immer darum ging, ob wir »zu jung dafür« seien. Als ich einmal die Badtür öffnete, standen sich meine Mutter und meine Großmutter sehr nah gegenüber, mit in die Hüften gestemmten Händen. Mir fiel zum erstenmal auf, daß sie exakt gleich groß waren. Der runde Spiegel über dem Waschbecken gab ihre stillen, verschlossenen Gesichter mit den ähnlich hervortretenden Wangenknochen mit kalter, sauberer Präzision wieder. Gerade öffnete meine Mutter den Mund wie ein Fisch unter Wasser und hauchte: »Von dem Schiff erzählst du ihnen nichts …«

Jos Gesicht fiel in sich zusammen, es war, als würde man in eine Torte schneiden, sie sah überraschend weich und jung aus.

»Erinnerst du dich noch an Rudi?« fragte meine Mutter jetzt.

Und meine Großmutter legte meiner Mutter eine Hand auf die Schulter. So zärtlich gingen die beiden sonst nie miteinander um. Und eben schienen sie doch noch böse aufeinander gewesen zu sein. Ich verstand das alles nicht mehr. Wer sollte Rudi denn sein? Meine Mutter lächelte, sie hörte nicht mehr auf zu lächeln, und ich bekam Angst vor ihrem verzerrten Gesicht.

»All das Licht auf dem Wasser ...«

Dann brach ihre seltsame Konversation ab, weil mein Vater plötzlich mit ölverschmiertem Gesicht hinter mir stand: »Freia, du wolltest mir doch immer mal beim Reifenwechsel helfen ...«

Mäxchen hatte uns, nachdem er den »Goldenen Schlüssel« zugeklappt hatte, in der Tat seltsame Dinge erzählt. Paul hatte nicht wissen wollen, warum der Prinz darauf verzichtete, seine Gemahlin mit einem Festmahl wieder nach Hause zu locken. Er wiederholte dumpf und hartnäckig die Frage: »Großvater, was ist mit Krieg und deinem Bein passiert?«

»Paulchen, Paulchen, nu laß doch endlich das Bein in Ruh!« hatte Großvater immer unwirsch geantwortet.

Nachdem mein Bruder eingeschüchtert worden war, hatte ich auf meine Weise nachgebohrt. Ich nahm Großvaters große, schwere Hand in meine und rief: »Gefangen! Die laß ich erst wieder frei, wenn du uns erzählst, wo dein Bein ist!«

Großvater ruckte an seiner Hand, ich aber krallte meine Nägel, so fest ich konnte, in sein Fleisch. Er hätte natürlich die Kraft gehabt, seine Hand mit Gewalt aus meinen Händen zu reißen, aber das wollte er nicht tun. So seufzte er nur auf und sagte: »Na gut, dann erzähl ich ein bißchen von früher, ich hoffe, ihr erschreckt euch nicht zu sehr. Freia ... nun laß mal meine Hand los, das tut langsam richtig weh.«

Stockend suchte er nach einleitenden Worten, seine Erzählung war nicht zusammenhängend, er unterbrach sich selbst ständig mit seinem Husten. Er war Soldat, erfuhren wir, »für Hitler« zog er in den Krieg, nach Rußland, am Anfang »lief alles wie am Schnürchen«, murmelte er. Wir rückten dichter. Dann wurde alles »immer schwieriger«, sein »Regiment« wurde zurückgedrängt, sie konnten nicht, wie Hitler versprochen hatte, Weihnachten wieder nach Hause. Es ging nicht »voran«, der Horizont »brannte immer«, »Feuer, manchmal ganz nah«, und sie waren immer noch in diesem fernen Land ... Er zeichnete uns mit einer Hand zitternde Landkarten in die Luft, er bohrte »Frontlinien« und »Hauptkampflinien« ins Nichts – die ganze Welt brach plötzlich in unsere kleine, von Tee-, Waffel- und Puderzuckergeruch gefüllte Stube. Irgendwann hörte Großvater einfach auf mit den Worten, »minus 52 Grad und diese Weite ... diese Weite ... ach, Kinder, diese schreckliche Weite«.

Damit ließ er uns im riesig gewordenen Eßzimmer allein.

Paul und ich schlichen uns ins Kinderzimmer. Wir legten uns zusammen auf die obere Etage unseres Stapelbetts und schauten an die Decke, die ich mit im Dunkeln leuchtenden Plastiksternen beklebt hatte. Jetzt fiel ein schwacher grauer Lichtstrahl in unser Zimmer, statt der Sterne sah man Spinnweben, Flusen und Staub.

Wir sprachen leise miteinander. Man hatte auf Großvater geschossen. Armes Mäxchen. Er ging mutig nach »Rußland«, blieb sogar einen ganzen Winter, anstatt zu Hause Weihnachten zu feiern, er harrte aus, damit alles wieder »wie am Schnürchen« lief, und als Dank dafür schoß man auf ihn. Der Russe mußte ein besonders fieses Monster sein. Die Welt jenseits des Bleichen Sees schien voller Ungerechtigkeiten.

Paul stand nachts auf und schrieb ein neues Märchen – jenes, welches am nächsten Abend den Eklat auslösen sollte. Ich schlief langsam wieder ein und sah im Halbschlaf noch lange das schwache Licht seiner Bettlampe als warmen roten Farbtupfen vor meinen geschlossenen Augen.

Einige Tage später, als der Streit der Erwachsenen noch in der Luft lag, aber nicht mehr wirklich Gesprächsthema war, zankten Paul und ich uns beim Frühstück, wer die noch unberührte Nutella-Oberfläche mit dem Messer zerstören durfte. Ich notierte mir seit einigen Wochen, wer zuletzt die Metallfolie durchstoßen hatte – der Knall, den es dabei gab! –, denn ich wollte um jeden Preis verhindern, daß Paul sich still und leise das neue Glas zuschanzte und, eh' ich mich versah, die Folie zerstach. Nun eröffnete ich Paul ernst, daß ich mit 2:3 im Rückstand lag. Paul verzog keine Miene und tat so, als wäre er auch mit dem schnalzenden Geräusch beim ersten Öffnen eines Marmeladenglases zufrieden. Während ich vergnügt die silberne Haut zerstach, dachte ich bei dem ploppenden Knall: So ähnlich haben vielleicht die Bomber damals geklungen, von denen Großvater erzählt hatte …

Ich hackte noch einige Male in das zerstochene Papier und fragte meine Großmutter dabei: »Wie genau haben denn damals die Bomber geklungen? Die haben doch ganz viele Häuser kaputtgemacht, oder? Hörst du da draußen das Motorrad? So laut? Erzähl doch mal, Jo!«

Ich löcherte Jo immer weiter, wie denn die Bomber geklungen hätten – wie das Donnern eines Gewitters, wie ein Auto mit kaputtem Auspuff oder eher wie die Knallfrösche, die wir am 1. April unseren Lehrern auf dem Hof hinterhergeworfen hatten?

Meine Großmutter zerschnitt ungerührt Aprikosen für ein Kompott, füllte Zucker um und holte ein leeres Einmachglas aus der Speisekammer, das sie mit einem Geschirrtuch abwischte. Doch plötzlich, während sie eine Fliege von den zerkleinerten Aprikosen verscheuchte, sagte sie laut: »Nun reicht's aber mal!«

Paul wandte seine Aufmerksamkeit gleich wieder den Nutella-Sammelbildern zu; es waren »Tätowierungen«, man konnte sie sich für einige Stunden aufkleben, wenn man seinen Handrücken anleckte, und wir waren begeistert von ihnen. Aber ich starrte Jo noch eine Weile lang wütend an.

Mein Großvater, der mit am Tisch saß, kaute schon seit Minuten an einem Stück Blutwurst. Es war, als wollte er nie mehr damit aufhören. Immer wieder sah ich auf seinen langsam vor sich hin arbeitenden Kiefer. Meine Großmutter verfolgte statt dessen mit ihrem Blick die dicke, schwarze Fliege, die sich erst auf unserer Butter, dann wieder auf den Aprikosen, auf den Brötchen und zu guter Letzt auch noch auf dem Rand des Nutella-Glases niederließ. Schließlich erhob sich Jo, aufrecht stand sie da, reckte das Kinn und fixierte den kleinen schwarzen Punkt auf dem Glasrand. Sie schritt zur Seite, wobei sie die Fliege nicht aus dem Auge ließ. Fast tat das Ding mir leid, wie es da seinen letzten Festschmaus auf dem Schokoladenglasrand einnahm. Ich sah auf die ruckenden Bewegungen seines Kopfs, das feine Zittern seiner Fühler, die in freudiger Erregung zu sein schienen. Meine Großmutter verschwand erneut in der Speisekammer, kam zurück, in der Hand die Fliegenklatsche, ein häßliches schmutzig-weißes Plastikgerät mit signalrotem Griff. Mit leise schwingenden Bewegungen aus dem Handgelenk näherte sie sich der Fliege. Die andere Hand hatte sie in die Hüfte gestemmt. Die Fliege fraß weiter Schokolade, ihre gute Laune stieg und stieg, gegen Gefahr war sie jetzt immun. Die braune Droge. Die Augen meiner Großmutter funkelten, und auf einmal bekam ich Angst vor ihr. Mein Großvater röchelte, er hatte sich an einem Stück Blutwurst verschluckt, aber meine Großmutter nahm ihn nicht zur Kenntnis. Plötzlich fuhr die Klatsche nieder, ich spürte den kalten, steifen Luftzug an meinen Wangen, und die Fliege fiel leblos vom Nutella-Glas auf die rot-weiß-karierte Tischdecke. Sie fiel in die Mitte eines weißen Quadrats und hinterließ einen gelblich-cremigen Fleck.

Meine Großmutter stieß einen tiefen Seufzer der Erleichterung aus und schloß für Sekunden ihre Augen. Sie ließ die Täterhand mit der Klatsche sinken, öffnete die Augen wieder und starrte unglaublich zufrieden auf den zerquetschten, in Rückenlage befindlichen Fliegenleib. Kurz nahm ich ein Zucken in ihrem Gesicht wahr, das mir Erinnerung an einen fernen Schmerz zu sein schien, den sie selbst erlitten haben mußte. Meine Großmutter legte jetzt die Fliegenklatsche, an deren schmutzigem weißem Netz noch einige gekrümmte Fliegenbeine klebten, neben den gefüllten Brotkorb. Sie stemmte beide Hände in die Hüften und stand einige Sekunden in dieser Pose am Eßtisch. Dann stieß sie einen Nach-Seufzer aus, fuhr sich über die Stirn und ging schließlich gemütlich-schlurfend mit der Fliegenklatsche in die Speisekammer, wo sie die Klatsche an den für sie vorgesehenen Nagel hängte. Mein Großvater hatte aufgehört zu röcheln, er pulte sich mit beiden Zeigefingern Wurstreste aus den Backenzähnen.

Während ich jetzt ein Nutella-Brötchen in mich hineinstopfte, mußte ich an Pauls letztes Tiermärchen denken, das er uns neulich, als wir alle im Garten saßen, vortrug, ein paar Tage bevor Großvater uns erklärte, daß er sein Bein nicht bei einem Waldspaziergang, sondern im Krieg verloren hatte:

»Der Tausendfüßler:

Es war einmal ein Zwillingspaar, das gern nach der Schule auf Steinen in der Sonne saß und mit kleinen Tieren redete. Manche Tiere waren blöd und redeten nicht mit ihnen, wie zum Beispiel der Hund der Nachbarn, aber Käfer, Regenwürmer und besonders Tausendfüßler waren sich nicht zu schade, mit den Zwillingen vom Waldrand zu sprechen. Eines Tages erzählten die Zwillinge einem besonders dicken Tausendfüßler, daß ein Zweifüßler, den sie gut kennen, nur noch ein Bein hat. Der Tausendfüßler stellte erst einmal klar, daß er den an sich schon armen Zweifüßlern im allgemeinen nicht hilft. Aber uns beide könne man ja mit unseren zusammengenommen vier gleich langen Cordhosenbeinen als Vierfüßler durchgehen lassen, und da kann man sich das ja noch mal überlegen. Am Ende rückte er mit einem Angebot heraus: Wenn es dem armen Einbeiner gelingt, von einem Sonnenuntergang bis zum nächsten sieben Tausendfüßler zu fangen, auf ein Ahornblatt zu setzen und einmal im Kreis auf dem Bleichen See kreisen zu lassen, würde ihm in der nächsten Nacht ein neues Bein wachsen.«

## ... eine Stadt aus Marzipan

Die Bilder, die wir nach Großvaters seltsamem Monolog über »Rußland« in dem dunklen Gewölbe zu sehen bekamen, das sich Grundschule nannte, waren unfaßbar, sie schienen aus einer anderen Welt zu stammen.

Leichen, ausgemergelt und nackt, in Bergen auf Karren getürmt, in Gruben übereinandergeschichtet. Brennende Häuser, Städte. Flugzeuge, die in Flammen vom Himmel fallen. Knisternde Schwarzweißfilme. Zitternde Menschen, Truppenmanöver. Landschaften, leer und weit. Bombenhagel. Explosionen. Science-fiction. Gaskammern. Gas – wie in der Küche, wenn Paul und ich uns Milch für einen Kakao aufsetzten? Es gab keinen Ort mehr, der nicht an diese Filme erinnerte. Unendlich groß gewordenes elterliches Haus ...

Mit dem Eintritt ins Gymnasium, einen modernen weißen Kasten mit langer Fensterfront und viel Licht, der wenig mit dem schweren Gründerzeitbau unserer ersten Schule gemeinsam hatte, teilte sich der Sachkundeunterricht auf in Geographie, Physik, Chemie, Biologie und Geschichte. In schnellem Tempo durcheilten wir Jahrhunderte – Kirchenspaltung, Kaiser Rotbart, Martin Luther, Dreifelderwirtschaft, Hitler, Untergang Roms, Geschwister Scholl, amerikanische Unabhängigkeitserklärung, Dreißigjähriger Krieg, Bronzezeit, Dschingis-Khan –, alles wurde mit gleichem Eifer durcheinander vorgetragen. In den Klausuren kam es trotz zwei, drei Fragen, die unsere Fähigkeiten zum »Transferdenken« prüfen sollten, in erster Linie darauf an, Jahreszahlen angeben zu können, keine Namen zu verwechseln. Hitlers Aufstieg und Fall schien uns so logisch und naturgegeben wie die Fälle der lateinischen Substantive, die uns ebenso quälten wie die Sprünge seiner Laufbahn. Die richtige Endung, der richtige Casus, das exakte Datum der Reichskristallnacht – ein schönes Wort, wie wir alle fanden – ich dachte dabei an Schneeblumen am Fenster, und deshalb konnte ich mir den Monat November für dieses düstere Datum auch gut merken. Wenn »Geschi« vorbei war, begann Bio, und dann lernten wir, wie die Zellteilung vonstatten geht, und wenn Bio vorbei war, dann lernten wir in Physik, was Schwerkraft und Magnetismus bedeuten. Und alles hatte seine Gesetze und war richtig so, und so war es wohl auch richtig, daß Hitlers kamen und gingen, auch das war ein Gesetz, über dessen menschengemachte Ursachen wir nie nachdachten und auch nie zum Nachdenken angeregt wurden. Biologische, physikalische, historische Prozesse und Gesetze.

Zwei Jahre lang hatten wir jedoch einen Klassenlehrer, der uns nach dem Unterricht fragte, wie es uns denn ginge, und am Wandertag an der Havel Mundharmonika für uns spielte. Herr Dolle zeigte uns den Film »Jakob, der Lügner« und wollte mit uns über Themen wie »Massenarbeitslosigkeit« diskutieren. »Diskutieren« war eines seiner Lieblingswörter. Er schien jedoch nie zufrieden mit unseren zaghaften Stellungnahmen zur »Landflucht« oder zur »Massenarbeitslosigkeit« zu sein und lief immer unruhig, die Hände in den ausgebeulten Taschen seiner Leinenhose, vor und zurück durch unser Klassenzimmer, als wäre es seine Küche. Eines Tages meinte Herr Dolle das Übel unseres »mangelnden Engagements« an der Wurzel zu packen, indem er unsere Tische zu Sitzgruppen zusammenrückte, so daß einige von uns mit dem Rücken statt mit dem Gesicht zur Tafel saßen und sich den Hals verrenken mußten, um seine konfusen Schaubilder abzuzeichnen.

Diese Diagramme, Daten und Fakten schienen in keinem Zusammenhang zu den Gesichtern um uns herum zu stehen, den Namen von Firmen, die wir gut kannten: Schering, Degussa, BASF, Hoechst ... zu irgendeinem Politiker, der sich in die neue Zeit hinüberretten konnte. Nie kam uns in den Sinn, daß unsere Lehrer damals selbst in brennenden Häusern gesessen, auf Viehwagen geflohen, als Sechzehnjährige in den Krieg, als Kleinkinder in den Bombenkeller geschickt wurden. Sie taten, als hätten sie sich all das, was sie uns, mal nuschelnd, mal nasalierend und immer halb gelangweilt, im Nachrichtenstil vortrugen, in der Bibliothek angelesen. Nur Herr Dolle tobte als Alleinunterhalter durchs Klassenzimmer und beantwortete seine flugs aufgeworfenen Fragen nach den psychologischen Ursachen des Vorurteils oder des Größenwahns selbst mit langen eindringlichen Reden, die wir eifrig versuchten mitzustenographieren. Wir wußten nämlich, daß am Ende des Schuljahres, egal wie kumpelhaft Herr Dolle tat, doch ein Zeugnis und eine Note auf uns wartete. Nur einmal riß er uns mit einer Frage aus dem Schultrott, die Paul und mich noch auf dem Heimweg beschäftigte: Ob wir uns mal überlegt hätten, daß das Vorurteil mancher Berliner gegenüber ihren türkischen Mitbürgern der erste Schritt zu etwas Ähnlichem wie dem Haß auf die Juden sein könnte.

Doch zu Hause hatte niemand recht Lust, mit uns über dieses Thema zu sprechen. Für unsere Eltern am noblen Stadtrand von West-Berlin schienen die Türken in den Innenbezirken noch weiter weg zu sein als das Deutschland der Kriegszeit, an das sie sich ebenso ungern erinnerten. Nie habe ich einen türkischen Patienten in der Praxis meines Vaters gesehen.

Wenn Paul und ich nach dem Essen noch Schularbeiten machen mußten, vergaßen wir den Größenwahn oder die Frage nach dem Vorurteil schnell wieder, um für Bio den

Blutkreislauf der Amphibien mit dem der Reptilien zu vergleichen oder für Physik auf Schalen herumkreisende Elektronen einzuzeichnen. Daß wir uns Hitlers Rassengesetze immer eine Stunde vor Bio zu Gemüte führten, wo wir gerade Genetik paukten und rezessive und dominante Erbmerkmale in rote, rosane und weiße Blumengraphiken eintragen mußten, diese Ironie ist mir erst viele Jahre später zu Bewußtsein gekommen.

In der Oberstufe wurde der Nationalsozialismus noch einmal »durchgenommen«. Wieder wurden Daten und Namen gepaukt. Diesmal einige mehr, denn wir waren ja schon älter. Und wir wurden belehrt, daß die Deutschen durch den Versailler Vertrag gedemütigt worden seien und schon immer einen Hang zum Extremen, also auch zum extrem Irrationalen gehabt hätten, woraus sich im übrigen die Lyrik der Romantik oder – ja, das Land der Dichter und Denker – Nietzsches Werk und die großen romantischen Opern eines Wagner gespeist hätten, also kurz und bündig: alles hat zwei Seiten.

Warum jemand, der arbeitslos und durch Landverlust »geknechtet« ist, plötzlich Lust auf Massenerschießungen bekommt, anstatt mit seiner Geliebten in meinetwegen etwas zerschlissener Kleidung spazierenzugehen, erhellte sich Paul und mir nicht, aber wir wurden auch nicht wirklich ermuntert weiterzufragen. Da wir den Krieg nicht selbst miterlebt hatten, wurden wir für unmündig erklärt und alle skeptischen Fragen mit dem Argument »Na, ihr wißt ja gar nicht, was ihr damals an unserer Stelle gemacht hättet!« in den Wind geschlagen. Der Lieblingssatz von Jo in diesem Zusammenhang war, daß »diese Dinge nicht so einfach sind« und man da nicht so »einfach drüber reden kann wie übers Mittagessen«.

Und so schritten wir von der Kapitulation des Deutschen Reichs zu den Rosinenbombern, zum Wiederaufbau, zum großen Staatsmann Adenauer, zum transatlantischen Bündnis, zur NATO, zur niederträchtigen DDR und – ganz wie gehabt – zu den bösen Russen.

Als das NS-Regime und der Krieg zum zweitenmal in der Schule »drankamen«, war der Bleiche See bereits mit nichts weiter als Schlamm, Steinen, Spulwürmern und Bakterien bevölkert. Wir konnten niemanden befragen oder verantwortlich machen für die seltsamen, schrecklichen Dinge, die damals geschehen waren.

Die vier Erwachsenen in unserer nächsten Nähe hatten eine sehr unterschiedliche Art, über die Vergangenheit zu sprechen:

Mein Vater schnitt das Thema »Nazi-Zeit« und »Zweiter Weltkrieg« nie an. Nicht, weil er traumatische Erfahrungen gemacht hätte, über die er nicht sprechen wollte oder konnte, sondern, im Gegenteil, weil er keine traumatischen Erlebnisse aufzuweisen hatte. Alles in allem war er unbeschadet durch den Krieg gekommen. Seine Familie stammte aus einem bayrischen Dorf, das außer Lebensmittelknappheit in den letzten Kriegsmonaten nichts von der Katastrophe mitbekam. Kein Familienmitglied mußte in den Krieg, Peters Vater war viel zu alt und wurde nicht einmal mehr für den Volkssturm eingesetzt, Brüder hatte er keine, und seine beiden viel älteren Cousins konnten sich an Schreibtischen in kriegswichtigen Betrieben aus allem heraushalten, sie merkten vom Krieg nur insofern etwas, als daß sie Truppenversorgungsmaßnahmen auf niedriger Ebene einleiten und Weichen umstellen mußten. Peters beide älteren Schwestern hatten weder Verlobte noch Ehemänner, auf deren Feldpost sie verzweifelt hätten warten müssen. »Welch ein Segen, im Krieg nicht verliebt gewesen zu sein«, hatte Jo einmal höhnisch Peters Ausführungen quittiert und ihm damit deutlich Redeverbot zu diesem Thema erteilt. Auch mein Großvater trug dazu bei, seinem Schwiegersohn zu vermitteln, daß er ein Günstling des Schicksals oder auch einfach ein Weichei sei, der über die wirklich wichtigen Dinge im Leben besser zu schweigen hätte. Wenn Mäxchen männlich Achtachter, Haubitzen, Vierlingsflaks, Messerschmitts, den T 34, die Hauptkampflinie und russische Dörfer mit fast unaussprechlichen Namen ins Gespräch brachte, drehte Peter meist im Hintergrund das Radio an oder tat beschäftigt, um sich seiner ewigen Zuhörerrolle zu entziehen. Mäxchen wiederum, vermutete ich, mußte sich an meinem als Arzt mitten im Leben stehenden vitalen und munteren Vater dafür rächen, daß er selbst dazu gezwungen war, ein Invaliden-Dasein zu führen.

Aber mein Großvater sprach nicht oft vom Krieg. Noch als wir älter geworden waren, bedrängten wir ihn geradezu mit Fragen, doch meistens berichtete er nur von diesem und jenem U-Boot, dieser und jener Flakabwehr, vertiefte sich in technische Details. Wenn er plötzlich über seine eigenen Erlebnisse sprach, dann nur äußerst gefühlsbetont. Er fluchte und schimpfte, er schüttelte den Kopf, bohrte seinen Zeigefinger in die Luft, entwarf wirre Topographien im Wohnzimmer, trommelte auf die Tischplatte. Manchmal standen ihm auch die Tränen in den Augen. Und manchmal strich er über seine Prothese und sah Paul und mich, stellvertretend für diejenigen, die ihn in den Krieg geschickt hatten, vorwurfsvoll und unendlich traurig an.

Großvater hatte sein Bein mit nur achtundzwanzig Jahren verloren. Bevor die Pfadfinder 1933 verboten wurden, war er ein begeistertes Mitglied gewesen. Durch halb Europa war er gekommen, hatte das Polarlicht bestaunt und die griechischen Inseln bereist. Jetzt sah er sich Naturfilme im Fernsehen an. Manchmal bestand er darauf, seinen Tee aus einer Thermoskanne zu trinken, und ich fragte mich, ob das Auf- und Zuschrauben der bauchigen Flasche mit dem abgewetzten Lederriemen und der Geruch der schon brüchig gewordenen Deckel-Gummierung schwache Erinnerung an seine Fahrten als junger Mann in ihm aufkommen ließen.

Meine Mutter sprach von sich aus nie über die Vergangenheit. Sie schien dennoch die einzige zu sein, die sich für Publikationen über den Krieg interessierte, insbesondere für den Rußlandfeldzug und für die Flucht aus Ost- und Westpreußen.

Wenn Renate jedoch in diesen »Erzählt doch mal vom Krieg«-Diskussionen das Wort ergriff und zum Beispiel berichtete, wie ein NSDAP-Kreisleiter einem Mann den Zutritt zu einem Sonderzug verwehrte, wurde sie meist sofort von Jo oder Mäxchen unterbrochen, die meinten, dieses oder jenes Detail hätte sie aber nun vollkommen falsch wiedergegeben. Nur manchmal setzte sie sich durch und behielt das letzte Wort.

Jo hingegen, die uns, als wir klein waren, vor Großvaters Erzählungen schützen wollte, sprach später bei jeder sich bietenden Gelegenheit und schließlich, je älter und dementer sie wurde, immerfort über den Krieg.

Die Geschichte ihrer Flucht kannte ich schon auswendig. Wie einen Weg, den man sehr oft abgeschritten ist, kannte ich fast jede Redewendung, jede sprachliche Ausschmückung. So wie man auffällige Häuser oder markante landschaftliche Abschnitte hinter einer bestimmten Biegung oder Anhöhe erwartet, so wußte ich genau, welche Höhepunkte, Kunstpausen oder retardierenden Momente Jos Fluchtgeschichte kennzeichneten. Und immer wieder gab es an den gleichen Stellen dieselben Streitigkeiten mit meiner Mutter, und immer wieder verstummte meine Mutter irgendwann resigniert und ließ Jo weiterreden.

So war ich auch an Mäxchens Geburtstag nicht überrascht – Jo hatte sich einen kleinen Schwips angetrunken –, um zwei Uhr morgens wieder einem Ausschnitt aus »Erzählt mal vom Krieg« lauschen zu können, und zwar diesmal jenem, den Paul »Stadt aus Marzipan« genannt hatte.

»Selbst für Mitte Januar sind minus zwölf Grad ungewöhnlich heftig«, hatte mein Vater gerade geflucht, die Heizung hochgedreht und sich noch ein Glas Glühwein eingeschenkt. Wir saßen um den Kamin, den meine Eltern an kalten Winterabenden anzündeten. Das Flackern, Knacken und Knistern des Feuers schien unser Zeitempfinden außer Kraft zu setzen; wie hypnotisiert starrten wir in die Flammen, wie Menschen wohl schon immer und überall, vor Hunderttausenden von Jahren und jetzt, in Sibirien oder am Äquator, ins Feuer gestarrt haben. Es war sehr spät, und Peter mußte morgen in die Praxis. Meine Eltern gingen für gewöhnlich früh schlafen. Das heißt, was Peter anbetraf: offiziell früh schlafen.

Meine Großmutter nahm das Stichwort gleich auf, schlug meinem Vater mit der flachen Hand auf den Arm und meinte:

»Minus zwölf Grad! Ihr seid doch vorhin bei userm kleinen Abendspaziergang nicht etwa erfroren, oder? Wenn ich daran denke, wie wir damals eine ganze Nacht und einen Morgen bei minus zwanzig Grad im Schnee draußen am Pier gestanden haben! Tante Lena, Renätchen und ich. Und viele Leute – uns ging's ja noch gut – waren wochenlang im Winter auf den Trecks unterwegs! Wenn ich daran denke, wie wir Gotenhafen verlassen mußten. Was waren das für unruhige Zeiten! Kinder! Denn wie ihr wißt« – nun warf sie Paul und mir einen forschenden Blick zu –, »eigentlich komme ich ja aus Königsberg.«

Hier legte meine Großmutter versonnen eine Kunstpause ein. »Wie hat schon Ringelnatz gesagt? ›So möchte ich gern in Königsberg begraben sein und leben.‹«

Sie tat immer so, als müßte sie diesen Satz aus der tiefsten Versenkung ihres Gedächtnisses an die Oberfläche ihres Bewußtseins zerren, dabei konnte sie ihn – und wir derweil auch – natürlich im Schlaf aufsagen.

»Das alte Schloß mit seinen wunderschönen Rundtürmen, der elegante Bau der Universität – ein prachtvolles Bildungsinstitut war das, kein nüchternes –, die Gäßchen, der Trommelplatz und der Deutsch-Ordensring ... Kinder, ihr könnt euch nicht vorstellen, wie mich das bewegt hat, als schon im August 44 meine Heimatstadt gründlich zerstört wurde. Mein Königsberg, alte Beschaulichkeit« – hier lachte meine Großmutter immer ein wenig verlegen ob des nun folgenden sentimentalen Satzes – »zwischen Schmand und Marzipan.«

An dieser Stelle gab es eine weitere Kunstpause, und danach ging es ganz sachlich weiter: »Wißt ihr, Kinder, für die Russen war Königsberg der Inbegriff alles Preußischen, alles Deutschen. Eine große Stadt war das ja – fast eine halbe Million Einwohner lebten vor dem Krieg dort! – und ein großer Umschlagplatz im West- und Ost-Handel. Damals gab es sogar schon eine Direktfluglinie Königsberg–Moskau. Ihr lernt ja heute nichts mehr über eure Heimatstädte, ihr nehmt ja nur noch den Marianengraben und die Antarktis im Erdkundeunterricht durch. Je weiter weg, desto besser. Bloß nicht Deutschland. Wo war ich eben? Ach ja: der Ost-Handel. Trotzdem kann man Königsberg nicht wirklich ein ›Tor zum Osten‹ nennen, es war eher immer eine letzte Festung des Westens vor dem Osten, seit der Deutsche Orden die Burg Mitte des 13. Jahrhunderts gebaut hatte. Und später ist Königsberg ja lange Zeit Krönungsstadt der Preußenkönige gewesen ... hört ihr noch zu? Stellt euch vor, Kinder, die Russen hatten vor den alten Festungsanlagen solchen Bammel, daß sie ihre Sturmtruppen schon Wochen vor dem Angriff an Modellen dieser Forts üben ließen! Und dann haben sie alles in Schutt und Asche gelegt. Mit ihrer Artillerie und ihrer roten Luftwaffe. Alles.«

Die Stimme meiner Großmutter zitterte nicht oder nicht mehr bei diesen Erinnerungen; zu oft hatte sie diese zurechtgelegten Sätze wiederholt. Wie eine Lehrerin klang sie, wenn sie so sprach, oder eine Reiseführerin, nicht wie meine Großmutter.

Einen Moment lang herrschte dennoch die obligate betretene Stille.

Dann schaltete sich Mäxchen mit lauter Stimme ein, denn er konnte solche Momente nicht ertragen.

»Ich erzähl euch jetzt mal eine witzige Geschichte. Zur Abwechslung. Also: Ich kannte einen Herrn Friggs. Hans Friggs. Netter Kerl. Der hatte im März 45 eine verlassene Privatwohnung in Königsberg bezogen, die noch vollkommen intakt war. Als er da einstieg, waren sogar die Betten frisch bezogen! Der fühlte sich also sofort heimisch, und zu seinem Glück fehlte ihm nichts als eine neue Prothese, denn seine alte wurde nur noch von Bindfäden zusammengehalten. Ich erzähl das jetzt so ironisch, weil im März 45 Königsberg schon von den Russen umzingelt war, aber der Kerl war eben eine echte Frohnatur. Ja, zu seinem Glück fehlte, wie gesagt, nichts als eine neue Prothese. Die hatte er sechs Monate zuvor in Auftrag gegeben, bei einer großen Werkstatt in der Innenstadt – und eigentlich hätte die jetzt fertig sein müssen. Unter dem Krachen der Artilleriegranaten machte er sich also an Trümmern und Bränden vorbei auf den Weg.«

Mein Großvater blickte uns verschmitzt und amüsiert an. Er guckte nicht viel anders als früher, wenn er uns ein Märchen vorgelesen hatte: »An Drachen, Schlangen und Sümpfen vorbei machte sich unser junger Held auf den Weg.«

»Zweimal humpelte Friggs an der Orthopädie vorbei. Das Firmenschild war entfernt, und in den Schaufenstern lagen nur Watte und Packpapier. Die Werkstatt war geräumt. Friggs wollte sich schon enttäuscht auf den Heimweg machen, da lief ihm eine Frau aus dem Haus in die Arme. Die sagte ihm, daß die Werkstatt in irgendeine Schule verlegt worden sei. Und so kam es, daß unser Held

Tag für Tag zähneknirschend, mit seinem kaputten Bein und schmerzverzerrtem Gesicht, die Schulen der Stadt ablief. Und ratet mal, was dann passierte? Nach vier Tagen entdeckte er tatsächlich eine Sporthalle, in der Stanzmaschinen, Ledervorräte und Säcke mit Sägemehl aufbewahrt wurden. Aber die Hallendecke war schon zerstört. Überall Ziegelstaub und Putz. Und weit und breit kein Mensch. Friggs fing an, herumzuwühlen. Und, glaubt ihr's? Er fand, was er suchte: Auf einem Regal lag ein Dutzend Beinprothesen preußisch ordentlich nebeneinander, in Reih und Glied, und an einer dieser Prothesen klebte ein braunes Papp-Etikett: ›Hans Friggs‹ und seine Adresse. Glücklich legte unser Held sein neues Bein an, ging hinaus ins Getöse und kehrte unversehrt in seine schöne Wohnung zurück.«

Alle grinsten und lachten.

»Prost!« rief Großvater beschwingt und hob sein Glas.

»Prost«, murmelten die anderen und stießen mit Mäxchen an.

»Prost auf unsern Friggs!« rief Großvater noch einmal.

»Erzähl doch lieber mal die Geschichte von den ›wertvollen Familien‹«, murmelte meine Mutter etwas später, nachdem alle ein wenig durcheinandergeredet hatten.

»Renate, was gibt's da schon groß zu erzählen? Das verstehen die Zwillinge wahrscheinlich gar nicht …«, brummte mein Großvater, dabei waren wir inzwischen schon sechzehn, stand auf und legte ein neues Holzscheit ins Feuer. Einen Moment lang sahen wir ihm schweigend zu. Gelbe Funken stoben auf wie Konfetti.

»Na gut, dann erzähl ich eben die Geschichte«, sagte meine Mutter trotzig.

Doch da fiel Mäxchen ihr ins Wort:

»Ich erzähl ja schon, ich erzähl ja schon! Also: Ich kannte eine Frau, eine Kriegerwitwe war das, Frau Plau. Die wurde unglaublich spät, Anfang April, glaube ich, mit ihren Kindern von einem Parteimann aufgefordert. Aufgefordert wozu? Nicht zum Tanz, nicht zum Hochzeitsball, sondern dazu, sich einem Flüchtlingstransport anzuschließen. Einem von Ortsgruppenleitern organisierten, keinem ›wilden‹, versteht sich. Und die Frau Plau hat ganz kühn gefragt – die Königsbergerinnen waren ja so eine besondere Sorte Frau, selbstbewußt bis dorthinaus: ›Ja, und wo ist denn bitte die Frau Dittrich? Das ist meine beste Freundin, und die wohnt nur zwei Häuser weiter. Die und ihre Kinder müssen auch mit!‹ Ja, und da hat der Parteigenosse nur gesagt: ›Aus jeder Ortsgruppe kommen nur die wertvollsten Familien mit.‹ So. Das ist auch schon die ganze Geschichte, ich finde, die macht nicht so viel her, aber meine Tochter will euch beiden die irgendwie immer nahebringen ...«, schloß Mäxchen und wandte seine Aufmerksamkeit wieder dem vor sich hin schwelenden Holzscheit zu.

Wir schauten zu meiner Mutter, die unseren Blick nicht erwiderte, sondern auch ins Feuer starrte, und dann blickten wir alle wieder zum Kamin. Und ich fragte mich, was uns daran faszinierte, in die Flammen zu starren, zuzugucken, wie ein hübsches, braunes, mit Rinde bewehrtes Holzstück sich langsam in Kohle, Asche und Rauch verwandelte. Ich sah auf den düsteren Rauch, der hochzog, sah links und rechts unter den Flügelfenstern unsere gut arbeitende Zentralheizung, die jede Begründung, das Feuer zum Wärmen zu benötigen, zur Ausrede werden ließ.

Und ich versuchte mir meine Großmutter vorzustellen. Damals. Ich dachte an die vielen Schwarzweißaufnahmen, die ich kannte. Die hübschen Bilder mit den geschwungenen Unterschriften der Fotografen, goldene, perfekt geführte Schnörkelbuchstaben: artig dastehende Kinder, mit Zöpfen und unsicher baumelnden Armen. Ich fand Jo in diesen Bildern nicht, der Blick des Fotografen hatte Jo zu einem Kind gemacht, das sie nicht gewesen sein konnte.

Oder doch? Ich hatte an die hundert alte Fotos meiner Großmutter gesehen, und sie war mir mit jedem Bild fremder geworden. Lieber wollte ich versuchen, in den Ritzen ihrer oft erzählten Geschichten Lücken zu finden, die mir etwas über sie verrieten.

Einmal hatten Paul und ich, als wir in der Schule den Antisemitismus durchkauten, Jo gefragt, ob sie denn damals die Juden auch abgelehnt hätte. Aber Jo hatte nur den Kopf geschüttelt:

»Das war damals so eine Mode, aber ich hab das mit diesen Rassengesetzen nie recht verstanden. Mäxchen hat da mal ein bißchen etwas gelesen, Lanz von Liebenfels, Guido von List, das waren Autoren mit, wie ich später erfuhr, falschen Adelstiteln … die haben damals Bücher veröffentlicht wie … wenn ich noch genau wüßte, wie die hießen, Kinder … ›Ein Grundzug Germanischer Weltanschauung‹ nannte sich eines, glaube ich, und ein anderes war die ›Einführung in die Rassenkunde‹ … Mäxchen ist ja ein theoretischerer Mensch als ich, aber ich glaube, er fand das auch alles etwas komisch … wir haben nicht darüber geredet, mir war das nicht so wichtig. Den Russen mochte ich nicht besonders, aber die Juden waren mir egal. Ich hab nicht begreifen können, wie man Kinder umbringen kann. Ich will doch auch nicht, daß Negerkinder umgebracht werden! Das hat für mich die Nazis endgültig diskreditiert, auch wenn ich viele gute Erinnerungen an diese Zeit habe.«

Gern erzählte Jo in diesem Zusammenhang »Die berühmte Bananengeschichte«, wie Paul sie zu ihrem Mißfallen getauft hatte. »Die berühmte Bananengeschichte« läßt sich in wenigen Zeilen zusammenfassen:

Jo war Ende der dreißiger Jahre in einem Lebensmittelladen gewesen, als sie bemerkte, daß neben ihr ein kleiner Junge mit Judenstern stand. Er war schlecht gekleidet und sah kränklich aus. Jo hatte Mitleid mit dem Jungen und überlegte nun, ob sie es wagen könnte, dem Jungen eine

Banane zu geben, aber dann hatte sie zu große Angst, dabei vom Verkäufer beobachtet zu werden, und daher tat sie es nicht.

Das Absurde an der Bananengeschichte war, daß Jo ihr Abwägen, ihren Wunsch zu helfen, ihre Unsicherheit und Angst jedesmal derart dramatisch schilderte, daß man am Ende fast den Eindruck bekommen konnte, Jo hätte ein KZ befreit. Irgendwie gelang es ihr, das Unterlassen einer Handlung zur Heldentat zu stilisieren.

Jetzt hörte ich wieder Jo, die eben, als ich meinen Gedanken nachhing, Mäxchen auseinandergesetzt hatte, warum er noch vorm Schlafengehen und nicht erst morgen früh die Creme auf seinen wunden Stumpf auftragen sollte.

»Was passierte denn dann in den letzten Kriegstagen mit Königsberg?« hatte ich Jo einmal gefragt, und seitdem hatte sie diese Antwort auch in ihr Repertoire genommen:

»Am 7. April ging die Nachricht um, daß die Stadt endgültig eingekesselt sei. Am 8. wurden morgens Handwaffen verteilt, um einen Ausbruch über Ratshof in Richtung Fischhausen zu wagen. Auch Mäxchens Freund Friggs erhielt eine Panzerfaust, wie er uns später erzählte.«

An dieser Stelle schaltete sich meine Mutter gern ein, mit leiser Stimme, aber haspelnd: »Gauleiter Koch und sein Stellvertreter, Gauleiter Großherr, waren, man höre und staune, tatsächlich im April 45 zu der Überzeugung gelangt, daß Königsberg nicht mehr zu retten sei.«

»Nun, laß mich mal, Renätchen.«

Meine Großmutter schob ihr die Keksdose hin. »Der Volkssturm, oder was davon noch übrig war, sollte die flüchtende Zivilbevölkerung schützen.«

»Sogar ein Mann wie Friggs, der schon ein Bein verloren hatte, wurde noch zum Volkssturm eingesetzt ... Na bravo.«

Jo hob ihre Stimme: »Wie dem auch sei, daraus wurde nichts. Der Russe hatte die Bewegung richtig gedeutet und eröffnete das Feuer. Der Trommelplatz, der Deutsch-Ordensring, im Nu war alles voller schreiender Menschen, Geschosse aus Stalinorgeln überall – so hat es mir zumindest meine Freundin Hilde erzählt, ich war ja nicht dabei. Zum Glück nicht, Kinder. Natilein, reichst du mir mal bitte die Keksdose? Danke. Wo war ich stehengeblieben? Am Morgen des 9. April stand der Russe in der Innenstadt. Am frühen Abend bot General Lasch ihm die Kapitulation an. Und dann hat die russische Meute sich über mein Königsberg hergemacht. Aus zwei Tagen Plünderei, wie sie angekündigt waren, wurden Monate voller Raub, Vergewaltigung, Mord. Und die Bewohner waren alldem einfach ausgeliefert. Wie eine Bestie hat der Russe dort gewütet.«

Nun mußte »Natilein« doch noch etwas ergänzen:

»Für diesen kurzen Geistesblitz, diesen Anflug von Realitätssinn, wurde Lasch von Hitler in Abwesenheit zum Tode durch den Strang verurteilt. Dafür, daß er kapituliert hat und wenigstens die Schießerei ein Ende nahm. Die Bewohner gerieten doch ständig aus Versehen in die Schußlinien. Und Hitler hat Laschs ganze Familie gleich in Sippenhaft genommen. So viel dazu.«

»Und Hauptsache, du hast mal wieder das letzte Wort, soviel dazu!« rief Jo wütend, als sie Glühwein nachschenkte. Und dann starrten wir alle wortlos ins Feuer.

# 11

# Wieland

Die Zeit, als meine Mutter und meine Großmutter sich darum rissen, mir die Zöpfe zu flechten, war schon lange vorbei: Längst verbarg ich meine stoppelkurzen Haare zu ihrem Mißfallen unter einem großen schwarzen, breit-krempigen Hut und trug weite Hemden meines Vaters. Mein Schuhwerk bestand aus einer Art Bergstiefeln. Wie eine Kreuzung aus Amish People und Waldschrat sah ich aus. Mein Zimmer war höchst spartanisch eingerichtet; ein schwarz lackiertes Bett, ein schwarzer Schreibtisch, ein selbstgebautes Bücherregal und eine schwere Seekiste, die ich von meinen Großeltern geschenkt bekommen hatte und in der ich meine Kleidung sowie alle übrigen mir wichtigen Dinge – und das waren wenige: ein paar Co-mics, zwei Tischtenniskellen, ein paar Zeichnungen von Paul und einen aufblasbaren Plastikdrachen von meinem Vater – aufbewahrte. Während die anderen Mädchen aus meiner Klasse in diesem Winter abends ins Kino oder in ein Eiscafé namens »Zungenkuß« gingen, lief ich oft Schlittschuh.

Es war ein kalter, aber offenbar nicht ganz so kalter Fe-bruarabend, wie ich angenommen hatte, als ich mich dies-mal allein zum hinter dem Bleichen See gelegenen Schluck-auf-See aufmachte, den wir als Kinder so genannt hatten, weil er oft Blasen aufwarf. Es war spät, bestimmt schon acht Uhr abends, und stockfinster. Peter war mit einem Freund in die Stadt gefahren, meine Mutter saß zu Hause und schrieb wieder einmal einen Brief an Onkel Kazimierz in Warschau. Paul hörte schon den ganzen Tag eine Trödelmarktplatte mit Chansons und malte »Schlafmützen«, die wie verwelkte Blumen aussahen. Renate hatte natürlich Einwände gegen mein einsames nächtliches Schlittschuhlaufen, aber schneller, als sie ans Fenster laufen und mir hinterherrufen konnte, hatte mich schon die dunkle Tannenwand verschluckt.

Ich kreiste alleine auf dem See. Dabei beobachtete ich abwechselnd das Eis und den Himmel. Wie liebte ich diese unendlich fernen, zerfransten Cirruswolken, die mir aus 10000 Meter Höhe einen kalten Gruß sandten. Mir war unverständlich, was meine Klassenkameraden im »Zungenkuß«, einer engen, verrauchten, stickigen Höhle suchten … Selbst wenn ich mich ins Café begeben hätte, wäre ich genauso allein gewesen wie jetzt. Die Mädchen aus meiner Klasse verachteten mich, weil ich »immer noch«, wie sie spotteten, wie ein Junge aussah. Ich trug im Winter eine Steppjacke und Thermohosen. Mädchenklamotten mochte ich nicht: spitze Schuhe mit Absatz waren mir ein Greuel, und Schminke fand ich affig. Bei der Hofpause hatte ich einmal das Wort »zurückgeblieben« in bezug auf mich aufgeschnappt. Doch Paul hatte demonstrativ seinen Arm um mich gelegt und gemeint, wir sollten weggehen von all diesen Gänsen. Und wieder einmal schwänzten wir die Schule, um auf einer Wiese zu liegen und uns die zahllosen Formen der Wolken anzuschauen.

Nun lief ich also meine Bahnen unter diesem klaren Himmel. Noch ahnte ich nicht, daß gleich wie ein deus ex machina mein Märchenprinz vor mir stehen würde. Doch in diesem einsamen Waldstück, in das sich nur gelegentlich ein paar alte Damen mit ihren Hunden oder unsere buntbemützten Nachbarn zum Pilzesammeln verirrten, in dieser bläulich schimmernden Tannenlandschaft, die mit schneebewehrten Zweigen die Seen umgab, verwunderte mich im nachhinein gar nichts.

Noch fuhr ich, den Blick auf die Sterne geheftet, meine

Bahnen, in einer Form von Ekstase, die der unermüdlichen Wiederholung entspringt: kreisförmige Monotonie des zugefrorenen Sees.

Im Dunkeln merkte ich nicht, daß ich mich einer Stelle am Ufer näherte, an der das Eis sehr dünn wurde. Es knirschte unter mir und splitterte, dann brach ich ein. Das Ganze ging so schnell, daß ich gar nicht wußte, wie mir geschah. Plötzlich eilte ein Junge herbei, betrat das Eis und zog mich, wobei auch er halb einbrach, aus dem eiskalten Wasser.

Zwei Tage später trafen wir uns in einem Kaffeehaus am Stadtrand, wo sonst nur ältere Herrschaften saßen, weil ich nicht wußte, wo junge Leute hingingen außer in den »Zungenkuß«. Da ich glaubte, daß Wieland mir das Leben gerettet hatte, wollte ich mich nun wenigstens ein bißchen »revanchieren«.

Ich war sehr aufgeregt, denn dieser Wieland war der erste Junge, mit dem ich mich verabredet hatte. Er saß schon auf einem der Plüschsessel und trank Kaffee, als ich exakt fünf Minuten – so hatte ich es auf Peters Anraten geplant – zu spät kam. Als ich mich zu ihm setzte, sah ich, daß er eine Zeitung gelesen hatte, was mir sehr erwachsen vorkam und mich sehr beeindruckte. Ich wußte nicht, wie ich unser Gespräch beginnen sollte. Was sagt man zur Begrüßung zu einem Fremden, der einen vor achtundvierzig Stunden aus dem Schluckauf-See gezogen hat? Doch Wieland fragte mich einfach, wie es mir denn jetzt gehe. Über meine Antwort, daß ich morgens schon wieder Schlittschuhlaufen war, lachte er und meinte, daß ich ja nicht sehr zimperlich zu sein scheine. Dann begannen wir uns ganz normale Fragen zu stellen, »Wo wohnst du?«, »Kommst du aus dieser Stadt?«, »Hast du Geschwister?« – es war gar nicht so schwierig. Daß ich aufgeregt war, merkte ich nur daran, daß ich mir immer wieder den Gaumen an dem heißen Kaffee verbrannte und viel zu viele Zuckerwürfel in mein Täßchen warf.

Als ich erwähnte, daß ich sehr oft Schlittschuh lief und eigentlich hätte wissen müssen, wo das Eis dünn wird, lächelte Wieland. Dann sagte er mit seiner angenehm tiefen Stimme, daß ich auf keinen Fall ertrunken wäre, da das Wasser viel zu niedrig gewesen sei, aber einen Kälteschock hätte ich bekommen können. Nun fing er an, davon zu sprechen, warum denn er gern nachts alleine in diesen Wald am Stadtrand – so weit weg wie möglich – ging: Nachts, das war die Zeit, wo seine Eltern stritten. Seine Mutter stand nicht stumm wie meine am Fenster. Mit allem, was ihr in die Hände fiel, warf sie, wenn sie, wie Wieland sagte, »in Fahrt« war, nach seinem Vater. Wielands Vater war sehr viel älter als seine Mutter, und Wieland war das jüngste von vier Kindern, ein Nachzügler. Sein Vater hatte im Krieg wie mein Großvater in Rußland ein Bein verloren. Wieland konnte sich nicht erinnern, seinen Vater anders erlebt zu haben als im Ohrensessel sitzend und Wagner hörend.

Wielands Vater hörte Wagner, brüllte herum oder sagte tagelang kein Wort. Dann saß er zur Abwechslung auf einem Klappstuhl am Fenster, starrte in den Hof (Wieland wohnte in der Stadt) und verweigerte selbst das Essen, bis Wielands Mutter ihn unter Heulen dazu bringen konnte, wenigstens einen Bissen zu sich zu nehmen.

»Meine Eltern leben schon lange nicht mehr wie Mann und Frau«, sagte Wieland jetzt. Mir fiel sein Blick auf, freundlich, dennoch auf irgendeine Weise verletzt. Er hatte ein scharf geschnittenes Gesicht mit einer großen Nase und einem starken Kinn, das nicht recht zu seinem schlaksigen Körper zu passen schien. Viel erwachsener sah es aus, dieses kluge, abwartende Gesicht, als dieser spillrige Jungenkörper. Wir redeten an diesem Nachmittag fast nur über unsere Eltern. Worüber die im »Zungenkuß« wohl so sprachen? Ich wußte es nicht, aber für mich gab es kaum andere Themen als den Wald, die Seen, meinen Bruder, Wasserfarben, Wolkenformationen, die Eltern, Saturn und Jupiter, alte Patienten mit Knirschhüften, Prothesen, Stümpfen in der Praxis meines Vaters …

Später liefen wir gemeinsam durch den Wald, vorbei am Vogelbauer, am Hochsitz, an der Wiese, auf der mein Vater mir zum erstenmal die Elfen gezeigt hatte, und ich hatte nicht das Gefühl, diese Welt nicht mit Wieland teilen zu können.

Als ich ihm von den Elfen erzählte, lächelte er. »Sie denken sich viel aus, um einen auf ihre Seite zu ziehen, oder?«
Ich nickte zustimmend.

»Und was sagt deine Mutter zu deinem Vater, wenn sie abends ohne ihn in der Stadt war?« fragte ich.

Wieland blieb stehen und sah mich geradewegs an. Leichter Spott stand ihm in den Augen. Er trat etwas näher. Wie muß es erst sein, wenn sein Gesicht ganz dicht vor mir ist, fragte ich mich atemlos.

»Sie sagt, sie käme vom …«, Wieland machte eine Kunstpause, »Trompetenunterricht.«

Ich sah Wieland ungläubig an, dann konnte ich mir ein Grinsen nicht verkneifen. Dieser direkte Hinweis auf körperliche Liebe fing plötzlich an, mich nervös zu machen. Noch mehr erregte mich die Lässigkeit, mit der Wieland über solche Dinge sprach. Verwirrt und betört von den erotischen Abenteuern, den vielen Lügen unserer Eltern, berührten wir uns auf einmal. Mein Arm lag auf seinem Anorak, und er zog mich mit der rechten Hand am Saum meiner Kapuze langsam zu sich heran.

Später lehnte ich an einem Baumstamm, und Wielands Hände kneteten meinen Nacken, umfaßten meine Schultern, unsere Zungen umspielten einander. Alles war naß, warm und wunderbar. Der Wald gehörte uns.

Für unser nächstes Treffen hatten wir uns vor dem Zoo verabredet. Ich sah Wieland schon von weitem in seinem schillernden weinroten Anorak und der kobaltblauen Hose und winkte ihm gerade zu, als plötzlich zwei Mädchen aus meiner Schulklasse vor mir standen.

Sie fragten, ob ich mich in der nächsten Woche bei der Mathearbeit zwischen sie setzen würde, damit sie von mir abschreiben könnten. Ich bejahte schulterzuckend. Dann wollten sie wissen, was mich denn ausgerechnet hierher gelockt hätte. Als ich ihnen erklärte, daß ich jetzt in den Zoo gehen würde, löste das großes Gelächter aus. Sie wollten in die Rollschuhdisco gehen. Inzwischen war Wieland in meine Richtung geschlendert und hob die Hand zum Gruß. Ich grinste ihm entgegen. Meine Klassenkameradinnen drehten sich um, musterten Wieland ungeniert von Kopf bis Fuß, dann starrten sie mich ungläubig an.

»Ihr geht zusammen in den Zoo?«

»Bingo.«

»Bis Montag.«

»Bis Montag.«

Während wir das Raubtierhaus, das Nachttierhaus und die Flamingos anschauten, redeten wir ununterbrochen. Das Pinguin-Gelände wurde leider gerade umgebaut. »Es gibt höchst seltsame Tiere, wie zum Beispiel das Taguan«, wußte Wieland, »eine Art Eichhörnchen ist das, mit Hautlappen an beiden Seiten des Körpers, die es wie einen Fallschirm aufspannen und damit über mehrere hundert Meter von Baum zu Baum gleiten kann.«

Wir schlenderten nun zum Kamel-Gelände, und Wieland erklärte mir, daß Kamele nicht, wie viele Menschen glaubten, Wasser, sondern Fett in ihren Höckern speichern würden.

Wieland hatte anscheinend viele Filme über exotische Flora und Fauna gesehen; er konnte von australischen Baumkänguruhs berichten, die von Ast zu Ast springen, und von Tieren mit Namen wie »Beutelteufel«, »Sumpf-wallaby« und »Nacktnasenwombat«. Ihn interessierten besonders die Tiere der Tropen, Savannen und Wüsten. Mein Spezialgebiet hingegen war die Fauna des hohen Nordens, was sich mit meinem schon damals ausgeprägten Interesse an Cirrus-Wolken gut vertrug.

Später gingen wir noch in einen Buchladen neben dem Zoo. Wieland wollte ein Geschenk für einen Freund besorgen. Während er vor einem Regal mit englischsprachigen Romanen stand, entdeckte ich nahe der Kasse eine kleine Kiste mit Plastiktieren. Nachdem ich mich durch ein paar alberne, neonfarbene Schlangen gewurstelt hatte, fand ich tatsächlich ein Känguruh. Wieland stand jetzt nur zwei Meter von mir entfernt, doch es gelang mir, den Moment abzupassen, in dem er sich in einen Klappentext vertiefte. Schnell ging ich vor die Kasse.

Kurz darauf verabschiedeten wir uns voneinander am U-Bahnhof. Wir küßten uns lange; die vorbeihuschenden Menschen, denen wir im Weg waren, nahm ich überhaupt nicht wahr. Als Wieland sich endlich von mir löste, fiel mir das kleine Känguruh wieder ein.

»Ich hab noch was für dich«, flüsterte ich, noch nicht in der Lage, wieder mit meiner Alltagsstimme und laut zu reden. »Hand auf, Augen zu!«

Ich legte Wieland das Känguruh in die Hand und schloß sie. Wieland befühlte das Objekt und mußte mit einemmal laut lachen. Dann sah er mich sehr lange an und küßte mich mit unabgewandtem Blick.

Als ich in der U-Bahn saß, bemerkte ich plötzlich ein Pieken in meiner Hosentasche und entdeckte einen kleinen Plastikpinguin.

Von nun an verabredeten wir uns oft, meist zum Schlittschuhlaufen oder zum Spaziergengehen im Wald. Manchmal trafen wir uns um fünf Uhr morgens zu himmelskundlichen Exkursionen, ich hatte mein kleines Teleskop dabei, und wir strichen durch den Wald bis zu einer Lichtung, von wo ich den Himmel nach den Planeten und ihren Monden, nach Fixsternen und Sternschnuppen absuchte.

Wieland begeisterte sich für alles, was ich erzählte. Er schmückte unsere kleinen Abenteuer, zum Beispiel, wie wir Neptun in einer klaren Nacht entdeckten, mit Geschichten aus der Antike über die Gottheiten, die den Planeten und Monden ihre Namen gegeben hatten, aus. Da war zum Beispiel der Mythos um Kallisto, nach der der zweitgrößte Jupitermond benannt wurde. Kallisto war Tochter des Königs Lykaon von Arkadien. Ihr Name, abgeleitet von »kalliste«, hieß »die Schönste«. Zeus verliebte sich in sie und lockte sie zu sich. Um Kallisto und ihren Sohn Arkas vor dem Zorn seiner Frau zu schützen, verwandelte er sie in einen Bären. Hera wiederum beauftragte Artemis, den Bären zu erschießen. Doch sie flohen an den Himmel – als Sternbilder Großer und Kleiner Bär.

Von solchen Dingen hatte ich, bis ich Wieland traf, kaum etwas gewußt. Ich kannte nur die astronomischen Fakten.

Als ich klein war, hatte ich mich nie im Wald gefürchtet; höchstens vielleicht weit hinter unseren Seen, aber nicht in dem Stück zwischen unserem Haus und dem Schluckauf-Teich. Ich konnte in den Wald eintauchen und mich mit größter Selbstverständlichkeit und Leichtigkeit in ihm bewegen. Dann kam eine Zeit – ich weiß nicht genau, wann sie anfing, vielleicht als ich meine Tage bekam –, als ich mich selber steif, ungelenk, wie ein Fremdkörper im Wald fühlte. Mir fehlte die Ruhe, mich auf seine Ruhe einzulassen, mich in den Farn legen und in den Himmel gucken zu können und dabei die Zeit zu vergessen. Immer erwartete ich etwas oder jemanden, nie konnte ich mehr einfach in der Sonne liegen, um nachher erstaunt den weißen Streifen unter meinem Uhr-Armband zu entdecken; nie konnte ich diesen früheren Glückszustand wiederherstellen. Erst als Wieland und ich zusammen Hand in Hand durch den Wald gingen und die Zweige unter unserem festen Schuhwerk knackten, fühlte ich mich wieder aufgehoben und sicher im Reich des Dunklen.

Als es Frühling wurde, fuhren wir mit unseren Rädern in die Stadt, um Eis zu essen und die anderen Jugendlichen dabei zu beobachten, wie sie sich in großen Gruppen zusammenfanden und selbstverständlich von Kinofilmen oder Fernsehsendungen sprachen, die wir nicht kannten, wie sie gammelige, aber doch sehr bewußt ausgesuchte Klamotten zur Schau stellten und über den »uncoolen Look« von vorbeigehenden Jungen und Mädchen, die ihnen eigentlich sehr ähnlich sahen, sprachen.

Wir saßen dann – ein seltsames Paar: der schön gekleidete Junge, denn Wieland war geradezu elegant, und das burschikose Mädchen – auf einer Bank und flüsterten im größten Einvernehmen über Gott und die Welt.

Daß wir miteinander schliefen, geschah erst ein halbes Jahr nach dem Beginn unserer Freundschaft. Von da an liebten wir uns oft – manchmal im Wald. Es war ein Sommer, der unendlich lange auszuglühen schien.

Meistens kam Wieland zu mir an den Stadtrand. Anfangs hatte ich versucht, ihn zu überreden, mir doch einmal seine Eltern vorzustellen, aber Wieland schien dieser Gedanke sehr unbehaglich zu sein. Als wir wieder einmal am Ufer des Bleichen Sees saßen, Kirschen aßen und uns über die Weltreisen, die wir irgendwann einmal unternehmen wollten, unterhielten, sagte er beiläufig, daß er lieber mit mir nach China auswandern würde, als mir jemals seine Eltern vorzustellen. Während er meine Hand nahm, meinte er, daß es für ihn das größte Glück auf Erden sei, ja, so drückte er sich aus, mich getroffen zu haben, und niemals, um keinen Preis, wollte er sein Zuhause mit unserem »geheimen Leben« vermischen.

So war ich nur wenige Male bei ihm, wenn seine Eltern das Wochenende in ihrem Schrebergartenhäuschen verbrachten. Sein Zimmer schien mir eine Oase in dieser perfekt aufgeräumten Wohnung mit grauer Auslegeware und dunklen Möbeln zu sein. Es war orange gestrichen und stand voller Pflanzen, für die er kleine Podeste gebaut hatte oder deren Töpfe mit langen Drähten von der Decke hingen. Quer durch den Raum spannte sich eine Hängematte, auf der ein leuchtend blauer Teddybär lag. Wielands Zimmer war sehr klein, aber dennoch fanden noch ein sonnengelb gestrichener Schreibtisch und ein fast vollständig hinter Pflanzen verstecktes Bücherregal darin Platz. Auf einem schmalen Hochbett türmten sich Kassetten von Bands mit ausländischen, vielleicht afrikanischen Namen.

Obwohl Wieland mich nach dem ersten Besuch schnell wieder zur Wohnungstür lotsen wollte, gelang es mir, einen Blick ins Wohnzimmer zu werfen, wo ich an der gegenüberliegenden Wand drei weiße Portraitbüsten und eine Europakarte erblickte – mit einem Deutschland in etwas anderen Proportionen, als ich es aus dem Atlas kannte.

Die Vorstellung, Wielands und meine Liebe als unser »größtes geheimes Glück« zu betrachten, wie er mir nahelegte, gefiel mir nach anfänglichem Zögern, und so beschloß auch ich, Wieland ganz für mich alleine besitzen und mit niemandem teilen zu wollen.

Paul gegenüber hatte ich jedoch ein sehr schlechtes Gewissen. Plötzlich gab es jemanden, der mir wichtiger schien als jeder andere Mensch. Je mehr ich von Wieland erzählte, desto neugieriger wurde Paul auf ihn, aber ich genoß es schon bald zu sehr, einen Bestandteil meines Lebens nicht mit meiner Familie teilen zu müssen – selbst nicht mit meinem allgegenwärtigen Zwillingsbruder. Ich war siebzehn, wir wohnten am Stadtrand, ich war noch zu jung für einen Führerschein, mein Vater hatte seine Praxis zu Hause, meine Mutter war immer da und verfolgte mich auf Schritt und Tritt. Wie viele Samstagabende hatte ich mit einer Wolldecke auf dem Schoß vor dem Fernseher mit der Familie verbracht ...

Mir war es auf einmal nicht mehr genug, mit meinem Fernrohr im Farn zu liegen und Planeten und Sternbilder zu bestimmen. Plötzlich war die Welt unvollkommen, wenn ich allein war, ohne Wieland. Er war der erste Junge, den ich geküßt hatte, und die Nähe zwischen uns, die so intensiv geworden war in den letzten Monaten, war etwas, über das ich nicht reden wollte.

Vor allem hoffte ich zu verhindern, daß mein Vater Wieland zu Gesicht bekäme. Ich stellte mir vor, wie mein Vater Wieland, der soviel zarter war als er, mustern und nachher eine spöttische Bemerkung machen würde. »Dein dünnes Hemd muß mal 'n bißchen Futter zwischen die Rippen kriegen«, irgend etwas ähnlich Unsägliches. Meine Mutter würde sicherlich versuchen, von mir herauszubekommen, wie nahe ich Wieland schon gekommen war, und mich dann belehren. Auch würde sie mein Seelenleben ergründen wollen – mit ihrer leisen, beharrlichen Stimme, die Stein rund waschen könnte.

Paul entlockte mir mit raffinierten Fragen viel mehr, als ich eigentlich zu sagen bereit war. »Was ist denn seine Lieblingsfarbe?« – »In welcher Zeit, wenn er eine Zeitreise machen dürfte, würde er am liebsten leben?« – »War er, wenn er früher Cowboy-und-Indianer gespielt hat, eher der Cowboy oder eher der Indianer?«

Ich merkte natürlich, daß ich Pauls Neugierde auf Wieland durch die Distanz nur erhöhte. Ich hatte das Gefühl, daß er uns öfter hinterherspioniert hatte, wenn Wieland und ich Arm in Arm zum Bleichen See oder einem anderen im Wald versteckten Ort gingen. Orte, die Paul ebensoviel bedeuteten, wenngleich er schon seit längerem am liebsten zu Hause in seinem zugekramten Zimmer saß, das halb Atelier, halb orientalische Teestube zu sein schien. Zwei-, dreimal hatte Paul am Fenster gestanden, als Wieland und ich nachts aus der Haustür traten und ich mich noch einmal umwandte.

Wieland vor meinen Eltern geheimzuhalten war deshalb ein schwieriges Unterfangen, weil meine unauffällige Mutter, die die Fähigkeit besaß zu verschwinden, ebenso die Begabung hatte, irgendwo unvermutet aufzutauchen. Ich hielt es also für möglich, daß Renate uns im Wald, beim Schlittschuhlaufen oder bei unseren himmelskundlichen Exkursionen beobachtet hatte. Sie hatte nämlich nicht viel Ablenkung: Meine Eltern empfingen fast nie Besuch. Es war, als hätte mein Abwechslung und Gesellschaft liebender Vater hier seine Ruhezone ausgerufen, den Ort, an dem er sich erholte von den Aufregungen, die er anderswo erlebte. Aber meine Mutter, die den ganzen Tag zu Hause saß, wünschte sich oft mehr Austausch. Manchmal führte sie sogar Selbstgespräche, wenn sie die Fenster putzte oder Wäsche aufhängte.

Wenn ich mich aus dem Haus stahl, um Wieland zu treffen, überkam mich nicht nur ein erregtes Gefühl der Vorfreude auf ihn, sondern Genugtuung darüber, auch ein »Geheimleben« zu führen. War die Motorhaube unseres Volvos spätnachts wieder einmal glühend heiß, dachte ich an Wieland und mich.

Mein erstes Treffen mit »Aphrodite« war ein Schock: Wie ein Geist sah sie keinesfalls aus. Aus dem Alter, in dem man noch an Geister glaubt, war ich mit siebzehn allerdings schon längst heraus. Meine Mutter war übers Wochenende zu Tante Lena und Onkel Kurt gefahren. Peter hatte wohl damit gerechnet, daß ich mich wieder um fünf Uhr früh mit meinem Fernrohr davonstehlen würde. Aber ich hatte nachts einen Wälzer zu Ende gelesen, den Wieland mir geliehen hatte, ein Buch von Joseph Conrad, und so hatte ich länger als sonst geschlafen. Die Badezimmertür war abgeschlossen, als ich die Klinke herunterdrückte. Das überraschte mich, die Tür wurde bei uns nicht verriegelt.

»Moment bitte!« rief eine helle Frauenstimme. Und ich ließ die Hand bestürzt sinken.

Es vergingen weitere Minuten, in denen ich nur glucksendes Wasser hörte.

Dann ging die Tür auf, und eine Frau, höchstens zehn Jahre älter als ich, mit langen blonden Haaren, geschminkt und mit Ohrringen, schenkte mir ein wackeliges und unsicheres Lächeln.

»Hallo.«

»Hallo.«

»Bist … du beim Peter?« fragte ich dumpf.

»Kann man so sagen …«, kicherte sie nervös und verschwand in Richtung Schlafzimmer.

Ich legte mein Ohr an die Tür. Nicole hieß sie also. Und sie hatte schöne Beine. Und Brüste. Und veilchenfarbene Augen. Und und und.

Während mir die Tränen über die Wangen rannen, dachte ich komischerweise an meine Zöpfe, die da drinnen hingen. Die meine Mutter staubfrei hielt. Mit denen meine Mutter manchmal sprach. Die ihr so viel vorenthielten. Die stumm blieben, wie ich, wenn sie mich über irgend etwas ausfragen wollte.

Nach dieser Begegnung war ich um so froher, mich mit Wieland davonstehlen zu können. Wieland war fast zwei Jahre älter als ich und hatte soeben den Führerschein bestanden. Seine Eltern erlaubten ihm zwar nicht, ihr Auto zu fahren, aber er nahm sich ab und zu nachts die Autoschlüssel aus der ordentlich gefalteten, über einen Stuhl gelegten Hose seines schlafenden Vaters und das Auto aus der Garage. Dann fuhren wir zum Wannsee oder zur Havel, zum Teufelsberg oder in die Rehberge. Wir saßen an

Kiesgruben, an Uferrändern, auf Wiesen, tranken Bier, das wir an Tankstellen gekauft hatten, und hatten Fernweh.

Je kälter es wurde, desto exotischere Reisen dachten wir uns aus. Oft kam Wieland auch nachts zu mir hoch. Wir machten es uns dann auf meinem Bett bequem und sahen Dias.

Als wir wieder einmal so bei mir herumlungerten, fuhr Wieland mir zärtlich über die Glatze.

»Mein Lieblingsplanet«, murmelte er und küßte meinen Kopf. Vor uns flimmerte das Dia-Set über die Saturnringe, das ich mir aus Palo Alto für viel Geld hatte zuschicken lassen: Eine Detailansicht der Cassini-Teilung zwischen dem Saturnring A und B sowie eine Aufnahme der über zwanzig sehr schmalen Ringe in der Cassini-Teilung selbst, dann eine Serie von Voyager-Bildern über das seltsame radial verlaufende »Speichenmuster« auf einigen der Hauptringe sowie eine sehr genaue Aufnahme der Enckeschen Teilung innerhalb des Rings A. Es gab kaum etwas Komplexeres als das Ringsystem des Saturn. Wieder fand ich den Gedanken unglaublich, daß dieses System in seinen groben Zügen schon Mitte des siebzehnten Jahrhunderts bekannt war.

Wir betrachteten nun noch ein paar ältere Dias, »deine Evergreens«, wie Wieland sie nannte, die ich nicht, ohne von einer eigentümlichen Sehnsucht erfaßt zu werden, sehen konnte: sieben Dias, die, in mehrwöchigem Abstand aufgenommen, eine auffällige Verfärbung des Roten Flecks auf dem Jupiter dokumentierten, dann mehrere Voyager-Nahaufnahmen von Pluto und Charon, die deutlich werden ließen, daß die beiden aufgrund ihrer Nähe zueinander und dem geringen Größenunterschied eigentlich eher als Doppelgestirn denn als Mutterplanet mit Mond zu bezeichnen waren. Und zu guter Letzt eine Serie von, wie es schien, in die Unendlichkeit hinausschießenden Protuberanzen der Sonne. Unglaubliche Feuerarme. Jedesmal, wenn ich diese Dias sah, glaubte ich, alle Kraft der Welt zu besitzen.

Ich war siebzehn, überspannt und voller Sehnsucht.

Plötzlich ging die Tür auf. Weder Wieland noch ich hatten gehört, daß jemand die Stufen hinaufgestiegen war. Die abgelaufenen Holzdielen knarzten eigentlich bei jedem Schritt. Wir mußten ganz versunken gewesen sein. Meine Mutter stand in der Tür. Wieland, der hinter mir unter der Bettdecke lag, schien sie überhaupt nicht wahrzunehmen.

Sie trug ein weißes, vom Schlaf zerknittertes Nachthemd mit einem blauen Schwan auf der Brust, keine Pantoffeln. Mir war, als würde sie durch mich hindurchstarren. Sie öffnete ihren Mund und sagte nichts. Der Vollmond leuchtete sie jetzt hell an, ihr Gesicht war unglaublich blaß, es sah aus wie eine Maske, die im Zustand höchster Erregung plötzlich eingefroren war.

»Onkel Kazimierz ist tot.«

# 12

# Und Beuys ist tot

An jenem Abend, als meine Mutter – die Hals über Kopf nach Warschau zur Beerdigung gefahren war – wieder bei uns in Berlin war, trafen auch Jo und Mäxchen ein. Meine Mutter sah noch blasser aus als sonst, und ich hatte noch kein Wort mit ihr geredet, seit sie zurück war. Als ich sie auf dem Weg ins Bad erwischte, murmelte sie nur: »Agnieszka war da, Marek, Krzysztof, die Leute vom Sender. Bitte sprich aber nicht davon, Freia. Sag auch nicht, daß ich überhaupt da war.«

Ich wunderte mich schon über nichts mehr und ging in die Küche, um meinem Vater mit der Salatsoße zu helfen. Peter hatte für diesen Abend Meerrettich-Petersilien-Suppe (er schwärmte für Meerrettich als »natürliches Antibiotikum«), Lammbraten und Chicoree-Salat zubereitet. Er kochte zu »besonderen Anlässen«, erntete für diese Aktionen immer mehr Lob als Renate für monatelanges vorzügliches Kochen. Paul deckte den Tisch. Wir wollten wieder einmal vorm Kamin essen, was alle besonders gemütlich fanden, und mein Vater hatte den schweren runden Holztisch vom Eß- ins Wohnzimmer gerückt.

Jo kümmerte sich noch im Gäste-Badezimmer um Mäxchen, dann erschienen sie gemeinsam, mein Großvater fluchend, weil sein Stumpf wieder einmal wund war. Meine Mutter huschte als letzte herein, die Suppenschüssel in den Händen.

Wir hatten kaum die Tassen ausgelöffelt, da kamen wir wieder auf Königsberg zu sprechen. Mäxchen und Jo waren gerade in Lübeck auf der silbernen Hochzeit einer Freundin meiner Großmutter, die damals die Einnahme von Königsberg erlebt hatte, gewesen. Und so begann Jo, während mein Vater den Lammbraten anschnitt und das Feuer im Kamin flackerte und knisterte, uns noch einmal die Geschichte ihrer Flucht zu erzählen, wobei sie wie immer weit ausholte.

»Ihr wißt ja, warum ich schon Ende der dreißiger Jahre von Königsberg nach Gotenhafen kam. Mein Vater hatte sein Marzipan-Spezialitätengeschäft in Königsberg Mitte 38 verkauft, als er den höchsten Preis dafür verlangen konnte, weil es der Wirtschaft ja bekanntlich sehr gut ging. Anschließend nutzte er eine Möglichkeit, das war schon immer sein Traum gewesen – das Geschäft hatte er ja nur seinen Eltern zuliebe übernommen –, zur Handelsmarine zu kommen. Erst nach Pillau und dann, 1939, das war natürlich ein Aufstieg, nach Gotenhafen. Und wie ihr wißt, haben Maximilian und ich uns dort kennengelernt.«

Meine Großmutter tätschelte meinem Großvater das Bein, das er sofort wegnahm, wobei er kurz das Gesicht verzog wegen der wunden Haut am Stumpf. Meine Großeltern verstanden sich nicht sonderlich gut. Seit Jahrzehnten hatten sie zwei klar voneinander abgegrenzte Rollen, und darin genau schien das Problem zu liegen, wie Paul und ich einmal nach einem besonders unerfreulichen Abend auf einem nächtlichen Spaziergang zum Bleichen See analysiert hatten. Mäxchen haßte es, von Jo ständig bevormundet und wie ein kleines Kind behandelt zu werden, andererseits war er in jeder Hinsicht auf sie angewiesen. Jo wiederum war der Ansicht, daß Mäxchen ihre Bemühungen oft erschwerte, indem er sich noch langsamer und hilfloser anstellte, als er war. Ihre ständigen Kleinkriege gehörten wie selbstverständlich zu unseren Tischgesprächen.

Doch jetzt war es unsere Mutter, die für Unfrieden sorgte. Sosehr sie sich bei anderen Themen zurückhielt, staunten Paul und ich immer, wie engagiert Renate bei den »Erzählt mal vom Krieg«- bzw. »Wir erzählen euch jetzt mal etwas vom Krieg!«-Abenden auftrat.

»Sprich bitte nicht immer von ›Gotenhafen‹, Jo. Das hieß früher und heißt jetzt wieder Gdingen, oder, auf polnisch, Gdynia«, warf Renate ein, »du weißt, ich kann das nicht hören.«

An diesem Punkt regte sich meine Großmutter jedesmal auf:

»Also, hör mal, Kind, in meiner Zeit hieß das Gotenhafen, ich habe in Gotenhafen gelebt, geheiratet, ein Kind bekommen, ich habe Gotenhafen verlassen müssen, und wenn ich schon meine Heimat verlieren mußte, darf ich nicht einmal mehr Namen, Worte, Silben behalten? Muß ich denn *alles* aufgeben?«

Und Renate schwieg, denn sie kannte diese Sätze nur zu gut.

»Gotenhafen, wie es damals genannt wurde«, schaltete sich mein Großvater versöhnlich ein und begann, da er schon einmal das Wort hatte, sofort über seinen geliebten Hafen zu sprechen. »Gotenhafen war mit seinem knapp fünfzehn Kilometer langen Pier der größte Ostseehafen. Ja, der größte! Und einer der wichtigsten Stützpunkte der deutschen Kriegsmarine. Sammelbecken für die restliche Tonnage der Handelsschiffahrt in den letzten Kriegsjahren. Außerdem gab es ja noch die Kurlandarmee« – er unterbrach sich kurz und sah uns an, ob der Groschen fiel. Paul und ich nickten –, »die wurde über Gotenhafen versorgt.«

Jo hatte sich jetzt wieder etwas beruhigt und holte tief Luft.

»Es gibt ja in jeder Familie ganz interessante Muster. Und so wie ich einen Vater hatte, der beim Hafen arbeitete, so geriet ich an einen Mann, der zwar nicht bei der Marine, aber doch als Bauingenieur am Hafen beschäftigt war. Das ist doch eigenartig, oder? Und meine Tochter, die eine Ausbildung bei meiner Schwester in einer Orthopädie-Praxis gemacht hat, heiratet nachher einen Orthopäden!«

Meine Großmutter hatte sich, als sie das Wort »heiratet« aussprach, zu mir gewandt. Ich guckte in die Luft.

Nun begann Mäxchen wieder: »Ihr wißt ja, wie das damals war: Ich war beim Rußlandfeldzug dabei. Bis zum Hauptmann habe ich es gebracht. ›Teufelsbataillon‹ nannte man unsere Einheit. Alles lief wie am Schnürchen bis zum Wintereinbruch. Aber das habe ich euch ja schon oft erzählt. Jedenfalls« – hier machte mein Großvater immer einen großen zeitlichen Sprung – »mußte ich nach meiner Verwundung nicht mehr zurück an die Front. Ich hatte den ›Heimatschuß‹ bekommen. So nannte man das. Und manch einer war nicht unglücklich darüber. Und da ich ja eigentlich Bauingenieur war und die Nazis die strategisch wichtige Bedeutung der Ostseehäfen erkannt hatten, konnten sie so einen wie mich gut gebrauchen! Ja, ich war also noch zu etwas nützlich. Erst kam ich nach Pillau. Da hab ich den Hafen mit ausgebaut. Dann ging es weiter nach Gotenhafen. Der wichtigste Ostseehafen. Sagte ich schon. Übrigens von amerikanischen Architekten konzipiert. Hier fühlte man sich bis 45 auch noch einigermaßen sicher. Warum? Weil die russischen Flieger nicht hinkamen. Wegen der mangelnden Reichweite. Es gab verhältnismäßig wenig Bombentreffer.«

Jetzt war meine Großmutter wieder dran. Bei diesen Gesprächen vertrugen sich Jo und Mäxchen recht gut und bildeten eher eine gemeinsame Front gegen Renate.

»Aber die Zeiten änderten sich ja, und irgendwann wurde der Krieg eben auch zu uns herübergeweht.«

Jo schwieg einen Moment und sah hinaus zum nächtlichen Wald. Die Baumkronen wurden von einem starken Ostwind zum Schaukeln gebracht. Ihre dunklen Silhouetten zeichneten sich deutlich vor dem durch den Zweidrittelmond verhältnismäßig hellen Nachthimmel ab.

»Ja, wie eine Heuschreckenplage verbreitete sich also die Nachricht vom Anrücken des Russen auch bei uns in Westpreußen. Wir hatten ja mitbekommen, daß der Russe Ostpreußen abgeriegelt hatte und jetzt auf dem Vormarsch nach Westen war. Da kamen ja Tausende von Flüchtlingen nach Gotenhafen und erzählten Schreckliches! Irgendwann war also auch uns klar, und durch unsere, na, ich will nicht sagen: guten Verbindungen, aber eben einfach: Verbindungen zur Partei hatten wir noch verhältnismäßig viele Informationen über die wirkliche Kriegssituation, also uns war jedenfalls klar, daß wir nicht bleiben konnten. Ja, und am 21. Januar 45 hat dann Dönitz selbst …«

»Oberbefehlshaber der deutschen Kriegsmarine«, ließ sich Mäxchen kurz vernehmen.

»… die Entscheidung gefällt, daß Schiffe und Menschen in westlichere Häfen in Sicherheit zu bringen seien«, setzte Jo ungerührt fort.

»Und nicht die Danziger Bucht, den Raum Danzig-Gotenhafen, zu verteidigen, um einen neuen Brückenkopf zu bilden!« knurrte Mäxchen.

Jetzt wagte auch ich noch dazwischenzufragen: »Was, Jo, meinst du eigentlich mit ›gute Verbindung zur Partei‹?«

»Freia, wir waren keine Nazis. Jede gewalttätige Ausschreitung haben wir abgelehnt. Grob, furchtbar fanden wir das. Vulgär. Diese Horden, die da herumzogen. Widerlich. Dieser Krach. Unser Umfeld war treudeutsch, aber nicht nazideutsch. Das war ein großer Unterschied, müßt ihr wissen.«

Renate stand auf, um auf die Toilette zu gehen. Meine Großmutter hörte im gleichen Moment auf zu sprechen, ihre Tochter sollte ruhig zuhören. Nach einer Weile begannen Paul und mein Vater über eine Kohlmeise mit schönem Gefieder zu reden, die Peter vor ein paar Tagen gefangen, uns stolz gezeigt und wieder freigelassen hatte.

Als meine Mutter auf ihren Platz zurückkehrte, sprach Jo weiter: »Nachdem dann offiziell die Menschen evakuiert werden sollten, wollten wir unseren Informationsvorsprung lieber heute als morgen nutzen; die Menschen drängelten sich ja schon wie die Heringe in unserer Stadt! Ja, und dann haben wir so abends dagesessen und unsere letzten Weinflaschen ausgetrunken, Weihnachten war auch schon nicht ganz so üppig ausgefallen, und uns darüber Gedanken gemacht, wie wir fortkommen sollen. Es ging auf Ende Januar zu und war fürchterlich kalt. Die Straßen waren spiegelglatt, es hatte gefroren, und schneien tat es auch noch! Aber auf dem Landweg war ja nicht mehr viel zu machen. Der Russe ...«

An diesem Punkt schaltete sich mit der Präzision eines Schweizer Uhrwerks meine Mutter ein: »Ja, aber daß die Russen nicht nett zu uns sein würden, nachdem die Deutschen erst einmal in ihrem Land herumgewütet hatten, war wohl keine Überraschung. Die Flucht verlief doch deshalb für viele Millionen Deutsche so katastrophal, weil unsere teuren Befehlshaber den Leuten einfach viel zu lange verboten hatten zu fliehen. Die Bevölkerung ist von diesen Kriminellen, die sich da ›Partei‹ nannten, in Sicherheit gewiegt worden. Da wurden immer noch Durchhalteparolen ausgegeben, als die sich selbst schon längst verdünnisiert hatten! Zum Beispiel Breslau, 600 000 Einwohner. Zivilisten. Die sollten als menschliches Bollwerk dienen ...«

Hier wurde sie stets von Jo unterbrochen: »Ja, ja, das stimmt, Verrückte waren das. Kollektive Idiotie. Obwohl das ja alles gebildete Männer waren.«

»Traumtänzer«, ließ sich mein Großvater knapp aus dem Hintergrund vernehmen.

Jo begann wieder: »Aber es war eben auch Krieg. Verblendet waren die da oben schon, aber vielleicht haben sie ja doch selbst geglaubt, was sie uns erzählt haben.«

Renate wurde bei diesem Argument jedesmal ungewöhnlich forsch: »Ach, Unsinn, die waren doch schon über alle Berge ...«

»Was weißt du schon, du warst doch damals ein Kind! Und außerdem entschuldigt das nicht den Russen. Weißt du, wie der Russe in Ostpreußen gewütet hat? Leute in Kirchen gedrängt und erschossen, Frauen vergewaltigt, Kinder, das waren doch alles Unschuldige! Also der Russe hat heimtückisch Ostpreußen abgeriegelt ...«

»Um die 4. Armee und die 3. Panzerarmee einzuschließen!« warf Mäxchen erregt ein.

»... und Millionen von Zivilisten gezwungen, die Flucht übers Meer anzutreten. So war das.«

»Wenn die Oberste Heeresleitung aber schon im Herbst den Befehl zur Flucht, ich meine, den amtlichen Räumbefehl, gegeben hätte, wäre es nicht so schlimm gekommen! Himmler hat noch im Oktober erklärt, die Deutschen würden keinen Zentimeter Boden an die Russen abtreten! Und dann Hitlers ›Neujahrsaufruf an das Deutsche Volk‹, wo er vom ›Wunder des 20. Jahrhunderts‹ sprach, das wir – die Deutschen – jetzt erleben würden. Und noch im Januar 45 hat Hitler getönt: ›Keinen Fußbreit werden wir preisgeben.‹ Russische Winteroffensive? ›Der größte Bluff seit Dschingis-Khan!‹ Drei Tage nach dieser Äußerung fing die russische Winteroffensive an ...«

»Mit einer zehnfachen Überlegenheit!« rief Mäxchen.

»Und das war dann bekanntlich das Ende. Der russische Funkspruch, zufällig abgehört: ›Es bleibt bei alter Einladung. Festbeginn 13. früh. Musik komplett. Tänzer ausgeruht und unternehmungsfreudig.‹ Und Marschall Rokossowski zurück: ›Danke für die Einladung. Werde mich pünktlich wie abgesprochen beteiligen. Auf Wiedersehen in Berlin!‹«

Jo schüttelte den Kopf und legte ihrer Tochter eine Hand auf den Arm.

»Das war damals eine andere Zeit. Vaterlandsliebe, das sind für euch ja heute alles Fremdwörter, Vaterlandsverteidigung, das gehörte sich eben so. Man drückte sich nicht einfach. Ihr könnt euch das ja alles nicht mehr vorstellen.«

Dann setzte sie erneut an: »Also, wenn jemand ein Held ist, wenn es so etwas wie Helden gibt, dann sind das die Wehrmachtssoldaten für mich, die hinhaltenden Widerstand auf verlorenem Posten geleistet haben, ihr Leben riskiert haben, damit wir Zivilisten noch fliehen konnten. Dabei ahnten sie ja, daß der Russe nicht mehr aufzuhalten und alles nur noch eine Frage der Zeit war und daß sie sich selbst mit jeder weiteren Kampfhandlung in Lebensgefahr brachten. Das sind für mich Helden. Wir spenden jedes Jahr Geld für die Kriegsgräberfürsorge!«

»Tun wir das?« fragte Mäxchen, der die Verwaltung der Finanzen schon vor Jahrzehnten an seine Frau abgetreten hatte.

An diesem Punkt setzte meine Mutter meist zu einer etwas längeren Rede an, wobei sie ihre Stimme senkte und schnell und leise wie eine aufgeregte Abiturientin bei einer mündlichen Prüfung sprach:

»Noch Mitte Januar hat die Oberste Heeresleitung die russische Winteroffensive gelassen hingenommen, da die Russen ja schon mal aus Gumbinnen und Goldap hinausgeworfen worden waren. Im Oktober 44. Aber jetzt waren die Stoßarmeen Rokossowskis schon so weit, daß sie das Hauptquartier einnehmen konnten, aus dem sich Generaloberst Weiß und sein Stab rechtzeitig abgesetzt hatten. Aus dem Staub gemacht, jawohl. Erst am 19. Januar, als Warschau gefallen war und Ziechenau und Neidenburg schon in russischer Hand waren, änderte sich die Haltung ... Noch ein Beispiel für diese Politik der blinden Überheblichkeit: Gauleiter Forster, schlicht ein Verbrecher, hatte Elbing nur wenige Tage vor seiner Besetzung noch die sicherste Stadt Ostpreußens genannt! Und gemeint, über den ›Ostwall‹ würden die Russen nie einen Fuß setzen, denn der Führer würde es niemals zulassen, daß die Russen sich der alten Hansestadt näherten. Der Elbinger Oberbürgermeister – nicht irgendein Gartenzwerg –, immer noch über nichts informiert, wurde vom Feind im Dienstzimmer des Rathauses überrumpelt! Und dieser Forster hat dem Oberbürgermeister, als der plötzlich russische Panzer auf der Straße sah und entsetzt anrief, nur gesagt: ›Ich werde jeden Behördenleiter erschießen lassen, der Elbing verläßt.‹ Könnt ihr gerne nachlesen …«

Meine Mutter hatte versucht, den Makel, ein unmündiges Kind zu Kriegszeiten gewesen zu sein, später mit viel Lektüre auszugleichen – auf ihrem Nachttisch türmten sich Erinnerungen von Flüchtlingen und Sachbücher –, und tatsächlich fiel Jo zu solchen schlicht nicht von der Hand zu weisenden Fakten wenig Abwertendes ein. Aber sie ging dann einfach schnell zu etwas anderem über: »Also, wo war ich eigentlich stehengeblieben? Es war wahnsinnig kalt, und wir überlegten, was um Himmels willen wir tun sollten, ja genau, das war's …«

An dieser Stelle wiederum fiel Mäxchen ihr gerne ins Wort, denn er vertrug es nicht, wenn seine Tochter sich mit militärgeschichtlichen Details hervortat, die er doch für sein Revier hielt.

»Meine Damen, das war so: Teile der 2. sowjetischen Garde-Armee und die 48. Armee bogen nach Norden ab. Im Rücken der 4. deutschen Armee sollten sie das Frische Haff erreichen und damit Ostpreußen endgültig vom Westen abschneiden. Der Fehler lag darin, der 4. deutschen Armee keine Verstärkung zu schicken, denn sie war zahlenmäßig dem Russen einfach nicht gewachsen. Mitte Januar standen an der Ostfront dreimal soviel russische Divisionen – 200 – den 70 deutschen gegenüber. Das lag daran, daß die blöde OHL einfach immer noch an allen Fronten kämpfen wollte ...«

Jo ließ ihn weiterbrabbeln und hob nur ihre Stimme: »Wir packten unsere Siebensachen. Sollten wir Bettwäsche mitnehmen oder nicht? fragte ich mich.«

Ein letztes Mal ließ Renate sich vernehmen: »Aber Vati hat doch recht: Nicht die Russen, sondern die deutschen Befehlshaber, die ihre eigenen Landsleute in falscher Sicherheit wiegten, haben die Einkesselung von Ostpreußen ermöglicht. Aber zurück nach Westpreußen ...«

Gelegentlich kam es vor, daß die schwache Allianz meiner Großeltern aufbrach und sie mit ihrer Tochter in Einzelfragen übereinstimmten. Doch Mäxchen riß das Wort wieder an sich:

»Guderian, ihr wißt schon, ist Anfang Januar 45 zu Hitler geflogen. Ins Führerhauptquartier. Da hat er seinem Führer« – Großvater sprach dieses Wort voller Ironie aus – »die neuesten Zahlen mitgeteilt. Das hat den ›Führer‹ nicht die Bohne interessiert! Guderian bestand auf einem strategischen Rückzug aus Italien, Norwegen und dem Balkan. Dort standen überall noch deutsche Truppen! Als das deutsche *Kernland* in Gefahr war! Verdammt noch mal!«

Mäxchen schlug auf die Tischplatte, und mein Wein schwappte über. Ich schaute zu, wie die rote Flüssigkeit der Maserung des Holzes nachlief, und meinte, in der Maserung den damaligen Frontverlauf zu sehen. Wie Blut, dachte ich.

»Mit den frei gewordenen Truppen hätte man – verdammt noch mal! – die Ostfront verstärken können!«

Mein Großvater schüttelte den Kopf, dann nahm er einen Schluck Wein und tupfte sich mit der Serviette den Mund ab. Wenn er wenige Monate später von der Explosion des Kernreaktors in Tschernobyl hören würde, würde er sich weniger aufregen.

»Möchtet ihr vielleicht noch ein überbackenes Baguette?«
Wir hatten längst Quark mit Kompott zum Nachtisch gegessen, doch Peter hielt ein dampfendes Tablett in den Händen. Liebevoll hatte mein Vater die Fertiggericht-Schnitten mit frischen Kräutern, Pilzen und einer Extra-Portion Mozzarella belegt. Essen zu jeder Uhrzeit war eine seiner Spezialitäten. Paul und ich nahmen rasch ein Stück.

Jo ignorierte das Tablett, nahm sich einen der noch von Weihnachten übriggebliebenen Kekse aus unserer sternförmigen silbernen Dose, um deutlich zu machen, daß ihrer Meinung nach für Essen hinreichend gesorgt sei und Peters nächtlicher Aufwand wieder eine seiner spinnerten Ideen beziehungsweise Ablenkungen vom Thema darstellte.

»Wir mußten also aufbrechen«, fuhr sie hartnäckig fort, »und es mußte schnell gehen. Die Bilder muß jemand von der Wand nehmen! An der ›Stickerin‹ hängt mein Herz, das ist noch von Omi, und was passiert mit meiner Meißener Mädchenfigur? Das muß noch alles verpackt werden. ›Natilein‹, hab ich gerufen, ›wir haben keine Zeit mehr, laß die Puppe liegen, nimm die Steckrüben.‹ Was passiert mit der Kupfertellersammlung? Unser Porzellan, unsere Aquarelle, die Ölgemälde, von allem konnte ich nur einen Bruchteil mitnehmen. Ganz zu schweigen von den Möbeln. Unsere schönen Königsberger Möbel! Und ich hatte noch die alte Kasse aus dem Marzipan-Geschäft im Keller! Wie viele Dinge habe ich aus den Taschen und Tornistern, aus Kisten und Säcken doch noch herausgenommen, wie oft etwas vom Wagen wieder heruntergeladen! Lieber hab ich dann unsere Hausapotheke eingepackt. Und die Fotoalben, da konnte ich auch nicht alle mitnehmen, die waren einfach zu schwer. Der Kleinen zog ich so viele Kleider wie möglich übereinander, es war ja fürchterlich kalt, und dann wollte das Kind doch um jeden Preis diese Puppe statt des Bündels Steckrüben mitnehmen! Ich hab ihr die Steckrüben in die Mantelkapuze gelegt und sie vorher noch in Geschirrtücher eingewickelt, damit sie nicht vereisen. An was man alles denken mußte! Eine schreckliche Zeit war das, Kinder.«

»Stichwort Seekisten«, rief Mäxchen, obwohl dieses Stichwort keineswegs gefallen war. »Durch meine guten Kontakte als Bauingenieur zur Marine hatte ich noch drei Seekisten auftreiben können. Schwere, wasserdichte Kisten. Zwei bis drei Meter lang.«

»Ein paar Dinge haben wir dahinein verfrachten können, in diese Kisten«, unterbrach Jo. »Und, Kinder, glaubt ihr es, Monate später, Ende 45, steht eine Spedition mit zwei der Kisten in der Tür – die dritte ist nicht wieder aufgetaucht. Die Kisten waren auf einem Frachtschiff gelagert, das von einem Torpedo getroffen wurde und unterging. Aber das gesunkene Schiff behinderte die Fahrrinne, wurde geborgen, und da kamen die Kisten wieder zu uns! Als Adresse hatte ich damals Tante Lore in Kiel angegeben. Natürlich war dann alles voller Stockflecken, Rostflecken, die Schreibmaschine zu nichts mehr zu gebrauchen, und unsere Kupfertellersammlung von den Splittern explodierter Geschosse ›verziert‹. Und im Kessel waren kinderfaustgroße Löcher. Wenigstens ein bißchen Bettwäsche war noch zu etwas nutze. Uns hat es damals ja wirklich an allem gemangelt. Aber zurück zu den Januartagen: Dann kam der Moment, wo wir – was ist mir das schwergefallen! – Abschied von Mäxchen nehmen mußten. Er war zum Restkommando eingeteilt worden, das dem Heer unterstellt war, und mußte noch beim Hafen bleiben. Und wir mußten fort …«

Mäxchen rief: »Und zwar schleunigst! Noch nie hat es so viele Menschen und Schiffe in Gotenhafen gegeben wie in diesem Januar! Das würde auch dem Feind nicht entgehen. Stündlich rechnete man mit Fliegeralarm.«

»Euer Großvater ist ja dann später nachgekommen«, erläuterte Renate Paul und mir.

»Ja, sechs Wochen später bin ich mit einem, sagen wir mal beschönigend: Fischerkahn von Hela nach Rügen. Ihr wißt hoffentlich, wo Hela liegt? Nichts zu essen gab es während der zweitägigen Überfahrt. Keinen Brocken. Nichts.«

»Nun übertreib mal nicht«, unterbrach ihn Jo, »du warst ja kein Niemand. Zum Glück konnten nämlich ein paar Matrosen noch etwas für ihn auftreiben. Man kannte ihn ja am Hafen.«

Nach einem Moment Schweigen fuhr Jo fort:

»Apropos niemand, nach unserer Flucht waren wir dann ja in Minden erst mal die absoluten Niemands. Wie die Leute uns auf der Straße und beim Einkaufen angeschaut haben! Und wie die Nachbarn geredet haben. Das hat gedauert, bis man uns wieder … respektiert hat.«

Mäxchen legte jetzt ausnahmsweise eine Hand auf Jos Schulter.

»Ja, das war eine schreckliche Zeit. Da denkt man, man ist endlich angekommen … aber nun wollen wir mal nicht alles durcheinandererzählen …«

»Und da waren auch die Russen dran schuld, oder wie?« fiel Renate doch noch ein. »Ich kann bis heute nicht begreifen, warum die Deutschen nicht wenigstens in der größten Not mal zusammengehalten haben. Über die Russen haben alle geschimpft, aber die, die vor den Russen fliehen mußten, wurden behandelt wie der letzte … naja. Soweit dazu.«

»Also, hör mal! Nie zusammengehalten, das kannst du doch gar nicht beurteilen«, ereiferte sich Mäxchen jetzt allerdings. Dann winkte er ab. »Ich erzähl euch noch eine Geschichte mit gutem Ausgang.«

»Kommt jetzt das Sperrwaffenarsenal?« fragte Paul.

»Genau, eine dramatische Geschichte, die mir ein befreundeter Käpitan aus Ostpreußen berichtet hat … Also, als der Russe in den letzten Januartagen ans Haff und ans Fischhausener Wieck vorgedrungen war, hörte man auch im

Sperrwaffenarsenal Peyse heftigen Schußwechsel. Da hat der Seekommandant beim anderen Seekommandanten, Kapitän Jerchel war das, angerufen und gefragt, was er denn machen soll. Der Jerchel antwortete nur ›Handeln Sie nach eigenem Ermessen‹, denn er war selbst überfragt. Und der erste beschloß, das Waffenarsenal in die Luft zu jagen, damit es nicht dem Feind in die Hände fiel. Doch wie kam's?«

Paul antwortete: »Jerchel rief noch mal an und sagte was in der Art wie ›Sprengen Sie nicht‹ ...«

»Das Waffenarsenal untersteht ab sofort der 3. Panzerarmee und Generaloberst Rauss!« brüllte Mäxchen und fuhr ruhiger fort: »Und dann hat der Seekommandant die Zündungen unterbrochen. Kurz darauf hat ein Oberst sich gemeldet und gefragt: ›Welche Auswirkungen hat denn diese Sprengung auf das nahe gelegene Kraftwerk Peyse, auf Fischhausen und Pillau und vor allem auf das Eis des Frischen Haffs?‹ Bei der Kriegsmarine ist niemand der Gedanke gekommen, darüber nachzudenken. Der Seekommandant murmelte etwas von ›Wir haben keine Erfahrung mit der Sprengung so großer Bestände‹ aber es ist klar, daß die Druckwelle die Eisdecke vom Frischen Haff hätte brechen können, und das wäre für zigtausend Flüchtlinge der Tod gewesen. Mindestens die auf die riesigen Menschenansammlungen in der Umgebung herunterprasselnden Trümmer hätten schlimmste Folgen gehabt. Die Zündungen waren, wie gesagt, schon eingerichtet. Eine Frage von Minuten.«

Mäxchen sah sich mit sehr ernstem Blick in unserer Runde um. Dann nahm er einen tiefen Schluck Wein. »Also bevor wir soweit waren, uns voneinander zu verabschieden, mußten wir ja erst mal wissen, wohin denn Johanna, ihre Schwester Lena und die Kleine überhaupt sollten. Jo, du hast vorhin alles wieder so durcheinander angefangen! Freunde von uns ...«

»Die Töckels!« rief Jo dazwischen.

»... sind schon am 20. Januar auf einem Minensuchboot mitgefahren. ›Theodor‹ hieß das. Fuhr nach Bergen auf Rügen und kam wieder zurück, um neue Flüchtlinge aufzunehmen. Die großen Schiffe wie die ›Wilhelm Gustloff‹ waren nämlich Wohnschiffe der 1. und 2. Unterseeboot-Lehrdivision. Ein langes Wort, Kinder. Jedenfalls hatte der F. d. U. – Führer der U-Boote – diese Schiffe immer noch nicht für den Flüchtlingstransport freigegeben, obwohl die Stadt schon von Tausenden, die in der Kälte warteten, belagert war. Ihr könnt euch nicht vorstellen, wie die Stadt plötzlich aussah, was da los war, ein totaler Ausnahmezustand war das. Und niemand wußte, wie's weitergehen soll. Die U-Boot-Lehrdivisionen sollten nun endlich mit ihrem Personal in westlichere Häfen verlegt werden. ›Glauben die Herren vielleicht noch an ein Wunder?‹ soll – wie hieß er doch gleich? – Konteradmiral Engelhardt wütend gerufen haben bei dieser unsinnigen Verzögerung. Dem unterstand nämlich die gesamte Koordination der Schiffahrt im Ostseeraum.«

Meine Mutter, deren Wissen mich immer aufs neue überraschte, warf ein:

»Dabei wußte die Heeresleitung genau, was mit dem Flüchtlingsproblem auf sie zukommt. Mitte 44 haben deutsche Soldaten beim Rückzug aus Finnland bereits Zivilisten mitgenommen, nämlich ihre Frauen und Angehörige. Und als Truppen aus Windau, Libau, Riga und so weiter mit Schiffen über die Ostsee abgezogen wurden, wollten einige Letten und Esten mit. Das hat Engelhardt unterderhand geregelt, denn die Gauleiter für Ostpreußen und Danzig-Westpreußen, Koch und Forster, hätten solchen ›Evakuierungsplänen‹ nie zugestimmt. Also, man hatte schon einen Vorgeschmack. Ihr schimpft über die Russen«, sie sah ihre Eltern an, »die wir zuerst angegriffen haben, aber die Verantwortlichen haben die Zivilisten doch genauso umgebracht, indem sie sie im Volkssturm vollkommen sinnlos an einer längst zusammengebrochenen Front verheizten. Anstatt sie zu retten.«

Jo ignorierte diesmal den Einwurf ihrer Tochter völlig und redete einfach weiter:

»Ihr könnt euch das Gedränge, die Aufregung am Hafen nicht vorstellen! Schiffe überall, Flüchtlingstrecks, ein Chaos ohnegleichen. Überall standen, lagen und saßen die Menschen bei minus zwanzig Grad! Am Kai, in den Schuppen, Speichern, in den Lagerhallen, in Hauseingängen und auf den ganz vereisten Straßen von Gotenhafen. Das war ein Anblick! Und es hörte gar nicht mehr auf zu schneien!«

Jo drehte jetzt den Kopf zum Fenster; ein leichter Schneeregen hatte eingesetzt, Flocken, die weiß in unseren nächtlichen Garten taumelten, schmolzen, kaum hatten sie den Boden berührt. Meine Großmutter schnaubte: »Diese milden Winter jetzt sind eine neue Erfindung vom Himmel … verdienen eigentlich nicht mehr den Namen ›Winter‹ … aber wo war ich stehengeblieben? Ach ja, Mäxchen kannte sich ja aus mit den Schiffen und meinte, daß weitaus mehr Menschen Zuflucht suchten, als Schiffsplätze verfügbar waren. Die Gefahr, nicht wegzukommen, war sehr groß.«

Nun mischte sich Mäxchen wieder ein, schließlich war er der Fachmann: »2 000-Tonnen-Frachter, Küstenmotorschiffe, Vorpostenboote, Hafenschlepper waren von den Kriegsmarinestellen und Hafenkommandanturen für den Flüchtlingstransport freigegeben worden. Die kleineren Einheiten fuhren im Pendelverkehr zu näher gelegenen Häfen wie Pillau, die größeren gen Osten nach Königsberg oder gen Westen nach Swinemünde. Und jede Menge beschädigte Schiffe überall, gestauchte Propellerwellen, was weiß ich, und wir mußten uns um alles kümmern. Ich kannte damals den leitenden Ingenieur, Bruno Loebel. Und der hat mir von seinen Sorgen über die ›Gustloff‹ erzählt: Das Schiff war nämlich, wie gesagt, seit fünf Jahren ein reines Wohnschiff gewesen, also stillgelegt. Richtige Maschinenpflege oder gar eine Docküberholung war mit dem wenigen Personal nicht durchzuführen. Er hatte Sorgen, daß die Maschinen die Fahrt nicht mitmachen würden. Und Oberstewart Max Schröder mußte Platz für dreimal so viele Passagiere schaffen, wie in Friedenszeiten auf dem Schiff untergebracht wurden. Aber selbst das hätte nicht ausgereicht. Aus den großen Sälen und Messen verschwanden Sessel, Stühle, Tischchen und wurden durch Matratzenlager ersetzt. Ich sehe noch vor mir, wie da plötzlich eine Matratze nach der anderen ins Schiff getragen wurde. Matratzen und Strohmatten. Selbst der Kinosaal mußte zu einem Massenquartier hergerichtet werden. Und erst das Problem mit den sanitären Anlagen! Immerhin würden über 6000 Menschen, nachher waren es im übrigen noch viel mehr, zwei bis drei Tage an Bord sein! Auch Oberzahlmeister Jensen, ein netter Kerl, raufte sich die Haare: Wie sollte er alle Passagiere registrieren, unterbringen und verpflegen lassen? Die elektrischen Öfen der Bordbäckerei und die Bordschlachterei liefen schon auf Hochtouren. An diese fiebrige Atmosphäre aus Hast und Verzweiflung erinnere ich mich noch heute. Der Geruch vom Blut der geschlachteten Tiere und vom frisch gebackenen Brot, Kinder. Und der Borddrucker war ebenfalls am Rotieren, schließlich mußten statt der Speisekarten auf Büttenpapier und Kunstdruckkarton aus KdF-Zeiten jetzt Fahrausweise, Essensmarken, Milchkarten für Babys und vieles mehr gedruckt werden. Der Rundfunkmechaniker Weber und seine Assistenten waren rund um die Uhr im Einsatz: Mehrere tausend Menschen konnte man nur über Lautsprecher lenken, und daher mußten Lautsprecher überprüft und neue Anlagen installiert werden. Und überall mußten große Hinweisschilder und Wegweiser angebracht werden, denn ein 25000-Tonnen-Schiff ist schon eine« – hier lächelte mein Großvater – »mittelgroße Stadt, und da würden viele dieser verwirrten und erschöpften Menschen sich schwerlich zurechtfinden, und Kinder, die auf Entdeckungsreise gingen, konnten sich in diesem Labyrinth von Treppen, Gängen, Hallen, Kabinen und Decks leicht verlaufen.«

»Warum kamt ihr denn auf das Minensuchboot und nicht auf die ›Gustloff‹?« hatte ich früher gefragt und von Mäxchen stets eine ausufernde Antwort bekommen.

»Der Name ›Wilhelm Gustloff‹ klang für viele sehr verheißungsvoll. Sehr deutsch. Sehr sicher. Ich habe gehört, wie die Flüchtlinge sich immer wieder über dieses Schiff unterhielten, als wäre es ein Traumschiff. Es sollte hinreißend eingerichtet sein, bezaubernde Säle und Salons haben, ein Kino, ein Schwimmbad, eine mustergültige Krankenstation und sogar eine Geburtsklinik, einfach alles, was man sich nur wünschen konnte. Und vor allem hielt man es für eine Festung. Unsinkbar. Unzerstörbar. Die hatten natürlich auch viel Zeit, um zu phantasieren, die armen Leute, die da vorm Kreisleiterbüro standen und auf ihren Fahrausweis warteten. Was hab ich da für Märchen gehört!« rief mein Großvater noch jetzt kopfschüttelnd aus.

»Durch meine guten Kontakte zur Marine war ich darüber informiert, daß in Gotenhafen das Einvernehmen zwischen ziviler und militärischer Schiffsführung, sagen wir mal beschönigend, nicht das beste war. Schon beim Auslaufen gab es Unstimmigkeiten, ob die Rettungsboote in den Davits ausgeschwenkt werden sollten oder nicht. Die zivile Besatzung machte nicht mit, und die Boote blieben in ihren Halterungen. Im Notfall konnten daher die Boote auf der Steuerbordseite nicht zu Wasser gelassen werden, und auf der Backbordseite waren die Davits festgefroren. Man hätte viel mehr Menschen mit den Booten retten können. So entstand später zusätzliche Panik. Einige Boote wurden zu früh ausgeklinkt und stürzten ins Meer. Andere schlugen beim Aufsetzen auf das Wasser um, weil sie überladen waren. Und am Oberdeck wurde um die Rettungsflöße gekämpft; es gab Schlägereien, Schüsse fielen. Aber alles immer schön nach der Reihe: Die schon angespannte Atmosphäre zwischen Handelsschiffsoffizieren und Offizieren der U-Boot-Waffe wurde noch damit belastet, daß es Streit darüber gab, welchen Weg man wählen sollte. Ich wußte ja, daß die Besatzung sich zwischen zwei Routen entscheiden mußte: Da gab es den zeitlich längeren Küstenweg. Der barg die Gefahr von landnaher Verminung – war aber wiederum torpedosicherer, weil U-Boote nun mal nicht in so flachen Gewässern schwimmen können. Und dann gab es den anderen Weg: eine relativ schmale, minengeräumte Fahrrinne mitten in der Ostsee. Der Zwangstiefwasserweg 58. Ein paar Männer plädierten für den langsameren, verminten Küstenweg. Hauptargument: Ein Zehn-Meter-Fahrwasser ist für die ›Gustloff‹ ausreichend. Dann haben wir vorn einen Tiefgang von sechs und achtern einen von sieben Metern. Von der Küste her kann uns kein U-Boot angreifen. Erhalten wir einen Torpedotreffer oder laufen auf eine Mine, können wir das Schiff auf Grund setzen, und es besteht wenig Gefahr für unsere Passagiere! Aber Petersen, Kapitän der ›Gustloff‹, und Korvettenkapitän Zahn waren anderer Meinung. Sie wollten vor allem so schnell wie möglich nach Kiel und Flensburg, zu den beiden Zielhäfen der ›Gustloff‹. Mehr als Minen fürchteten sie im übrigen Luftangriffe auf dem viel langsameren, gewundenen Küstenweg. Der Russe kam ja immer näher. Der Einfall eines Deckoffiziers, einen Zickzack-Kurs auf dem Zwangsweg zu fahren, erwies sich als undurchführbar. Warum? Das könnt ihr nicht wissen, also weil der Zwangsweg 58 für solche Manöver mit so einem großen Schiff wie die ›Gustloff‹ – über 200 Meter lang! – zu schmal war.«

Großvater nahm wieder einen Schluck Wein und fuhr fort, ohne von Jo unterbrochen zu werden:

»Außerdem war seit Tagen sehr schlechtes Wetter. Am 30. Januar herrschte kräftiger Wind, Stärke 6–7, die Sichtweite 1–3 Seemeilen, ich weiß das alles bis heute. Es schneite und war fürchterlich kalt. Mir war klar, daß die Flakgeschütze auf der ›Gustloff‹ völlig untauglich wären, weil sie vereisen würden. Und dann beunruhigte mich die ungeklärte Situation mit den Geleitschiffen. Am Ende gab es übrigens nur eines, nachdem ein zweites wegen einem Riß in der Schweißnaht und Wassereinbruch dringend umkehren mußte. Und dann mußte auch noch die ›Hansa‹ – kein Geleitschiff, sondern das zweite Flüchtlingsschiff, das gemeinsam mit der ›Gustloff‹ die gefährliche Reise antreten sollte – bei Hela wegen Maschinenschaden ankern. Das kleine Torpedoboot ›Löwe‹ war nachher das einzige Geleitschiff für so einen Riesenkahn – das war noch ein Fehler …«

»Die ›Löwe‹ hatten die Nazis übrigens 1940 in Norwegen ergaunert«, warf meine Mutter rasch ein.

Mein Großvater hob überrascht den Kopf, das hatte er nicht gewußt. Nachdem er einen Moment irritiert in sein Weinglas gestiert hatte, redete er unwirsch weiter: »Jedenfalls konnte die ›Löwe‹, woher auch immer sie stammte, im Notfall nicht mehr als 500 Schiffbrüchige aufnehmen. Von über 7000 Passagieren! Und ›verteidigen‹ konnte diese Maus den Riesen sowieso nicht. Mir war das Ganze unheimlich. Ein Wohnschiff ohne auch nur annähernd ausreichend Rettungsboote, Kutter oder Flöße. Es wurden zwar noch Schwimmwesten an Bord gebracht, aber was nützen die schon bei einer Wassertemperatur von null und einer Außentemperatur von minus zwanzig Grad. Viele Leute haben nicht einmal gewußt, wie sie die Dinger tragen sollen. Dann ging der Kopf zuerst unter Wasser und der Unterleib durch Auftrieb nach oben. Besonders bei den kleinen Kindern. Schöner Mist. Und dann das fehlende Personal. Selbst auf der Kommandobrücke gab es anfangs zu wenig Brückenpersonal, Obersteuerleute und so weiter. Insgesamt herrschte doch nach meinem Ermessen ein reichliches Chaos. Obendrein sah ich dann auch noch in dem ganzen unruhigen Treiben, wie Funkmaat Landgraf die Borddrucker-Assistentin Dückers, wie ich fand, ein wenig heftig küßte. Die beiden sind übrigens nachher gar nicht mitgekommen, weil sie, in einer Hafenkneipe singend und trinkend, das Schiff verpaßt haben. Schwein gehabt, kann man nur sagen. Aber abgesehen von diesem allgemeinen Drunter-und-Drüber machte mir die mangelnde militärische Ausrüstung ernsthaft Sorge. Also das war doch alles ein ziemliches Vabanquespiel!«

»Du hast ja wieder bei Adam und Eva angefangen, Mäxchen«, unterbrach ihn Jo jetzt. »Kurz und gut, mein verehrter Gatte entschied sich, uns zu einem Minensuchboot zu bringen: Die ›Theodor‹, mit der schon unsere Freunde geflohen waren. Denn dieses Minensuchboot sollte den, in Mäxchens Augen, sichereren Küstenweg nehmen. Und außerdem war das nicht so ein Massenbetrieb. Mäxchen hatte gehört, daß auch andere Leute aus unserem Milieu die ›Theodor‹ nehmen wollten. Wir würden ein wenig unter uns sein. Uns war es also recht. Und, Mäxchen, meintest du nicht immer, daß dieses, wie hieß das noch mal, Kammer-irgendwas-System einen besseren Schutz vor Torpedotreffern bieten würde? Hat uns das nicht schließlich das Leben gerettet? Wir wurden ja in der gleichen Nacht wie die ›Gustloff‹ getroffen!«

Paul und ich nickten. Diese Geschichte war beängstigend. Immer, wenn wir sie hörten, starrte ich meine Großmutter an, sah auf ihr faltiges Gesicht, ihre runzligen Hände, als hätte sich das Alter in ihren Körper eingefressen wie die Granatsplitter in die Kupferteller. Als wäre Jo wie sie vom Meeresboden zurück ins Leben befördert worden. Postwendend. Name, Anschrift, alles korrekt. Wie das Wasser seine Spuren auf den verrosteten Buchstaben der Schreibmaschine hinterlassen hatte, hatte die Angst Falten, Rinnen und Furchen in das Gesicht meiner Großmutter gegraben.

Mein Großvater räusperte sich: »Also, Johanna, ganz so schlecht ausgerüstet sind die großen Schiffe natürlich auch nicht. Ich hab eure ›Theodor‹ zwar in dieser speziellen Situation für sicherer gehalten, aber immerhin haben diese großen Schiffe doch Schotten. Große eiserne Türen in den Schiffsgängen. Wenn der Befehl ›Schotten dicht‹ kommt, wird nur auf einen Knopf gedrückt und die jeweilige Tür automatisch verschlossen. Die läßt sich dann auch nicht wieder öffnen. Der Befehl hat natürlich einen Sinn! Und der wäre? Ihr könnt das nicht wissen. Also: Falls das Schiff von Bomben oder Torpedos getroffen wird und Wasser eindringt, werden in den betroffenen Gängen die Schottentüren geschlossen. So wird das Wasser lokal begrenzt. Das Ganze hat allerdings auch seinen Nachteil: Jemand, der sich gerade in einem dieser Gänge aufhält, ist hoffnungslos gefangen. Da ist nichts mehr zu machen. Der kann bestenfalls noch durch ein Bullauge krabbeln. Bestenfalls. Aber wenn man so wie ich von der Seefahrt etwas versteht, dann kommt man doch zu dem Ergebnis: Die Zahl der durch den Befehl ›Schotten dicht‹ Geretteten ist weitaus höher als die der – sicherlich sehr grausam – zu Tode Gekommenen.«

Paul schüttelte sich. Er hob vorsichtig den Kopf und blickte um sich, als würde er eine unmittelbare Gefahr wittern.

»So chaotisch, wie dieses Wohnschiff jetzt plötzlich für dreimal so viele Menschen zum Flüchtlingsschiff umfunktioniert werden sollte, so wild war dann auch die Verteilung der Fahrausweise«, fuhr Großvater jetzt fort, der die Geschichte gern chronologisch erzählen wollte. »Die sollten ja erst nur an Parteigenossen vergeben werden. Aber dann« – hier mußte er kurz lachen – »haben die da im Kreisleiterbüro gemerkt, daß es viel mehr Nicht-Parteigenossen in ihrer teuren Stadt gibt, als sie erwartet haben! Irgendwann haben sie dieses Kriterium aufgeben müssen. Sonst wären nämlich nur ein paar hundert an Bord gegangen. Einige Flüchtlingsfrauen, die schon einige Wochen Elend hinter sich hatten, kamen da ganz verfroren und in zerschlissener Kleidung an, ich hab das mit angesehen, die haben den Herren mit Hakenkreuzbinde auf die Frage hin, ob sie Parteigenossinnen seien, ein paar sehr unflätige Sätze gesagt. Nein, die Bonzen sind anders weggekommen. Sicherer. Besser. Die standen sich da nicht die Füße in den Bauch und sind halb erfroren. Aber halt! Es gab natürlich Ausnahmen. Ein interessanter Fall zum Beispiel …«

»Meinst du die Sache mit der ›Führerkabine‹?« fragte ich jetzt.

»Genau. Also beim Bau der ›Gustloff‹ ist eigens für Hitler eine ›Führerkabine‹ eingerichtet worden, ein schmuckes Ding, das nur von ihm benutzt werden durfte. Nun war das Schiff aber schon mit Flüchtlingen überladen, nur die großräumige Führerkabine im B-Deck war noch frei. Und für diese letzte Fahrt der ›Gustloff‹ wurde die ›Führerkabine‹ dann doch ›zweckentfremdet‹. Natürlich bekam diesen Logenplatz, sage ich mal, nicht irgendeine ordinäre Flüchtlingsfrau mit Anhang, sondern wer?«

»Der Oberbürgermeister von Gotenhafen«, antwortete ich.

»Genau. Der bringt also seine dreizehnköpfige Familie an Bord. Und die wird in dieser Luxuskabine untergebracht. Er selbst muß noch ›Gotenhafen verteidigen‹. Es durften ja auch zu diesem Zeitpunkt außer Frauen und Kindern nur nicht mehr wehrfähige Männer, also Greise oder Verwundete, evakuiert werden. Jedenfalls der tragische Schluß: Der Oberbürgermeister, Schichting hieß der übrigens, kommt in den Gefechten um, und die Führerkabine wird bei ihrer ersten und letzten Benutzung nichts anderes als ein Sarg. Schichtings gesamte Sippe, Eltern, Kinder, Großeltern und so weiter, sterben in dieser Kabine.«

»Gab es denn noch irgend jemand anderen außer dir, der Zweifel hatte an der Sicherheit des Schiffes?«

Diese Frage hatte ich noch nie gestellt. Gespannt wartete ich auf die Antwort meines Großvaters.

Er lehnte sich mit geschlossenen Augen zurück und schwieg einen Moment. Dann murmelte er: »Reese hieß der. Erster Offizier der ›Gustloff‹. Louis Reese. Kluger Kerl. Der hatte auch für den Küstenweg plädiert. Mit dem hab ich gesprochen, als der Borddrucker, dieser Jeissle, auftauchte und ihn bat, seine Familie mit an Bord zu nehmen. Seine Frau und sein zwei Tage altes Kind. Und was hat der Reese geantwortet?«

Mäxchen sah sich in der Runde um, aber keiner konnte ihm eine Antwort geben.

»Reese hat ihm gesagt: ›Ich würde das nicht tun. Ich habe kein gutes Gefühl für die Reise. Aber bitte – Sie müssen selbst wissen, was Sie tun. Selbstverständlich können Sie Ihre Familie an Bord nehmen. Aber eines muß ich sagen – und sagen Sie das bitte auch Ihren Kollegen: Ich lehne jede Verantwortung dafür ab. Jeder von Ihnen trägt die Verantwortung für seine Angehörigen selbst. Als Reese ihn wenige Stunden später mit Frau und Kind sah, schüttelte er den Kopf.«

Paul und ich starrten meinen Großvater gebannt an.

»Und es gab noch jemanden, der nicht auf die ›Gustloff‹ wollte, diese Festung im Wasser. Das unsinkbare KdF-Schiff. Aber das habe ich nicht selbst mitbekommen, sondern in den Erinnerungen eines Überlebenden, Heinz Schön mit Namen, ich kannte ihn jedoch nicht, gefunden: Und zwar wurde am 28. Januar, als die Anbordnahme immer noch nicht abgeschlossen war, das ging ja über Tage, noch gut dreißig Marinehelferinnen der MNO mitgeteilt, daß die Einheit mit der ›Gustloff‹ nach Westen verlegt werden soll. Die Mädels waren heilfroh, denn der Russe stand ja nicht mehr weit und konnte jeden Tag Gotenhafen einnehmen. Und was da jungen Mädchen blühte, war denen auch schon zu Ohren gedrungen. Die Mädels brachen also voller Zuversicht auf. Nur eine nicht. Und das ist jetzt eine sehr seltsame Geschichte. Das eine Mädel verkriecht sich in der Ofenecke einer Baracke und weint herzzerreißend. Bei Schön ist das unvergeßlich geschildert. Jedenfalls verstehen die anderen gar nicht, was es hat. Und da sagt diese junge Marinehelferin: ›Ich gehe nicht auf das Totenschiff! Ich will nicht auf das Totenschiff!‹ So oder so ähnlich. Man muß dazu sagen, daß die Marinehelferinnen im untersten Deck, dem E-Deck, im Schwimmbad, das man mit Matratzen und Strohsäcken ausgelegt hatte, untergebracht wurden. Und da gab es fast überhaupt kein Entrinnen. Der zweite Torpedotreffer hatte das Schwimmbad direkt getroffen, da sind viele Mädchen gestorben, bevor sie überhaupt ertrinken konnten. Und außerdem war der Weg vom untersten Deck nach oben viel zu weit. Das hat kaum eine überlebt. Das junge Mädchen hat seinen Tod vorausgeahnt. Das ist wirklich eine schreckliche Geschichte.«

Mein Großvater seufzte auf und starrte in die Flammen im Kamin, die – niemand hatte daran gedacht nachzulegen – klein und bläulich über die verkohlten Scheite krochen.

Doch dann rief er mit lauter Stimme, als würde er den Gewinner einer Kreuzfahrt-Tombola verkünden:

»Noch eine makabre Geschichte, meine Lieben. Die ›Deutschland‹ ankerte mit ungefähr 130 Leichen an Bord auf Drogden Reede, in Kopenhagen. Schöne Fracht. Gut die Hälfte der Leichen wurde von einer Barkasse übernommen und an Land gebracht. Zwei weniger tiefgehende Schiffe, die ›Nürnberg‹ und ›Der Deutsche‹, nahmen wenigstens die Flüchtlinge und die Verwundeten mit. Aber die übrigen Leichen wollte niemand haben. Zwei Tage wartete der Kapitän. Worauf? Na, von seinen Toten befreit zu werden. Die schaukelten da vor sich hin. Schließlich funkte er zu einem nahe gelegenen Vorpostenboot. Von dort kam Antwort: ›Wir kommen, aber das wird Sie eine Kleinigkeit kosten, ist das klar?‹ Man einigte sich auf vier Flaschen Schnaps, und die ›Deutschland‹ war ihre Leichen los.«

Mäxchen lachte erleichtert und genehmigte sich einen großen Schluck Wein.

»Diese Geschichte mag ich ja nun überhaupt nicht«, ereiferte sich Jo. »Außerdem hast du die schon so oft erzählt, letztens vor den Töckels, das fand ich wirklich unpassend, Mäxchen. Und ich habe meine Geschichte überhaupt noch nicht zu Ende erzählt«, sie kniff Mäxchen in den dünnen Unterarm, ihre Stimme klang vorwurfsvoll. Da Mäxchen sofort schwieg, fuhr Jo im Plaudertonfall fort:

»Auf der ›Theodor‹ lief alles vergleichsweise glimpflich ab. Was ich später gehört habe von anderen Schiffen, diesen Massentransportern, also dieser Gestank von Kot, Blut und Eiter, nein, so war das bei uns nicht. Nur wurde immer wieder nach dem ›Sani‹ gerufen, aber die Sanitäter waren meist irgendwo mit einem schweren Fall beschäftigt und hatten keine Zeit für Sonderwünsche. Es gab auch Verpflegung, nicht viel, aber anständig – für die Umstände, meine ich. Auf den Mob-Schiffen soll es ja zu sehr unschönen Szenen gekommen sein: Da sind Leute halb gelyncht worden, weil einer eine Wurst geklaut hatte. Bei uns ging es weitaus gesitteter zu. Ja, es war einfach ein Riesenglück, daß wir auf dieses Schiff kamen.« Sie seufzte einen Moment auf und nahm einen Schluck Tee. »Durch ein Bullauge habe ich ein riesiges Schiff gesehen, das war der ›Seedienst Ostpreußen‹, da standen die Leute bei minus 20 Grad alle oben auf dem Deck herum, dicht aneinandergedrängt. Das war doch keine Mittelmeerkreuzfahrt! Und dann war plötzlich ein unglaublich lauter Schlag zu hören. Und noch einer. Dann Dampfhammerklopfen. Ich war vollends außer mir. War unser Schiff getroffen worden? Und was bedeutete dieses Rumpeln und Klopfen? Ein Mann, der gerade mit einem Matrosen geredet hatte, gab der neben mir stehenden Frau Auskunft: ›Das waren zwei Torpedotreffer!‹ Die Frau stieß einen gellenden Schrei aus.«

Bei diesem Satz spitzte Jo immer die Lippen und riß die Augen weit auf.

»Aber der Mann redete ganz ruhig weiter, überhaupt waren alle Leute an Bord sehr ruhig: ›Das ist hier aber ein Kammerboot, das heißt, wenn von den 20 Kammern ein paar getroffen sind, laufen nur die mit Wasser voll, die anderen nicht, und das Schiff säuft nicht ab. Die getroffenen Kammern müssen nur ganz flott abgedichtet, zugedockt werden … und das hören Sie da gerade, gnädige Frau.‹ Zu dem Hämmern und Klopfen kamen noch vier bis fünf Meter hohe Wellen, und einigen Leuten war schlecht. Und wir hatten eine Hochschwangere mit an Bord!«

Jetzt kam wie immer der Satz über Jos Lippen: »Dreimal dürft ihr raten, wie sie ihr Kind – ein Mädchen – genannt hat, das noch in dieser Nacht auf dem Schiff geboren wurde?«

Paul antwortete brav: »Theodora.«

»Genau!« Jo tätschelte ihm den Arm. »Die Fahrt für die kurze Strecke von Gotenhafen nach Bergen auf Rügen dauerte zwei lange Tage, weil das Minensuchboot aus Sicherheitsgründen nicht geradeaus fahren sollte, sondern im Zickzackkurs. Raketen können nur wie ein Lichtstrahl geradeaus gehen, drum muß man oft die Richtung und den Kurs wechseln. Aber wenigstens war in Bergen alles gut organisiert. Man kann den Deutschen ja vieles nachsagen, aber nicht, daß sie nicht in jeder Lage gut präpariert sind; alle waren sie zur Stelle: die Sanitäter, die Volkswohlfahrt, das Rote Kreuz. Wir hatten es geschafft, wir waren gerettet! Aber dann – erst jetzt – drehte eine Frau durch, sie öffnete ihren Koffer und warf den Inhalt quer durch die Gegend. Da steht ihre Tochter, ein dünnes, blasses Mädchen, auf, nimmt ihr das Ding aus der Hand und sagt entschlossen: ›Mama, jetzt haben wir es bis hierher geschafft, das halten wir auch noch durch.‹ Und die Mutter beruhigt sich wieder. Ja, so war das. Wir haben dann heißen Kaffee bekommen und Schnitten. Erst später haben wir gehört, daß die ›Gustloff‹, die zur gleichen Zeit wie wir im gleichen Hafen abgelegt hatte, gesunken ist.«

»Zwischen Stolpmünde und Leba, vor der ›Stolpe-Bank‹, da war das Wasser nur 61 Meter tief«, flüsterte meine Mutter mit ihrer Abiturientinnen-Stimme. »Aber das hat gereicht. Man hört ja immer unterschiedliche Zahlen, aber ich glaube, um die 7000 Menschen, davon 3000 Kinder, sind in dieser eisigen Nacht ertrunken.«

Meine Mutter stand ruckartig auf und trat ans Fenster.

»Und wir sind genau den Küstenweg gefahren, den die ›Gustloff‹ auch hätte nehmen können. Statt, wie hieß der noch mal?«

»Zwangsweg 58!« rief Mäxchen.

»Und auch wir sind von russischen Torpedos dreimal getroffen worden. Aber wir kamen heil in Bergen an.« Jo seufzte und schloß einen Moment die Augen.

Das Kaminfeuer knisterte leise vor sich hin, die Glut war fast erloschen. Mäxchen goß die letzten bläulichen Flammen mit etwas Wasser aus. Wir alle standen auf, sagten uns »gute Nacht« und gingen, Jo voran, schweigend zur Tür. Der Mond schien ins Zimmer. Jo drehte sich in der Tür um, blieb stehen und ließ uns an ihr vorbeigehen, wobei sie jedem einen tiefen Blick zuwarf. Dieser Abend war, abgesehen von den üblichen Meinungsverschiedenheiten, nach ihrem Geschmack verlaufen.

Da stellte mein Vater, der es liebte, zu jeder Tages- und

Nachtzeit zu wissen, was in der Welt los ist, sein kleines Radio an. »Eine Hochwasserkatastrophe!« rief er im nächsten Moment, dann noch lauter: »Schon wieder ein Flugzeugabsturz über dem Golf von Mexiko!« und: »Der Gorbatschow, ob man dem trauen kann?«

Bevor wir anfangen konnten durcheinanderzureden, ließ sich noch einmal meine Großmutter vernehmen. Sie richtete sich auf, klein und zierlich, wie sie war, reckte das Kinn nach vorne, blickte meinen Vater von unten herauf drohend an und sagte langsam und bestimmt, vermutlich nur, um das letzte Wort zu haben, denn die Nachricht an sich interessierte sie herzlich wenig: »Und – Beuys – ist – tot!«

# 13

# Lakritz

## (Warszawa Centralna)

Wir stiegen »Warszawa Centralna« aus und versuchten, im Dunkeln die polnischen Straßennamen zu lesen. Es war warm, viel wärmer als zu Hause, und in der Luft hing ein süßlicher Geruch von Parfüm. Jetzt merkte ich, woher er kam: aus einer kleinen Bar gegenüber dem Bahnhof. Zwei junge Frauen in enganliegender, lässiger Kleidung lehnten an der Tür, die Hüften vorgeschoben. Sie rauchten und sahen durch uns hindurch. Es war lange her, seit ich das letzte Mal in Warschau gewesen war, und jedesmal roch es anders. Einmal roch es nach Abgasen und Desinfektionsmitteln, das war noch vor Aufhebung des Ausnahmezustandes. Später roch es nach Sägespänen, als nahe dem neuen Zentral-Bahnhof ein großer Bretterzaun eine Baustelle abriegelte. Und einmal hatte es einfach überall nach Erbsensuppe und Schweiß gerochen, als die »Bary mleczne«, die Milchbars, eine Art von Almosenküchen, aufmachten. Und jetzt dieser schwüle Geruch nach Aufbruch, Staub, Schmutz und Arbeit – und ein bißchen schon nach Erfüllung.

Wir hatten viel Gepäck und wollten so schnell wie möglich ins Hotel, um noch einen Abendspaziergang machen zu können – vielleicht würde ich uns bis zur Altstadt lotsen, auf jeden Fall aber bis zum Sächsischen Garten. Seitdem wir in den Zug nach Warschau gestiegen waren, hatte Wieland das Kommando an mich abgegeben: Er hatte mir die Reiseführer auf den Schoß geworfen und meinen gelegentlichen Vorleseversuchen einen starren Blick aus dem Fenster entgegengesetzt. Wenn zwei Menschen zwei verschiedene Reisewünsche haben, kann eben nur einer sich durchsetzen, und da wir über Ostern auf Wielands Wunsch nach Hamburg gefahren waren, wo ihn der Hafen völlig faszinierte, hatte ich diesmal die Oberhand behalten. Punkt. Irgendwie schien diese Logik bei ihm nicht richtig anzuschlagen. Je mehr ich von Kazimierz und dessen Eltern, meiner Großtante und meinem Großonkel, sprach, desto eifriger hatte Wieland für Sommerferien auf den Kanarischen Inseln plädiert. Nun, wo wir versuchten, die Ulica Marszałkowska zu finden, konnte Wieland es nicht lassen, meine mangelnde Orientierung in der Stadt »meiner Familie« zu kritisieren. Er bot mir nicht mal an, meine Tasche zu tragen, obwohl ich schon eine wunde Schulter vom rauhen Trageriemen hatte. Schließlich stapften wir doch die Marszałkowska entlang, eine Straße, so breit und leer wie ein unheimlicher Gedanke. Die stalinistischen Bauten zur Rechten und zur Linken verfehlten ihre Wirkung nicht auf uns; während ich neben dem plötzlich schweigsamen Wieland herlief, merkte ich, wie ich mir selber immer unwichtiger, kleiner und verlorener auf dieser Meile vorkam. Die gigantische Kreuzung, Folge weggebombter Häuser, das unheimliche, traurige Gelächter aus einem Eingang, die breite Straße, über die schon die deutschen Landser nach Osten, die Rote Armee nach Westen und die Polen von einer Straßenseite auf die andere marschiert waren. Menschen huschten an uns vorbei, die es zu den Bars und Verschlägen am Bahnhof drängte, zu den knappen Kleidern, dem Geruch von Parfüm, Wärme, mehr Wärme als zu Hause … Ich schleppte meine Tasche mühsam weiter, meine Tasche, in der sich unter anderem ein dicker polnischer Sprachführer verbarg.

»Glaub nicht, daß du das so schnell lernst wie Englisch!« hatte Wieland mir beim Einpacken kopfschüttelnd zugerufen.

Am ersten Tag ging ich meiner privaten Recherche nicht gleich nach, sondern zeigte Wieland all jene Sehenswürdigkeiten, die ich mir schon oft mit Onkel Kazimierz angeguckt hatte. Wir fuhren mit dem Fahrstuhl auf die Plattform des Kulturpalasts, dem »schönsten Ort Warschaus«, wie die Polen gern sagten, »denn von hier aus muß man den Anblick des Kulturpalasts nicht ertragen!«. Das »russische Geschenk« erinnerte Onkel Kazimierz an eine mehrstöckige, verdorbene Torte, »außen hui und innen pfui«. Mein Onkel war immer sehr sarkastisch gewesen, besonders wenn er zuviel »Woda«, Wasser, getrunken hatte. Oder »Wodka«: Wässerchen. Er hatte mir lachend erklärt, daß die Russen sich amerikanische Wolkenkratzer zum Vorbild für ihre »Lomonossow«-Bauten genommen hatten. Ausgerechnet amerikanische. Er machte auch gern Witze über Neureiche. Obwohl er selbst einer war. Er witzelte über die Ungeschicklichkeit von Linkshändern, zu denen auch er gehörte, und über Kurzsichtige und Nachtblinde. Er stellte für sich selbst ein unerschöpfliches Reservoir an bissigen Scherzen dar.

Wenigstens das fand Wieland psychologisch interessant. Ich konnte ja verstehen, daß er lieber an einen anderen Ort ohne einkalkulierbare Schwermut fahren wollte. Zu Hause hatten wir die wenigen Fotos, die meine Mutter von Tante Lila, Onkel Józef und deren Sohn Kazimierz besaß, angeschaut, dabei einen trockenen Wein getrunken. Wieland stellte Fragen – Fragen, die unmittelbar mit ihm selbst zu tun hatten und ihn nicht zu tief in meine Familiengeschichte eintauchen ließen. Zum Beispiel interessierte es ihn eher, warum Onkel Kazimierz als Linkshänder nicht »umgepolt« worden war, als warum er sich von der Poniatowski-Brücke gestürzt hatte. Denn er, Wieland, war noch von seinem Vater zum Schreiben mit der rechten Hand gezwungen worden, und er machte diesen Umstand für allerlei Schwierigkeiten im Umgang mit Autoritäten und für gewisse rebellische Züge in seinem Wesen verantwortlich …

Jetzt saßen Wieland und ich in der »Restauracja Bazyliszek«. Wie er mir so gegenübersaß, der große, schlanke Mann mit den halblangen blonden Haaren, und argwöhnisch auf die Straße schaute, fragte ich mich, ob es nicht doch ein Fehler gewesen war, mit ihm hierherzukommen. Wir hatten uns vorher noch nie ernsthaft gestritten, doch seit meinem Plan, nach Warschau zu fahren, schien er wie verändert, oder war ich diejenige, die sich verändert hatte? Ihm schien alles zuviel zu werden; er saß jetzt vor mir und blätterte in einer Zeitschrift.

Nach einer Weile murmelte ich: »Glaubst du, daß es Sinn hat, in der Bibliothek zu gucken, welche Bücher er in den letzten Wochen vor seinem Tod ausgeliehen hat? Könnte das über irgend etwas Aufschluß geben?«

»Freia, warum tust du dir das an?« fuhr mich Wieland geradezu an.

Ich starrte auf zwei junge Polen, die hinter Wielands Rücken keck in meine Richtung grinsten.

»Vielleicht kann ich doch noch etwas herausfinden, was meine Mutter nicht in Erfahrung gebracht hat …«

»Aber deine Mutter spricht fließend Polnisch.«

»Ja, aber ein wenig kann ich auch, und außerdem bin ich die bessere Psychologin!«

»Seitdem du hier bist, wirkst du nur depressiv. Wir könnten jetzt am Meer liegen, ich würde dir etwas vorlesen und dich ab und zu mit Melone füttern …«

»Ich will nicht verwöhnt werden … Kazimierz war mein Lieblingsonkel! Mir läßt das keine Ruhe, kannst du das nicht verstehen?«

In den letzten Wochen hatte ich unterschiedliche Bilder von Kazimierz in meinem Kopf abgerufen. Ich hatte daran denken müssen, wie Kazimierz Paul und mich als Kinder auf seinem Büroschreibtisch hatte herumhopsen lassen. Was seine Sekretärinnen über ihn dachten, schien ihm egal zu sein. Wir durften alle Schubladen und Fächer öffnen.

Kurz bevor wir gingen, drückte er uns den Stempel seiner Fernsehanstalt auf die Handrücken. Paul und ich haben tagelang vermieden, unsere Hände zu waschen. Wir waren ganz unglücklich, als, zurück im fernen Berlin, der Abdruck bald verblaßte und schließlich gänzlich verschwand. Überhaupt hatte uns das Warschauer Büro mit seinen dunklen, alten, vom Holzwurm angefressenen Möbeln, den vielen Kästen, Kisten und aus den Schränken herausgenommenen, auf dem Boden herumliegenden Schubladen, den riesigen klappernden Schreibmaschinen in seltsamen Farben und vor allem den unzähligen dicken, knubbeligen Stempeln auf Kazimierz' großem Schreibtisch gut gefallen. Nur Jo und Mäxchen sprachen, als wir ihnen später das Büro und Kazimierz' Sitten mit sich überschlagenden Kinderstimmen beschrieben, von »Polen-Wirtschaft«.

Ich erinnerte mich an Onkel Kazimierz, wie er mit uns im Łazienki-Park spazierenging und uns im Amphitheater die Komödie simultan ins Deutsche übersetzte, damit wir mitlachen konnten. Mir schien, er schmückte die Witze immer noch ein wenig aus, denn wir lachten viel mehr als die anderen Leute.

Und ich erinnerte mich, wie er uns im Park-Café Cola bestellte und uns beim ersten Schluck genau beobachtete. Dann lachte er: »Das habt ihr nicht erwartet, oder? Auf zwei Dinge sind wir hier stolz: Nivea und richtige Coca-Cola, da haben wir nämlich Lizenzen für, was meint ihr, wie die Ostdeutschen uns beneiden!«

Als dann unser Kuchen kam, zauberte Kazimierz, nachdem er stirnrunzelnd den ersten Bissen genommen hatte, zu unserer Überraschung ein Tütchen Schokoladenstreusel aus seiner Aktentasche – die Marke kannten wir, Renate mußte es ihm geschickt haben – und bestreute unsere Stücke. »Den Osten muß man einfach nur als Basis begreifen, als Basis für viel Phantasie«, murmelte er später und tupfte sich sehr elegant seinen großen streuselumrandeten Mund ab.

Und ich erinnerte mich an Onkel Kazimierz, wie er mit meiner Mutter »Wässerchen« trank. Sie hatten uns Kinder längst ins Bett gesteckt und redeten bis zum frühen Morgen. Manchmal hörte ich meine Mutter lachen, einmal aber auch weinen. Meine Mutter sprach wahrscheinlich in diesen wenigen Nächten mehr als zu Hause in Monaten.

Wieland spießte jetzt einen halben Kloß auf, seine lockigen Haare fielen ihm dabei ins Gesicht. Ich sah ihn immer gern an. Vom Aussehen waren wir völlig unterschiedlich: Ich entsprach eher dem östlichen Typ mit puppenhaftem Gesicht, hohen Wangenknochen und bleicher Haut, er dagegen hatte die markanten Züge eines Italieners oder Spaniers und einen dunklen Teint – dazu blonde Haare.

»Ich versteh das ja, aber ich glaube, dir tut das nicht gut. Du gräbst dich viel zu sehr ein in deine Familiengeschichte. Onkel Kazimierz war ein entfernter Verwandter, warum müssen wir die Schulferien ausgerechnet hier verbringen? In Warschau! Ich hab zu Hause genug Streß mit meinen Eltern und wollte endlich mal wieder entspannte Ferien haben, verstehst du?«

»Ich habe dir doch gesagt, daß du tagsüber machen kannst, was du willst. Du wirst sehen, daß Warschau nicht so übel ist, wie du denkst. Du kannst dich hier amüsieren, du sollst nur bitte nachts für mich dasein.«

Wieland nahm geschmeichelt kurz meine Hand.

»Freia, weißt du, was ich lustig finde, mein kleiner Finger ist fast genausolang wie dein Ringfinger …«

Ich dachte an das wenige, das ich über Tante Lila, Mutters Cousine, Onkel Józef und ihr einziges Kind Kazimierz wußte: Im Winter 1945/46 waren sie ins zerbombte Warschau zurückgekehrt, in ihr »Haus«, wenn man das noch so nennen konnte. Es war gar nicht so einfach gewesen, denn die polnische Regierung hatte eine Zuzugssperre für Warschau verhängt und sehr genau geprüft, wer zurück durfte. Wie Höhlenbewohner lebten sie damals, in diesem harten Winter. Renate hatte erzählt, daß sie sich Ziegelsteine in ihre Nachtlager legten, die sie vorher mühselig über einer Flamme erwärmt hatten. Tante Lila bekam eine Nierenentzündung und starb daran, weil so kurz nach dem Krieg keine Medikamente aufzutreiben waren. Józef war zwei Jahre später an, wie Renate meinte, Erschöpfung und Depressionen gestorben. Man fand ihn, in Decken eingerollt auf einer löchrigen Matratze, in ihrer ruinenhaften Wohnung, einfach tot. Da war Kazimierz erst zwölf. Er wuchs dann bei einer Tante auf, die am anderen Weichselufer, in Praga, wohnte. All das war lange her. Aber jetzt hatte Onkel Kazimierz sich plötzlich das Leben genommen, und ich wollte alles über ihn wissen.

Den letzten Satz wiederholte ich laut, mit einem »Verstehst du?« am Ende.

»Verstehst du?« Ich sah Wieland fest an.

»Warum? Laß ihn doch einfach ruhen. Er hat seine Entscheidung gefällt. Auch wenn es dir schwerfällt, mußt du das irgendwann akzeptieren. Du machst dich sonst nur kaputt. Und mich auch. Ich will mit dir ans Meer fahren, eine Schiffahrt machen, am liebsten auf einem Frachter! Und du redest seit Monaten nur noch von deinem toten Onkel.«

»Nun komm mir bitte nicht wieder mit deiner Null-Theorie!« entfuhr es mir.

»Warum nicht?« Wieland sah mich angriffslustig an.

Die Null-Theorie hatte er mir vorgestellt, als wir uns noch nicht lange kannten. Eines Nachts, es war eines der wenigen Male, als ich – seine Eltern waren übers Wochenende bei einer Beerdigung – mit einem Glas Wein in der Hand in seiner Hängematte lag, hockte er sich mit einer Schublade vor seinen Ofen. Er bat mich, zu ihm zu kommen, dann zeigte er mir kurz den Inhalt der Schublade: Briefe und Fotos von ein paar Ex-Freundinnen oder Verehrerinnen. Er war schließlich schon achtzehn. Ich wurde neugierig und hätte gern ein bißchen in dieser Fundgrube gebuddelt – Wieland sprach nie über Mädchen, in die er vor mir verliebt gewesen war –, aber er nahm mir den Kasten aus der Hand und warf alles in den Schlund des Ofens.

»Ich will mit dir bei Null anfangen«, sagte er dann, während er mich küßte, »alles andere ist passé. Ich will diesen Ballast loswerden, diese Geschichten von Leuten, die mir nichts mehr bedeuten.«

Er unterbrach sich kurz, um sich mit einem Ärmel Ruß vom Gesicht zu wischen.

»Man ist nur leidenschaftlich, wenn man hier und jetzt seine ganze Energie hat …«

Er zog mich heftig an sich und war dann so zärtlich, daß ich seiner Theorie erst einmal nichts mehr entgegenzusetzen hatte. Seitdem sprachen wir nur noch sehr selten über irgend etwas Vergangenes, Ungeklärtes, Unerfreuliches. Wir lebten auf einer Insel, umgeben von viel Wasser und Schweigen. Doch dann, im Januar, war Onkel Kazimierz gestorben.

Jetzt winkte Wieland den Kellner heran. Wir hatten lange kein Wort mehr gesagt.

Am nächsten Morgen war ich ziemlich nervös. Heute sollte ich drei Menschen treffen, die Onkel Kazimierz nahegestanden hatten: Agnieszka, eine seiner Freundinnen, danach Marek und Krzysztof, zwei seiner langjährigen Freunde. Wieland, der es morgens nicht lange im Bett aushielt, war schon vor mir aufgebrochen, um sich neue Architektur, den Bahnhof Warszawa Centralna, den wir bisher nur bei Nacht gesehen hatten, und den Platz Rondo Dmowskiego anzuschauen.

Ich frühstückte allein und machte mir in meinem Kalender Notizen, wen ich noch alles treffen wollte.

Als meine Mutter von der Beerdigung Onkel Kazimierz' zurückgekommen war, erzählte sie verwickelte Geschichten von hundert Leuten, mit denen sie gesprochen hatte. Irgendwie wußte niemand und jeder etwas über Kazimierz zu sagen. Da gab es diese und jene entfernte Großtante oder -cousine, denen meine Mutter sporadisch schrieb, diesen oder jenen alten Kumpel, mit dem wir in Warschau mal ein Bier trinken gewesen waren. Kazimierz hatte so viele Freunde und Bekannte, daß es für uns schwer einzuschätzen war, mit wem es sich lohnte zu reden und mit wem nicht. Agnieszka, seine Ex-Freundin, erzählte, sie habe ihn noch am Vorabend seines Todes getroffen; er habe exzessiv getrunken, was allerdings nicht weiter ungewöhnlich war, und Witze jenseits des guten Geschmacks gemacht – aber, wie immer, großen Beifall dafür geerntet. Meine Mutter war nach der Reise verwirrter als vorher gewesen.

Agnieszka saß mir gegenüber, blinzelte ins Sonnenlicht und rauchte. Ihre runzlige Hand mit den vielen Altersflecken lag auf meiner. Sie war fünfzehn Jahre älter als Kazimierz gewesen und hatte ihn immer »Kochanie«, »Schätzchen«, genannt.

»Wie schön, daß du mal wieder da bist«, sie tätschelte mir den Arm. Agnieszka sprach recht gut deutsch. »Was macht das Leben, die Liebe?«

Ich lächelte ein wenig, erzählte ihr von Wieland und deutete an, daß er sich an Warschau noch gewöhnen müsse. Agnieszka lachte, ein heiteres Lachen – sie war durch nichts aus der Ruhe zu bringen, und ich fragte mich, ob es Kazimierz vielleicht das Leben gekostet hatte, für eine Jüngere, für viele Jüngere, Agnieszka verlassen zu haben.

Agnieszka strich sich eine lange graue Strähne aus dem Gesicht.

»Habt ihr euch denn schon das wiederaufgebaute Schloß angeguckt, das ist doch die Inkarnation Polens! Aus aller Welt kommen die Leute deswegen hierher«, sie lachte wieder. »Weißt du, im Gegensatz zur Altstadt ist das Schloß nur mit Spenden der Bevölkerung wiederaufgebaut worden.«

Mir fielen Agnieszkas schöne gerade Zähne auf. Ein Weihnachtsgeschenk von Kazimierz, erinnerte ich mich. Sie tätschelte erneut meinen Handrücken.

»Wie lange bleibst du hier? Bis zum nächsten Wochenende? Bei Freunden von mir findet ein kleines Theaterstück statt ... das mußt du sehen ...!«

»Da bin ich schon wieder weg. Schade. Ich hab die Haustheaterbesuche mit dir in bester Erinnerung ...«

»Du weißt ja, Freia, wie wir unser Warschau hier nennen: ›die lustigste Baracke im Ostblock‹!« Agnieszka schaute sich kurz um im Café und dämpfte ihre Stimme.

»Was macht denn so die explosive Kulturszene bei euch? Wir hören hier immer, ihr seid das New York Europas ... oder ist das alles nur Angeberei?«

Ich versuchte Agnieszka mit ein paar kurzen Sätzen über Wunsch und Wirklichkeit zufriedenzustellen, dann faßte ich mir endlich ein Herz und sagte ihr, daß ich wegen Kazimierz hier säße. In einer plötzlichen Anwandlung von Ehrgeiz, vielleicht aber auch, um ihr näher zu sein, hatte ich polnisch gesprochen, und sie mußte ziemlich lachen.

Nachdem sie sich wieder beruhigt hatte, zuckte sie die Schultern. Ernsthaft erklärte sie mir dann, er sei im Vollrausch von der Brücke gesprungen. Er hätte in seiner Verfassung bestimmt geglaubt, er könnte schwimmen.

»Im Januar?« wagte ich dazwischenzufragen.

»Dein Onkel ist schon mal im Winter im Bademantel Zigaretten holen gegangen ... Nein, ganz ehrlich, ich glaube nicht, daß er gewußt hat, was er da macht. Aber du hältst mich vielleicht für wissender, als ich bin. Wir waren nie ein typisches Paar, wir haben nicht zusammen gewohnt, wie du weißt, er ist immer mit seinen Kumpels in Urlaub gefahren, ans Schwarze Meer, auf die Krim, wir hatten eher so eine Feierabendbeziehung. Er hat nicht viel über sich selbst geredet.«

»Und über den deutschen Teil der Familie, der von Königsberg nach Gotenhafen gezogen und nachher von dort geflohen ist? Renate?«

»Ach … ich weiß schon, diese Flausen hast du von deinen Großeltern. Für ihn waren die Vertriebenen Vertriebene und nicht ›Umsiedler‹. Ihr seid ja auch nicht in Vertriebenenverbände gerannt. Also, Renates Eltern, die fand er schon … ach, was weiß ich, da gab es mal Zoff. Aber euch mochte er doch. Ihr wart doch oft hier. Er hatte ein gerahmtes Foto von seiner Mutter und seinem Vater auf dem Schreibtisch, daneben Renate und Peter, Paul und du. Aber ansonsten: Er war sowenig Kommunist wie überzeugtes Parteimitglied. Das einzige, was er war: ein guter Liebhaber!«

Sie lächelte jetzt und errötete trotz ihrer sechsundsechzig Jahre ein bißchen.

»Und Alkoholiker«, fügte ich leise hinzu.

Agnieszka zuckte die Achseln, mir fiel ihre schmale, fast mädchenhafte Gestalt wieder auf. Sie war Ballettänzerin gewesen. Später hat sie choreographiert und Kinderballettunterricht gegeben. In die Partei ist sie nie eingetreten.

Der Kellner trat an uns heran, und wir bestellten eine weitere Tasse der dickflüssigen Schokolade, für die die Cukiernia Wedel berühmt war. An der Theke der Konditorei im vorderen Bereich standen die Leute Schlange, um »Vogelmilch«, eine geleeartige Vanille-Milch-Füllung mit Schokoladen-Überzug, oder die heißbegehrten Waffeln zu kaufen, die den Namenszug »E. Wedel – 22. Juli« trugen, denn dem traditionellen Namen hatte man nach dem

Zweiten Weltkrieg noch das Datum des Nationalfeiertags hinzugefügt.

Nachdem Agnieszka sich ihre pink geschminkten Lippen mit der Serviette abgetupft hatte, nahm ich den Faden wieder auf:

»Hat Kazimierz denn am letzten Abend ... ich weiß, meine Mutter wird dich all das schon gefragt haben ... hat er denn irgend etwas Besonders gesagt?«

Gern hätte ich Agnieszka gefragt, ob sie mit ihm geschlafen hatte in dieser Nacht, aber ich wagte es nicht. Mir wäre der Gedanke angenehm gewesen, daß mein Onkel seine letzte Nacht nicht allein, sondern mit einem so liebenswerten, starken Menschen wie Agnieszka verbracht hätte. Aber dann wäre es vielleicht noch unbegreiflicher, warum er diesen Schritt getan hat.

Ich fühlte mich gegenüber Agnieszka, die so wissend und doch so unbekümmert schien, unsicher und linkisch. Mir ging durch den Kopf, daß mein selbstbewußter Spruch, ich hätte mehr psychologisches Geschick als meine Mutter, reinste Übertreibung war.

»Warum hat er dich verlassen, warum hat er so viel getrunken, warum all das, Agnieszka?« brach es plötzlich aus mir heraus.

»Mädchen«, sagte sie leise und streichelte weiter meinen Arm, »es rührt mich wirklich, wie sehr dich die Geschichte beschäftigt. Aber ich will nicht weiter im Schlamm wühlen, weißt du? Es hat mir das Herz gebrochen, als ich es erfahren habe, und dann habe ich überlegt: Es war seine Entscheidung, er hat mich nicht vorher in seine Angelegenheiten eingeweiht, das habe ich zu respektieren, und ich werde jetzt nicht das lange Leben, das noch vor mir liegt«, sie schaute mich komplizenhaft an, »an keinen anderen mehr denken als an ihn. Ich könnte auch ärgerlich sein, daß er zu niemandem von uns Vertrauen hatte, ja, das könnte ich, traurig werden, wenn ich an seine Lakritz-

Küsse denke, du erinnerst dich, daß er permanent Lakritze gelutscht hat, ich könnte auch traurig werden, wenn ich daran denke, wie oft ich mit ihm an diesem Tisch – hier! – gesessen, geredet, phantasiert habe – er hatte ja viel Phantasie, dein Onkel ... was wollte er alles für verrückte Leute ins Fernsehen holen! ... Ja, hier haben wir oft gesessen und alles um uns herum vergessen. Aber ich kann auch zu dem Schluß kommen, daß er uns nichts vorgespielt hat, daß er derjenige war, als den ich ihn kennengelernt habe, daß er einfach nicht ganz bei Verstand war, als er da runtergesprungen ist ... und: Ich habe mich für diese Version entschieden, rozumiesz?«

Damit war für Agnieszka das Thema beendet. Wir tranken unsere heiße Schokolade und redeten – es ließ sich nicht mehr vermeiden oder mir fehlte die Kraft, dem etwas entgegenzusetzen – über Berlin.

Als ich durch die Ulica Marszałkowska zurück zum Hotel ging, dachte ich über Onkel Kazimierz' Lakritzsucht nach.

Mein Onkel liebte Lakritz seit seinen Kindertagen, als Jo Renate und ihm oft Lakritztaler zusteckte, die sie und Mäxchen, damals noch Max, tütenweise aus dem Königsberger Marzipangeschäft übrig hatten. Auch meine Mutter war seitdem auf Lakritz versessen; neben dem Herd und auf ihrem Nachttisch lag immer ein umgedrehter Deckel mit ein paar Lakritzpastillen. Meine Mutter schickte Onkel Kazimierz jeden Monat ein Päckchen, das zur Hälfte aus Lakritze in allen Variationen bestand. Paul und mich hatte es immer beeindruckt, daß zwei Menschen, die in so verschiedenen Ländern lebten, über Jahrzehnte die gleiche Marotte pflegten – wobei mein Onkel, vielleicht weil Lakritz in Warschau sehr exotisch war –, diesem Genuß noch etwas exzessiver frönte und sich gelegentlich einen Spaß daraus machte, provozierend laut zu schmatzen, was meine Mutter wiederum abscheulich fand.

Ich weiß, daß die Macht von Gerüchen, Geschmäcken, Geräuschen stärker ist.

Mit diesem merkwürdigen Satz wachte ich in der zweiten Nacht in Polen auf. Aus einem Traum, in dem ein Mann mit Flügeln, mit fleischfarbenen Schwingen wie verlängerte Körperteile, auf einer Mauer stand und, kurz bevor er sprang, noch einmal das Parfüm seiner Geliebten auf seine Handrücken sprühte.

Während ich noch im Halbschlaf lag und überlegte, was mein Traum mit Onkel Kazimierz zu tun hatte, hörte ich Wieland unter der Dusche. Ein paar Minuten später rief er von der Tür her: »Ich geh los zum Łazienki-Park, wir sehen uns heute abend zum Essen im Hotel. Um acht. Cześć.«

Cześć, »tschüß«, war das einzige, was sich ihm bisher in polnisch eingeprägt hatte.

Ich nahm mein Notizbuch. Marek und Krzysztof hatten mir gestern kurzfristig abgesagt. Auch in der nächsten Woche würden sie nicht zu erreichen sein. Ich war verzweifelt. Schließlich verabredete ich mich mit Kazimierz' Putzfrau.

Elżbieta zündete sich eine Zigarette an und blies den Rauch in mein Gesicht. Sie schwitzte, der Schweiß rann ihr in den Ausschnitt ihres altrosafarbenen, fleckigen Kleids. Es schien sie zu beunruhigen, über irgend etwas »befragt« zu werden. Einmal kicherte sie hysterisch und sagte: »Also ich hab ihn nicht von der Brücke gestoßen!« Es gelang mir nur sehr allmählich, ihr Vertrauen zu gewinnen. Mein gebrochenes Polnisch trug auch nicht gerade zu einer besseren Verständigung bei. Aber wenigstens hatte meine Mutter noch nicht mir ihr gesprochen. Schließlich erzählte Elżbieta mir, daß mein Onkel manchmal alleine in eine Bar gegangen sei, »Głos« habe die Bar geheißen.

Woher sie das wisse? fragte ich schnell.

Elżbieta sah mich erschrocken an und verschwand erst einmal auf der Toilette. Schließlich kam sie mit einem neuen Zigarettenpäckchen zurück. Ich musterte sie. Sie hatte eine großporige, fettige Haut und strahlte nichts Heiteres, Verführerisches aus. Ich glaubte nicht, daß sich mein Onkel an sie herangemacht hat.

»Also der Jerzy, mein Mann, dem bin ich eine Weile …« – sie sah mich jetzt durchdringend an, und mir wurde klar, daß ich sie nicht unterschätzen sollte, sie konnte vielleicht nicht feurig, aber eisern sein –, »also dem bin ich eine Weile lang abends heimlich gefolgt. Ich wollte wissen, ob er mich betrügt. Hat er. Und bei diesen Beobachtungen habe ich auch deinen Onkel gesehen, als er noch mit dieser ältlichen Ballerina liiert war, mit irgendwelchen …« – sie verzog ihren Mund auf unschöne Weise – »leichten Mädchen.«

Ich nickte, das wußte ich schon.

»Wie hat mein Onkel Sie behandelt? War er freundlich, zuvorkommend oder herablassend, barsch?« fragte ich jetzt.

»Ihr Onkel«, jetzt hellte sich ihr Gesicht auf, »war ein Engel. Ja, ein teuflischer Engel. Zu jedem nett und hilfsbereit, aber auch ein bißchen gefährlich …«

»Gefährlich?«

»Naja, ich bin meinem Mann treu geblieben …« Elżbieta starrte ob dieses großen Opfers schlechtgelaunt auf die abgestoßene Tischkante.

»Und was glauben Sie, warum er das gemacht hat … zum Schluß?«

»Das weiß ich nicht. Ist mir total unklar. Keinen Ärger mit dem Staat … soweit ich weiß … keine unehelichen Kinder … glaub ich … Dreck am Stecken auch nicht … keine Ahnung, Fräulein Sandmann.«

Während ich die breite, leere Aleje Jerozolimskie entlangmarschierte, lief Wieland irgendwo im Łazienki-Park herum, mit seiner Sehnsucht nach dem Süden. Es war sehr warm und sonnig heute, aber er würde schimpfen, daß er die frische Brise vom Mittelmeer vermisse. Hin und wieder wird er mit einer Faust gegen einen Baumstamm, eine Mauer schlagen, aus Ärger über seine vermasselten Ferien. Seine schönen Fäuste, die manchmal neben meinem Kopf auf das Kissen trommelten, in kurzer, erregter Abfolge.

Ich mußte an meinen letzten Besuch bei Onkel Kazimierz denken. Ich war fast fünfzehn Jahre alt und von meiner Mutter nicht ganz ohne Sorge zu meinem lasterhaften Onkel nach Warschau gelassen worden. Ihr Familiensinn und ihre Moralität gerieten angesichts von Kazimierz öfter in Widerstreit.

Gleich am ersten Abend schleppte mein Onkel mich in eine zweifelhafte Kneipe, in der wir viel zuviel Wodka Wyborowa (was soviel heißt wie »ausgezeichneter Wodka«) hinunterkippten und über alles mögliche redeten. Durch seine Parteimitgliedschaft hatte er schneller Karriere machen können, und er lebte – ein Ausdruck, den er gern benutzte – »auf großem Fuß«.

»Weißt du, Freia«, fing er irgendwann nach Mitternacht an, als er schon ziemlich betrunken war, »es gibt Paare ... vielleicht Agnieszka und mich?« – dabei schaute er unschuldig an die rußgeschwärzte Decke –, »also es gibt Paare«, wiederholte er lallend, »die ... die sich nur in einem ... Seinszustand ... flüssig, nackt, horizontal ... verstehen ... Paare ... die sich eigentlich nur ... mit geschlossenen Augen und ohne miteinander zu sprechen ... verstehen ... das wirkliche Leben ... die Welt bei Tageslicht ... ist für sie schlicht der falsche Ort, um sich zu begegnen«, schloß er.

Dann nahm mein Onkel einen großen Schluck Wodka Wyborowa und erzählte übergangslos etwas über seine letzte Fernsehshow – aber in meinem jugendlichen Gemüt hallte diese höchst interessante Anschauung noch lange nach.

Der vierte Tag in Warschau war der erste, an dem Wieland und ich gemeinsam frühstückten. Morgens hatte er mich um acht Uhr wachgekitzelt, nun saß er mir mit einem Marmeladenbrötchen in der Hand und leuchtenden Augen gegenüber.

»Die Galerie Zachęta war wirklich nicht schlecht. Da gab's tolle abstrakte Bilder, die hätte ich mir glatt übers Bett gehängt. Danach war ich noch im Plakatmuseum von Wilanów, Theaterplakate, alte und neue, ziemlich klasse.«

Er griff nach meiner Hand.

»Weißt du, wenn wir jetzt noch am Ende der Woche an die Ostsee fahren würden, wäre ich vollkommen ausgesöhnt ... Polen forever!«

Seine gute Laune war ansteckend, und für einen Moment spielte ich mit dem Gedanken, meine Verabredung zum Lunch mit dem Fernsehdirektor, der mir wahrscheinlich sowieso nicht viel über Kazimierz erzählen konnte, abzusagen und mit Wieland einfach ins Grüne zu fahren. Aber dann fiel mir ein, während Wieland zärtlich meine Hand streichelte, wie meine Mutter mir einmal erzählt hatte, daß Kazimierz die deutsche Sprache, die er von ihr als Kind gelernt hatte, liebte. Worte wie »Hochzeit«, »Flugzeug«, »Wasserhahn« und auch, ironischerweise, »Schluckspecht«, also Zusammenstellungen zweier Substantive, die gemeinsam etwas Neues, Drittes, ergaben, begeisterten ihn – und ich beschloß, doch den Fernsehdirektor zu treffen und zu fragen, ob mein Onkel hatte durchblicken lassen, daß er zu dem deutschen Zweig seiner Familie Kontakt hatte.

Und ich dachte an meine Mutter mit ihren hellen, suchenden Augen, ihrem blassen slawischen Gesicht und ihrer Sorge um uns. Ihrer Anhänglichkeit. Und während ich sie vor mir sah, spürte ich Wielands Berührung nicht mehr.

Am Nachmittag ging ich mit Wieland erst zum Ghetto-denkmal und dann zu dem Platz, der einmal der Umschlag-platz gewesen sein mußte. Er war nicht gekennzeichnet, und es kostete mich immer etwas Mühe, ihn wiederzufin-den. Das Erdbeereis, das Wieland uns gekauft hatte, tropfte auf meine Schuhe. Rosa Blut, dachte ich verwirrt, und sah mich auf dem leeren Platz um. Wieland saß auf einer Bord-steinkante in der Sonne und kniff die Augen zu. Zwischen-durch fiel mir mein Gespräch mit Dr. Kaszowski ein, der mir erst stolz den Fernsehsender gezeigt und mich dann in sein Lieblingsrestaurant eingeladen hatte. Ich war verwun-dert, daß er sich für mich – die Großnichte seines verstor-benen Arbeitskollegen – soviel Zeit nahm. Kazimierz mußte ihm viel bedeutet haben. Dr. Kaszowski schwärmte von ihm. Keinen Allgemeinplatz an Sympathiebekundun-gen ließ er aus. Oder war es nur Pietät, die ihm dies Verhal-ten diktierte? Wollte er sich und seinen Sender vor einer Westlerin im besten Licht zeigen? Wahrscheinlich war er mit seinen Kollegen über die vielen Liebesgeschichten mei-nes Onkels hergezogen und hatte ihn … vielleicht sogar zu Tode gemobbt? Da ich nichts wußte, phantasierte ich mir alles zurecht. Dr. Kaszowski blieb lächelnd verschlossen.

Ich stand wieder an diesem Ort und versuchte, wie es Tausende vor mir getan hatten, mir Menschen vorzustel-len, die von hier aus frierend, im Winter mit nichts als ei-nem Hemd und einer Hose bekleidet, in den Tod gefahren waren.

Wenn meine Mutter, Paul und ich – Peter fuhr selten mit nach Polen – den Umschlagplatz besuchten, pflegte Kazi-mierz Witze zu machen und, weil er schon nachmittags statt Kaffee zuckersüße Cocktails getrunken hatte, sau-dumme Dinge zu sagen wie:

»Was für ein niedlicher Hühnerstall, dieser Platz, ich glaube, die Neonazis haben doch recht: hier haben keine 300 000 Menschen drauf gepaßt!«

Bei dem Wort »Neonazis« sah er uns augenzwinkernd an, als würden wir, nur weil wir aus dem Westen kamen, irgendwie Neonazis verkörpern. Dann lachte er gequält. Manchmal, wenn meine Mutter mit ihrer leisen Stimme zu langen Monologen über Gott und die Welt ansetzte, brachte Onkel Kazimierz sie damit in Rage, daß er seine ewigen Lakritzpastillen geräuschvoll lutschte und jedem ihrer in einem ebenso leisen wie pathetischen Finale ausklingenden Sätze ein Schmatzen hinterherschickte. Ansonsten war er nett zu ihr und lud uns großzügig zu allerlei Vergnügungen ein. Denn »er lebte ja auf großem Fuß«. Das war nicht immer so gewesen, wie wir wußten. Nachdem er wegen seiner deutsch-polnischen Herkunft lange Außenseiter war, hatte er sich später mit der Partei arrangiert und machte dann Karriere als Fernsehmoderator. Alte Damen sprachen ihn auf der Straße an und baten um ein Autogramm. »Wiedzieć« hatte seine Sendung geheißen, in der man mit historischem Wissen und etwas Glück allerlei Firlefanz gewinnen konnte.

Wir gingen langsam zurück zum Ghettodenkmal. Eine Gruppe japanischer Touristen fotografierte die Gedenktafel, dann gingen sie nuschelnd weiter. Wieland trat etwas näher an die Tafel heran. Ich betrachtete ihn, diesen großen, schlanken Mann, und erschrak über mich selber, als mein Blick auf seinem hübschen Hintern ruhen blieb. Ich versuchte, an die vielen Opfer zu denken und traurig zu sein. Keine zwei Meter vor uns lief eine junge Mutter mit Zwillingen an der Hand; laut starteten einige »Fiacik«, Lada und Polonez, aus manchen dröhnte Musik. Wo sich einst die Gäßchen des jüdischen Viertels schlängelten, standen schon in den frühen fünfziger Jahren sozialistische Ziegelbauten. Ich versuchte wieder, mir die vielen Menschen vorzustellen, die hier täglich aus dem Warschauer Ghetto antreten mußten, das Nötigste dabei. Doch ich konnte diese Gedanken nicht mit diesem munteren Ort in Verbindung bringen. Das Wissen, hier haben sie gestanden, hier wurden sie abgeholt, blieb für mich gänzlich abstrakt. Ich stand an einem Denkmal, nicht an einem wirklichen Platz. Das Denkmal, ging mir durch den Kopf, während Wieland an der Gedenktafel eine Fliege erschlug und sich gleich darauf erschrocken umblickte, das Denkmal ersetzt als Erklärung, als Hinweis, als Zeichen den wirklichen Ort. Ein Denkmal ist geradezu der sichere Beweis dafür, daß hier kein Ort mehr ist. Ein Ort kann nicht gleichzeitig existieren und an derselben Stelle kommentiert werden. Vielleicht ist dieses Verhältnis proportional.

Zu Hause hatte meine Mutter mir Fotos, Briefe und sogar gehäkelte Deckchen aus der Vorkriegszeit gezeigt, die die Flucht überstanden hatten, und doch wollten mir Tante Lila und Onkel Józef, die fast fünfundzwanzig Jahre vor meiner Geburt gestorben waren, nicht näherkommen. Ich ließ die vielen Gegenstände aus den Truhen meiner Mutter durch meine Hände gleiten und fragte mich, ob diese Erinnerungsstücke vielleicht nur einen Sinn für den Besitzer hatten. So wie ein Verliebter in dem Objekt seiner Begierde etwas sieht, was ein anderer nicht nachvollziehen kann. Ich starrte auf die vielen alten Fotos, die Renate akribisch in Alben geklebt, datiert und kommentiert hatte. Die beiden waren mir so vertraut und so unvertraut wie Abraham Lincoln, wie Lenin.

Und auch jetzt während meiner Reise konnte ich nichts herausfinden, was einen Schlüssel bedeutet hätte zu Kazimierz' Tod. Ich lief durch die Straßen Warschaus, ich hörte auf ihre Geräusche, das laute Starten des Fiat 126p, der liebevoll »Fiacik«, der »kleine Fiat«, genannt wurde, ich atmete die Gerüche nach stickiger Luft und Plastik aus den weit geöffneten Türen der Warenhäuser »Wars« und »Sawa« ein. Ich saugte mit dem Blick alles auf: Die Kindersommermoden in blassen Farben im »Junior« am Kulturpalast und die buntere Kleidung in den von Privathändlern betriebenen »Pavillons«, kleinen, budenartigen Läden.

Ich fragte mich, wie diese Stadt damals, in den vierziger Jahren, gerochen, geklungen, ausgeschaut haben mochte. Wie der menschliche Körper, der seine Hautzellen alle sechs Wochen vollständig erneuert – und somit nie derselbe, nur der gleiche ist –, schien mir diese Stadt die gleiche und nicht mehr dieselbe zu sein. Doch in der natürlichen Veränderung einer Stadt gibt es Komponenten, die über einen langen Zeitraum konstant sind, so wie im menschlichen Körper die Nerven- und vor allem die Knochenzellen ein Leben lang erhalten bleiben. Aber was in Warschau passiert war, hatte nichts mit organischen Veränderungen zu tun. Auf erschreckende Weise wurde mir klar, daß der Plan der Nazis, einen Vernichtungskrieg im Osten zu führen, hier in Erfüllung gegangen war. Und auf dem Fleck Erde stehend, der einmal das Warschauer Ghetto gewesen war, wurde mir vielleicht ansatzweise die Dimension der Auslöschung seiner früheren Bewohner bewußt, die weit über ihre physische Vernichtung hinausging: Kein sinnlicher Eindruck vermittelte noch ihre Existenz. Das Straßenbild des Warschauer Ghettos war vollständig aufgelöst worden; hier standen nicht einmal neue Häuser anstelle der alten, sondern eine Stadt war verschwunden und eine neue aus dem Boden gestampft worden.

Und die Mitte der fünfziger Jahre schon mit dem sprichwörtlich gewordenen »Warschauer Tempo« wiederaufgebaute Altstadt am westlichen Weichselufer war eine perfekte Kopie, eine Fata Morgana. Ich dachte an Bilder vom flimmernden Las Vegas in der Wüste Nevadas, und mir schien, daß Warschau das viel imposantere Las Vegas war ... nichts war erfunden, nichts neu zusammengestellt worden, alles war da, am gleichen Ort, jedes Tor, jede Treppe, alles war echt und doch unecht, dort, wo kein Stein mehr auf dem anderen gestanden hatte. Die Polen hatten mit »Warschauer Tempo« das Rad der Zeit mit unglaublicher Kraft zurückgedreht, der Trotz, jedes Haus, jeden Giebel exakt zu rekonstruieren, der Trotz, die Kraft, der Zerstörung durch die Deutschen aus dem Nichts der frühen fünfziger Jahre heraus diese schillernde Dublette entgegenzuhalten, imponierte mir sehr, doch mir schien, und deshalb wurde ich nicht richtig froh beim Anblick der Altstadt, deshalb wich die Beklommenheit einfach nicht von mir, daß das doppelte Ungeschehen-Machen, erst der Deutschen, dann der Polen, die die barbarische Zerstörung unsichtbar machen wollten, nicht zurück zum historischen Ausgangspunkt, zur intakten Stadt führte, sondern gerade in der Makellosigkeit des Wiederaufbaus glänzte für mich der Schmerz, fehlte noch die trostspendende, dickhäutige Patina, der Schmutz der vielen Jahre, fehlten die Nachlässigkeiten des Alltags – weshalb man sich in einem Heimatkundemuseum nicht heimatlich fühlt. Doch mit einem Blick zu den hellrot leuchtenden Wolkenbändern über mir, die heute scheinbar endlos ausgespannt auf dem Strecktisch des Himmels lagen, dachte ich, die Zeit wird den Polen doch noch recht geben; in einigen hundert Jahren wird die neu aufgebaute Altstadt einfach die Altstadt, eines der ewigen Wahrzeichen Polens sein, und die versuchte Vernichtung durch die Deutschen ein Datum im Geschichtsbuch. Vielleicht.

Doch die Beklommenheit wich nicht von mir. Die Leere, die Abwesenheit, die ich immer noch spürte wie ein unsichtbares Gift, flirrend in der Luft, hatte sich auf mich gelegt. Seltsam leidenschaftslos lief ich durch die Stadt, begegnete ihrer Leere mit Leere, mit einer stumpfen Freudlosigkeit, die mir das pittoreske Schloß Wilanów, die Wasserspiele und vieles mehr zu einer beliebigen, grauen Kulisse geraten ließ.

Daß ich nichts empfinden konnte, entsetzte mich. Ich konnte keine Verbindung aufnehmen mit alldem, was in dieser Stadt geschehen war. Die Zerstörung war zu perfekt gewesen ...

Vor Wieland hielt ich diese Gedanken geheim. Ihm gegenüber wollte ich nicht zugeben, daß ich ohne Gefühl durch das unkenntliche Warschauer Ghetto und die erschreckend detailgenau wiederaufgebaute Altstadt lief; diesen Triumph hätte ich ihm einfach nicht gegönnt.

Wieland und ich stritten uns öfter und heftiger. Wir, die sonst immer das Licht anschalteten, wenn wir uns liebten, ließen es jetzt aus. Eines Morgens murmelte ich vor mich hin: »Onkel Kazimierz und du, ihr hättet euch gut miteinander verstanden.«

Aus meinem letzten Traum hatte ich noch ein Bild von Kazimierz vor Augen, wie er in der gleichen hektischen Art wie Wieland Fliegen von seinem Marmeladenbrötchen verscheuchte.

Wieland sagte genau ein Wort dazu: »Hirnwichse.« Hirnwichse sei das, erklärte er mir mit ungewöhnlich leiser Stimme, mir darüber Gedanken zu machen, ob er sich mit einem Toten wohl gut verstanden hätte oder nicht.

Am letzten Tag, Wieland war morgens, ohne ein Wort zu sagen, an die Ostsee gefahren, war ich einfach nur deprimiert: Ich hatte mit elf Leuten über Onkel Kazimierz gesprochen, meine ohnehin äußerst marginalen Polnisch-Kenntnisse mühsam aufpoliert, hatte Orte abgeklappert, die mit seinem Leben in Verbindung standen: Im Sender war ich gewesen, in Kazimierz' Lieblingsrestaurant auf der »Nowy Świat« hatte ich diniert, zum »Ciuchy«-Basar, einer Art Trödelmarkt in Praga, war ich gegangen, wo er alte Freunde aus Łódź getroffen hatte, die jetzt als Händler unterwegs waren. Ich hatte Agnieszka in der »Cukiernia Wedel« getroffen, ich war allein im »Głos« gewesen, wo ich lüsterne Männer »na delegacji« abwimmeln mußte.

Meine Recherche hatte nichts ergeben, nichts zutage gefördert, was ich nicht schon zuvor gewußt hatte.

An diesem Tag kaufte ich einem fliegenden Händler auf dem Markt in Praga mit einem »Woda Mineralna« ein kleines Tütchen »Lukrecja« ab. Ich dachte, ich hätte etwas Süßes erwischt. Nun schmeckte ich, kaum hatte ich eine der glänzenden schwarzen Perlen in den Mund genommen, etwas Salziges. Daß man inzwischen mit etwas Glück auch schon Lakritz auf dem polnischen Markt ergattern konnte, hatte ich nicht gewußt. Plötzlich mußte ich mitten im Łazienki-Park anfangen zu weinen. Ich lutschte die Lakritz-Pastille und konnte nicht mehr aufhören zu weinen.

Ich dachte an Onkel Kazimierz' weiche Lippen, die sich immer auf eine ganz besondere Weise, die ich vollständig vergessen hatte, an meine Wange gedrückt hatten, ich dachte an seinen großen Mund, wie er ihn schmerzhaft verzog, wenn sein Lachen langsam nachließ, wenn der Beifall für eine Pointe abebbte. Mir fielen auch seine Hände wieder ein, seine dicklichen, kleinen, sehr beweglichen Hände, die über mein Haar strichen, über meinen Mädchen-Rücken, mir fiel »Puschkin« ein, ja selbst an seine schwarze Katze erinnerte ich mich erst jetzt beim Lutschen dieser dunklen Perlen. Ich hörte das Klappern der Lakritz-Dose wieder, die Onkel Kazimierz stets in seiner Hosentasche trug, die deshalb schon ausgebeult war. Keinen Schritt konnte man neben ihm gehen, ohne dieses beständige Klappern zu hören.

Ich spürte, wie sich der Bonbon langsam in meinem Mund auflöste, das Salz brannte an meinem Gaumen, wie es an Onkel Kazimierz' Gaumen hundert-, nein, tausendmal gebrannt haben muß. Hinter seinem Lachen. Einen Moment schlug ich die Hände vors Gesicht, so daß die Welt um mich herum dunkel wurde, und – plötzlich – für Sekunden – verstand ich etwas. Ich hielt mir die Hände vors Gesicht und spürte nur noch meine Mundhöhle, konzentrierte mich ganz auf sie, diesen dunklen, geheimen, privaten Raum, dort, allein, das Salz, der Schmerz. Man ist so alleine, wenn man ißt.

Hätte Onkel Kazimierz nicht zwanghaft Lakritze gegessen, sondern Sonaten in d-moll gehört oder Reproduktionen von Käthe-Kollwitz-Graphiken gesammelt, hätte keiner seinen Selbstmord so seltsam gefunden. Vielleicht hätte man ihn auch vorher auf seine Stimmungslage angesprochen. Aber mein Onkel haßte Geständnisse, er haßte, verabscheute die Wahrheit. Er liebte das Opake, sein Lieblingsstein war der Onyx, sein Lieblingsbaum die dichte Hemlocktanne, das fiel mir jetzt plötzlich alles ein, er war stolz, er wollte nicht über die Dinge sprechen, über die alle Welt reden wollte. Welche Art von Schmerz er genau empfunden hatte, wo sich privates und kollektives Desaster in seiner Biographie trafen: ich wußte nicht viel davon, aber ich hatte eine Antwort in meinem Mund gefunden. Er war mir nahe gekommen. Nicht am Umschlagplatz, nicht auf dem Kulturpalast, nicht in seiner Fernsehanstalt, sondern im banalsten Alltag, beim Lutschen eines Bonbons.

Ich lief in Richtung des Wasser-Amphitheaters im Łazienki-Park, dem Sanssouci von Warschau, und weinte. Irgendwo neben mir lief Wieland, der, ebenso plötzlich, wie er verschwunden, wieder aufgetaucht war. Er spazierte dort wie eine Erscheinung, ein Geist, kaum nahm ich ihn wahr, so sehr war ich in meiner Mundhöhle, in dem schwarzen klebrigen Zwischenraum meiner Zähne, versunken, mein Leben, für immer, verbunden mit diesem Menschen, der sich an einem kalten, klaren Sonntag im Januar in die Weichsel stürzte. Das Klappern seiner Dose in der ausgebeulten Tasche beim freien Fall nur von den Tauben aufgeschnappt und in der Luft, im ewig wechselnden Parfüm der Stadt, verloren.

Später, als wir wieder im Zug saßen, blätterte Wieland eine polnische Musikzeitschrift durch, versuchte ich zu verstehen, was ich vorhin meinte verstanden zu haben. Es

gelang mir nicht recht. Mein Gefühl im Park, meine Tränen, mein von einer ganzen Lakritz-Tüte brennender
Gaumen, die äußerst lebhafte Erinnerung an Kazimierz'
Küsse auf meinen Wangen, die Ahnung seiner undurch-
dringbaren Melancholie – all das schien mir jetzt diffus,
unzusammenhängend, unerklärlich, ein hysterischer Moment – wahrscheinlich hatte ich zuviel mit Wieland gestritten.

Die nächsten Stunden schaute ich aus dem Fenster, wo
wie ein düsteres Heer all die Tannen an mir vorbeiflogen,
die Deutschland und Polen voneinander trennen und miteinander verbinden. Der Zug schwankte ein wenig, und
der dünne Kaffee spritzte ein unübersichtliches Muster
auf meine weißen Jeans.

# 14
## Der Imker

Mäxchen saß mit grüner Schürze und ohne Bienenschleier auf einem Plastikstuhl im Garten. Er begrüßte uns immer noch, als seien wir Kinder; er tätschelte unsere Gesichter und fuhr uns über den Kopf.

»Die Zwillinge sind wieder da!«

Nach der Begrüßung setzte er sich sofort wieder. Er war schon so schwach, daß er sich nicht mehr lange aufrecht halten konnte.

»Na, wie geht's euch beiden denn?«

Bevor ich dazu kam, meine Reise nach Warschau zu erwähnen (Renate hatte mich gebeten, nichts von dieser Reise zu erzählen, aber ich hatte nach einigen inneren Kämpfen beschlossen, diese Bitte zu ignorieren), zeigte Paul uns ein Buch über den Prado, das er gerade im Antiquariat erstanden hatte. Es war ein schönes, gebundenes Buch mit einem Schutzumschlag aus Transparentpapier. Paul erklärte uns, daß im Prado zwar viele der berühmtesten Goyas hingen, aber sein persönlicher Favorit sei ein weniger bekanntes und spektakuläres Gemälde, nämlich »Das Milchmädchen von Bordeaux«. Was ihn faszinierte, war weniger das Bildnis dieser nachdenklichen jungen Frau, sondern die Art, wie die einzelnen Flächen sich aufzulösen begannen, in eine Vielzahl von Tupfen und Strichen zerfielen, wodurch überraschend prismatische Lichteffekte entstanden. Die Harmonie, die nicht nur im Bildgegenstand zu finden war, sondern sich dem Betrachter durch die Durchlässigkeit, Grenzenlosigkeit und Transparenz des Bildes vermittelte, war es, die ihn begeisterte. Er müsse unbedingt einmal nach Madrid fahren und dieses Gemälde im Original sehen.

Mäxchen pickte sich aus Pauls wie immer sehr ausführlichen Reflexionen das Element heraus, für das er Interesse aufbringen konnte:

»Nach Spanien hab ich's als junger Mann vorm Krieg auch einmal hingeschafft ... Klettern in den Pyrenäen ... Einen Wind gab's da, sag ich euch! Da flogen einem die Steine um die Ohren. Unvergeßlich. Spanien.«

Großvater etikettierte zwei Honiggläser, beschrieb die Schilder mit zitternder Schrift, dann nahm er einen Feldstecher und starrte in Richtung Bienenhaus.

»Sie stechen jeden Fremden ab«, murmelte er.

Wir standen am Rande einer mächtigen Einflugschneise, und er machte uns auf die »Wächterbienen« aufmerksam, die den Eingang der Stöcke wie Portiers mehrstöckiger Hotels kontrollierten. Manchmal würden sich Bienen von Nachbarvölkern oder andere Insekten an die Öffnungsschlitze heranwagen und dann nicht nur verjagt, sondern gleich »erledigt« werden. Paul zog augenblicklich die Schultern hoch, schüttelte sich und machte ein bedrücktes Gesicht. Er hatte viel Phantasie, man konnte ihm kaum etwas erzählen, ohne daß er mit Mimik und Körpersprache zu verstehen gab, wie sehr er bei allem mitlitt.

Das Bienenhaus hatte mein Großvater vor wenigen Monaten von seinem Nachbarn Landolf Felix übernommen, einem begeisterten Imker, der überraschend an einem Herzinfarkt gestorben war. Seine Frau, eine zehn Jahre ältere, übergewichtige Schlesierin, die selten weiter als fünf Meter zu einem großen mit Plastikkissen überladenen Sessel in den Garten lief, hatte sich nie für die Bienenzucht interessiert.

Hätte sich nach dem Tod ihres Mannes niemand dafür gefunden, hätte Frau Felix die Bienenschwärme sich selbst überlassen oder vergiften lassen müssen.

Unter ihrer Aufsicht hatte Mäxchen zuerst ein ovales Loch in den Gartenzaun geschnitten, später wurde das Loch professionell durch ein Türchen ersetzt. Jo amüsierte sich seitdem darüber, wie Mäxchen täglich mit einem Becher Zuckerlösung für die Bienen und einem Stück Kuchen für Frau Felix nach nebenan schritt.

Wir alle wußten, daß Mäxchen an Prostata-Krebs erkrankt war. Daß er angesichts dieser Diagnose nicht mehr nur den ganzen Tag, Patiencen legend, im Ohrensessel verbrachte, sondern eine neue Passion für sich entdeckt hatte, schien uns ein gutes Zeichen.

Solange ich ihn kannte, hatte Mäxchen – außer an den gelegentlichen Kamin-Abenden, wenn es um Ostsee-Häfen oder den Rußlandfeldzug ging – nie viel gesprochen, bei unseren Alltagsgesprächen stand er stets im Schatten von Jo. Gelegentlich konnte er bei Nichtigkeiten, zum Beispiel einem nicht enden wollenden Telefonklingeln oder dem Anblick einer tropfenden Teekanne, aufbrausend werden oder, wenn ein Thema plötzlich sein Interesse weckte stoßweise, mit eindringlicher Stimme, einige Sätze hervorbringen. Freundliche, spannungsarme Konversation lag ihm nicht.

Um so mehr erstaunte Paul und mich, wie selbstverständlich und weitschweifig unser Großvater nun über den Bienenstaat dozierte, um seiner Faszination für diese Welt in der Welt Ausdruck zu verleihen. Es schien uns manchmal, als hätte seine ganze unterdrückte Lebensenergie, nach Jahrzehnten eines Invaliden-Daseins, nach fünfzig Jahren in einem abgedunkelten Zimmer – einen feinmaschigen, mit Rosen bestickten Vorhang zwischen sich und der Welt – jetzt noch einmal Zeit und Raum für sich gefordert. In diesen Wochen redete Mäxchen mehr als vorher in Jahren.

Ich trat aus der Einflugschneise, in der ich mich doch ein wenig fürchtete, auf das Bienenhaus zu. Es war so groß, daß mehrere erwachsene Männer spielend darin hätten Platz finden können. Die Wände waren grob gezimmert aus halbierten Holzbalken, deren sich ablösende Rinde sich einem in langen, welligen, harten Streifen bedrohlich entgegenreckte. Dichte Spinnweben spannten sich zwischen dem löchrigen Wellblechdach und den Holzwänden, in manchen hingen tote Bienen. Großvater hatte noch keine Zeit gefunden, das Generationen alte Haus gründlich zu reinigen, vielleicht gefiel ihm auch der marode Charme dieser unverwüstlichen Herberge von sieben Königreichen. Sieben schmale Kästen mit ungleich hohen Deckeln standen nebeneinandergeduckt wie Vieh auf einer Weide bei einem Gewitter. Hob man einen der Holzdeckel, wurde das unablässig hörbare Summen unglaublich laut. Dieses Geräusch hatte auf mich von Anfang an sehr ehrfurchtgebietend gewirkt; es war, je länger man zuhörte, keineswegs gleichförmig. Es war nicht das Rauschen von Wind oder Meer, dessen Nuancierungen einem immer noch das Gefühl einer großen Einheit über allen Einzelstimmen vermittelten – es war das Geräusch von Individuen, von Unruhe, Kampf und Ärger. Deshalb hielt ich es nie lange aus im Bienenhaus, es machte mich fahrig und nervös. Ich hatte das Gefühl, meine innersten Ängste, einigermaßen kontrollierte Neurosen wurden an diesem Ort nicht beruhigt oder vergessen gemacht, sondern im Gegenteil, wie das Fell eines Hundes, das man gegen den Strich streichelt, an- und aufgestachelt.

Mein Bruder traute sich aus Angst vor jenen Bienen, die nicht nach draußen flogen, sondern ein kleines Loch in den Kästen nutzen, um im Bienenhaus selbst herumzufliegen, nicht einmal über die Türschwelle. Hier, dachte ich, könnte man jemanden im Affekt umbringen.

An der Wand gegenüber den Bienenstöcken hingen Holzregale, die vollgestellt waren mit ausrangierten alten Netzen und Sieben. Der klumpige Honig an ihnen war fast schwarz und roch nicht gut. Paul hatte einmal mit dem Gedanken gespielt, einige Siebe zu stehlen und für eine düstere Collage, die er »88 Grad (Black Honey Red Revenge)« nennen wollte, zu verwenden. Aber die Angst vor Großvaters Rache für solch einen Diebstahl hielt ihn schließlich davon ab.

In einem geflochtenen Korb lagen wild gebaute Wabenformationen, die Bienen entweder in der freien Natur anlegen oder im Bienenstock selbst, wenn die Wachsvorlage schon ausgefüllt ist. Bleich und gekrümmt, wie die abgeworfenen Hüllen längst geschlüpfter Tiere, lagen sie aufgeschichtet. Ein Imkerhut mit langem weißem Netz und schwarzem Mund- und Augenfenster hing an einem Haken neben einem Paar ordinärer Heimwerkerhandschuhe mit plastikverstärkten Fingerkuppen. Landolf Felix war nie ein sehr ambitionierter Imker gewesen, das ganze Bienenhaus vermittelte den Eindruck einer salopp gepflegten Hobby-Werkstatt. Neben der Honigschleuder stand eine leere Flasche Wodka. Und über allem summte, murmelte, brodelte es.

Großvater hatte so lange schweigend durchs Fernglas auf den regen Bienen-Flugverkehr gestarrt, daß ich glaubte, er hätte unsere Anwesenheit vergessen. Aber er winkte mir zu, als ich aus dem Bienenhaus trat. »Freia?«

Er drückte mir das Fernglas in die Hand, und ich starrte in die nahe gerückten Bienenstöcke.

»Sind das Arbeitsbienen, die vielen kleinen Bienen?«

»Ja. Die Arbeiterinnen. Die bleiben nur ungefähr drei Wochen im Stock. Wabenbau. Brutpflege. Danach fliegen sie aus. Sammeln Nektar. Pollen auch.«

Plötzlich war eine Biene riesengroß vor meinem Glas. Sie mußte dicht an uns herangeflogen sein. Ich blieb ruhig und starrte auf ihren Hinterleib.

»Was haben die da Lustiges an den Hinterbeinen?«

Mein Großvater räusperte sich, holte tief Luft und erzählte dann etwas wichtigtuerisch: »Das nennt man ›Höschen‹. Es ist nämlich so, daß die Natur es so eingerichtet hat, daß jede Arbeitsbiene am Unterschenkel des Hinterbeines eine kleine Mulde hat. Zur Aufnahme des Pollens. Der klebt dann am Bein und bildet das ›Höschen‹. Am nächsten Beinpaar befindet sich an der Ferse die Bürste zum Pollensammeln. Die Arbeitsbiene trägt ihr Werkzeug immer mit sich am Körper herum! Unglaublich.«

»Nicht nur ihr Werkzeug, auch die Waffen!« warf ich ein, das Fernglas noch immer auf den Hinterleib der dicht vor mir schwirrenden Biene gerichtet.

»Allerdings …«, murmelte mein Großvater, »die Giftdrüse sitzt am Hinterende. Zwei Stechborsten hat der Stachel – einen als Ersatz, falls dem ersten etwas passiert. Gehen auf Nummer Sicher, die Bienen.«

Ich konnte den Stachel mit seinen zwei Borsten genau erkennen, wie ein gespaltenes Haar sah er aus, dann entfernte sich die Biene zu meiner Erleichterung langsam.

»Und wie viele Arbeiterinnen sorgen für eine Königin?«

Renate und Jo waren in der Küche beschäftigt, und mein Großvater tat nichts lieber, als uns etwas über seine Bienen zu erzählen. Ich vermute, er genoß es sehr, noch einmal als Autorität auf irgendeinem Gebiet zu gelten.

»20000 bis 60000«, antwortete Großvater wie aus der Pistole geschossen. »Und 500–2000 Drohnen.«

Wir drei schwiegen einen Moment. Ich überlegte krampfhaft, was ich noch fragen könnte.

»Stimmt das, was man sagt, ich meine, daß die Drohnen … verjagt werden … nach der Begattung?« stammelte ich schließlich.

Mein Großvater antwortete diesmal indirekt. Hierarchie und Ordnung seien die »zentralen Säulen«, auf denen der Bienenstaat seinen Erfolg aufbaue. Nie würde eine Biene die ihr zugewiesene Aufgabe ablehnen oder ihr Arbeitsfeld verlassen, nie würden »Klassenschranken« durchbrochen werden … Und auch die Drohnen würden eben ihrer Aufgabe vollständig nachkommen, die die Natur ihnen innerhalb dieses perfekten Systems zugewiesen hätte. Besonders prachtvoll sähen diese Drohnen aus mit ihren auffallenden Facettenaugen, die viel größer seien als die der aschenputtelhaften Arbeiterinnen.

»Sie tragen ihren Teil zum Gelingen des Ganzen bei«, wiederholte mein Großvater ehrfürchtig, »und mehr eben auch nicht.«

»Ich möchte keine Biene sein.« Paul wiegte seinen Kopf.

»Wenn, dann nur Königin«, antwortete ich, halb lachend über unsere unsinnigen Bemerkungen. Dann wurde ich wieder ernst:

»Was passiert, wenn eine Königin stirbt? Was passiert dann mit dem Volk, Großvater?«

»Dann bricht es auseinander. Dann zerfällt der Staat. Das Volk braucht einen Führer. Aber nur einen. Wenn man zwei Bienenvölker zusammenlegen will, muß man eine Königin töten. Und dann ganz viel Zuckerlösung auf die durchlässigen Trennwände zwischen den beiden Etagen schmieren, damit sich die beiden Feindparteien gesättigt begegnen. Müssen satt sein. Dann geht's gut. Keine Zuckerlösung, also Hunger, und die stechen sich ab. So ist das.«

Mein Großvater sprach die letzten Worte mit Genugtuung aus. Die geordneten Verhältnisse bei den Bienen schienen ihm zu gefallen.

»Gibt es nicht auch plötzliche Sympathien zwischen Bienen verschiedener Stämme? Brechen da nicht auch mal ein paar aus? Gehorchen die denn immer?«

Mein Großvater ignorierte Pauls Frage, nahm mir wortlos den Feldstecher ab und starrte auf die unzähligen, in einem breiten Luftkorridor fliegenden Bienen.

»Der Mensch!« rief er plötzlich, und legte gleich darauf erschöpft eine Atempause ein. »Der Mensch«, fuhr er leise weiter fort, »sollte sich ein Vorbild an den Bienen nehmen. Damals waren wir fast soweit. Wir waren, kann man ohne Übertreibung sagen, die fortschrittlichste Gesellschaft der

Welt. Nobelpreisträger. Chemie. Physik. Medizin. 1932, Heisenberg. Und fünfmal Chemie von 1931 bis 1944. Bosch, Bergius. Zuletzt Otto Hahn ...«

Hier brach er unvermittelt ab und legte das Fernglas auf seinen Schoß. Mit einer Hand wischte er sich Schweiß von der Stirn.

Wir sagten eine Weile lang nichts. Großvater starrte in den Garten, über den langsam die Dämmerung hereinbrach. Ich sah in die dunklen, scheinbar undurchdringlichen Tannen hinter der Hecke, die, wenn ich die Augen zu Schlitzen verengte, näher zu rücken und, wenn ich die Augen weit aufriß, zurückzuweichen schienen. Sie schienen mir der dunkle Saum der Vergangenheit zu sein; in der Ferne, am Horizont, doch nie verschwunden.

Großvater redete nun mit der gleichen tonlosen Stimme weiter, mit der er später »Na, an irgend etwas muß man doch sterben« sagen würde. Eine gleichmäßige, nuschelnde Stimme, an niemanden gerichtet außer an das vielstimmige Summen und an die Wolken, ihre langen, unförmigen Schatten, die sie auf unsere Hände, Gesichter, unsere Autos, Häuser, unsere Kopfkissen, unseren Schlaf, unsere Leben warfen.

»Nobelpreisträger. Chemie. Physik. Medizin. 1932, Heisenberg. Und fünfmal Chemie von 1931 bis 1944. Bosch, Bergius. Zuletzt Otto Hahn ...«, hörte ich meinen Großvater noch mal in sich hineinflüstern, als würde ihm diese Aufzählung irgendwie Mut machen. Ich sah von seinen fast lautlos zuckenden Lippen auf die faltige, fleckige Haut an seinem Hals, sah von der Gartenschürze auf das kantige, rechte Knie, sein Prothesenknie, das unter ihr zum Vorschein kam. Wie perfekt die Bügelfalte über dem hohlen Bein lag. Der frisch geputzte Schuh. Der ordentlich zugebundene Schnürsenkel. Der leicht abgelaufene Absatz. Ich blickte hoch und sah auf die große, gerötete Nase meines Großvaters und wieder auf die eigentümlich weichen, schlaffen Lippen. Nur wer ihn von nahem sah, bemerkte diesen schlaffen Zug, dem unaufmerksamen Betrachter würde sich nur die kompromißlose Größe seiner Nase einprägen.

»Der Schwänzeltanz!« Mäxchen faßte uns beide an den Schultern und machte uns auf eine Biene aufmerksam, die vielleicht zwei Meter vor uns herumflog.

»Das ist ein festgelegtes Bewegungsmuster, mit dem die Bienen sich über den Standort von Nahrungsquellen verständigen.«

Er reichte Paul das Fernglas, der es mit mäßigem Interesse entgegennahm.

»Hm«, machte Paul vage und gab Mäxchen das Fernglas nach kurzer Zeit wieder zurück.

Großvater erhob sich von seinem Stuhl und näherte sich, ohne den Imkerhut aufzusetzen, einem Busch, vor dem ein Bienenschwarm, ohne aus der Form zu geraten, hin- und herstob.

Ich rief meinem Großvater zu, ob er denn nicht lieber den Hut tragen wolle.

»Na, an irgend etwas muß man doch sterben«, war die lapidare Antwort.

Ich schaute schon wieder auf seine kräftigen Hände, die roten Finger, dachte, daß irgend jemand einmal eine Biographie nur über die Hände eines Menschens schreiben sollte. Wieviel Berührungen, wie viele vermiedene Berührungen, wie viele Zugriffe, Übergriffe hat ein Paar Hände sich im Laufe seines Lebens geleistet …

»Ich war gerade eine Woche in Warschau …«, begann ich zögerlich.

»Kind, warum denn das? Doch nicht etwa wegen Kazimierz?«

»Er war mein Lieblingsonkel!«

»Lieblingsonkel«, entrüstete Mäxchen sich, während er zurück in unsere Richtung humpelte, »das sind die Leute, die ich gerne habe. Haben einmal von uns als ›Aussiedler‹ gesprochen. Aussiedler. Flüchtlinge waren wir! Selbst haben sie absolut profitiert … von allem. Der hat doch groß Karriere gemacht, dein Onkel, bei den Roten drüben. Fernsehanstalt. Und immer tolle Briefe geschrieben, was für ein Leben er führt. Moskau, Jalta, Schwarzes Meer. Frauengeschichten. Am Ende immer eine Bitte, was wir ihm alles schicken sollen. Diese Päckchen haben wir bald eingestellt. Was willst du denn, Kind, ausgerechnet in Warschau … solltest lieber nach Rom oder Venedig fahren.«

Ich starrte meinen Großvater an. Meine Mutter hatte mich nicht ohne Grund gebeten, nichts von Onkel Kazimierz zu erzählen. Mäxchen und Jo wußten nicht einmal, daß er sich vor einigen Monaten in der Weichsel ertränkt hatte. Das Brummen der Bienen schien mir plötzlich ohrenbetäubend laut. Ich fand Gefallen an dem Gedanken, das morsche, windschiefe, zähe Haus in einer neongelben Pulverwolke aus Gift verschwinden zu lassen. Ich hatte keine Ahnung, welche Farbe, wenn überhaupt, das Gift wirklich haben würde, ich stellte es mir nur so vor. Ich dachte an meinen Großvater, der noch nie so etwas gesagt hatte wie eben. Vielleicht erschlug mein Großvater nachts aus Spaß an der Freude Bienen an den dunklen, stinkenden Wänden des Häuschens. Vielleicht tat ihm das gut.

Ich mußte an die Momente denken, in denen Mäxchen schon früher manchmal aus seinem Ohrensessel-Dasein aufgetaucht war.

»Ich habe in Warschau die beste heiße Schokolade getrunken, die ich je in meinem Leben …«, setzte ich an.

»Zieh doch da hin!« brüllte mein Großvater auf einmal. Dann seufzte er tief; mir war nicht klar, ob aus Erschöpfung oder aus Resignation über mich. Schließlich fragte er in normalem Tonfall: »Mit wem warst du denn da in Polen … doch nicht alleine?«

»Nein, mit einem Freund.«

»Was für ein Freund!?«

»Vergiß es, Großvater. Was ist das für eine Biene, die nie zu den anderen fliegt und immer von den anderen gejagt wird?«

»Das ist eine Kuckucksbiene. Es sind Schmarotzerarten. Leben solitär, bauen keine Stöcke, sammeln keine Nahrungsvorräte, und Brutpflege betreiben sie auch nicht.«

Der Tonfall meines Großvaters klang vorwurfsvoll. Er sah der einzelnen Biene mit gerunzelter Stirn nach.

»Sie legen ihre Eier in ...«, mein Großvater wischte sich mit einem karierten Stofftuch den Schweiß von der Stirn, »... fremde Stöcke.«

»Und die wurden nach dem Kuckuck benannt?« fragte ich überflüssigerweise noch einmal nach.

»Ja, ja, nach dem Kuckuck. So etwas gibt es eben nicht nur beim Menschen: diese Heimatlosigkeit, dieses Nomadentum. Für mich sind die Kuckucksbienen die Juden im Bienenvolk. Sie bereichern sich an den Grundlagen, die andere Völker für sie geschaffen haben. Nutznießerisch. Berechnend. Aber eine starke Bienenkönigin – immerhin hat sie ein Heer von bis zu 60000 Arbeiterinnen an ihrer Seite, ach, das sagte ich schon, oder? – läßt die Kuckucksbienen natürlich verjagen.«

Paul und ich warfen uns einen langen erstaunten Blick zu. So hatte Großvater noch nie gesprochen, bei keinem der Kamin-Abende.

Schulterzuckend ging Mäxchen zu seinem Gartenstuhl zurück und wischte sich schon wieder den Schweiß von der Stirn. Ich sah auf sein aschfahles, teigiges Gesicht. Ich sah, wie er die Augen schloß, und biß mir auf den Zeigefingerknöchel.

»Es gibt im Prado ein Gemälde von Jan Bruegel, das ›Der Geschmackssinn‹ heißt und ziemlich merkwürdig ist ...«, begann Paul mit zitternder Stimme, aber Jo stand plötzlich vor uns und schnitt ihm das Wort ab.

»Apropos Geschmackssinn!« rief sie. »Ihr drei sollt Essen kommen. Renate und ich sind soweit!«

Mein Großvater erhob sich mühsam und leise fluchend aus seinem Stuhl. Er vermied den Blickkontakt zu uns, griff aber selbstverständlich nach Pauls Arm, um gestützt zu werden.

Wir gingen langsam ins Haus. In der Tür stand Renate mit aufgelöstem Haar, an den Händen Mehl, und lächelte uns kurz an. Ich stellte mir vor, wie Jo, die sich seit einem Hüftleiden kaum noch auf den Beinen halten konnte, jeden Schritt meiner Mutter in der Küche dirigiert hatte. Jo hatte, trotz ihrer Altersbeschwerden und einer gerade überstandenen Gallenkrebsoperation, immer noch die Stimme eines Fußballtrainers.

Renate und ich ließen die anderen vorgehen, dann folgten wir in einigem Abstand. Nun fragte Renate mich, ob ich denn Mäxchen doch von Onkel Kazimierz erzählt hätte. Ich nickte und erzählte, warum ich jedoch kaum zu Wort gekommen sei. Meine Mutter hörte sehr konzentriert zu und schüttelte den Kopf. Als sie nichts dazu sagte, wurde ich unruhig, zumal die anderen im Wohnzimmer auf uns warteten und der kurze ungestörte Augenblick gleich vorüber sein würde. Ich kniff meiner Mutter in den Arm; eine Geste, die sofort verstanden wurde.

»Ach, Freia, er ist alt und redet ein bißchen wirres Zeug. Er weiß nicht mehr, was er da erzählt. Und bitte, versauere ihm nicht noch die letzten Monate seines Lebens mit diesen Geschichten von früher. Glaubst du, er wird jetzt noch mal ein anderer Mensch? Er hat genug gelitten.«

Sie tippte mit ihrem Fuß an meinen Unterschenkel, um mir die Prothese meines Großvaters in Erinnerung zu rufen. Als hätte ich sie auch nur einen Tag in meinem Leben vergessen können. Warum mein polnischer Onkel meine Großeltern haßte und sie ihn, wollte ich herausfinden, bevor Mäxchen und Jo mir nur noch im Traum begegnen würden. In vielen Träumen mich verfolgen würden, da war ich mir sicher. Immer dieses Schweigen, Geheimnisse, Halbschatten, lauwarme Hände auf meinen Schultern, Hüsteln, Frösteln, Schluchzen. Nichts.

»Du bist früher oft heimlich nach Warschau gefahren ...«, flüsterte ich meiner Mutter zu, den Geruch von Broccoli und Sahnesoße schon in meiner Nase.

Ich erwartete auf meinen Vorstoß sichtbare Verunsicherung oder das übliche von Seufzen unterbrochene Schweigen. Statt dessen holte meine Mutter tief Luft.

»Ich bin ungefähr zwanzigmal heimlich nach Warschau gefahren! Was ich mir alles für Lügen ausgedacht habe! Wenn ich ohne sie im Nacken loszog, Freia, hab ich mich am lebendigsten gefühlt!«

Meine Mutter, die einem selten richtig in die Augen sah, blickte mich jetzt direkt an, und ich spürte ihren Atem an meinem Gesicht. Es war einer dieser überraschenden Momente, in denen sie sich verwandelte. Diese plötzliche Heftigkeit machte mir jedesmal Angst. Ich mußte an einen Zeitungsartikel denken, den ich kürzlich gelesen hatte. Daß Hirntote sich gelegentlich aufbäumen und das Pflegepersonal umarmen, mit einer Kraft, die man ihnen nicht im entferntesten zugetraut hätte, wurde darin beschrieben. Danach sacken sie wieder wie leblos in sich zusammen.

Renate trat einen Schritt zurück und schloß die Augen. Dann sagte sie ebenso zusammenhangslos wie bestimmt:

»Ich habe von ihm geträumt.«

»Von Onkel Kazimierz?«

Meine Mutter öffnete die Augen und sah mich lange, wie aus großer Ferne an, schüttelte den Kopf und drehte sich langsam, in Zeitlupe, weg, wie jemand, den man gerade auf irgendeine Weise fürchterlich enttäuscht hatte, aber ich wußte nicht, was ich hätte fragen, sagen sollen, was sie mir vielleicht eigentlich gerne erzählt hätte.

# 15
## Die rote Tür

Ich spähte durch den Farn. Ich schob einige Wedel zur Seite und hielt den Atem an. Schwerelos sah ich einen Schatten über den sonnenerleuchteten Waldboden laufen. Aber er näherte sich nicht meinem Versteck. Nein. Er wurde, als die Sonne von einem Cirrus-Fetzen verdeckt wurde, langsam immer schwächer, bis er verschwand – wie ein Traum, aus dem man allmählich erwacht.

Wieland war in letzter Zeit immer seltener zu unserer Insel gekommen. Unsere Insel – das war einmal Pauls und meine gewesen. Ich kroch aus dem Farn und sprang über die Holzpfähle, die wir nach einem Krückendesaster in den flachen See eingerammt hatten. Vom Ufer lief ich schnell durch das kurze Waldstück, das den Bleichen See von unserem weiß durch die Tannen leuchtenden Haus trennte. Zu Hause hob ich die Fußmatte, guckte unter der steinernen Vase – nichts.

Am nächsten Tag lag eine Postkarte von Wieland unter dem Hibiskustopf. Es täte ihm leid, daß er mich nicht sehen könnte; er würde mir alles später erklären. Wann – das wurde nicht angedeutet. Die Postkarte steckte wie immer in einem Briefumschlag ohne Angabe des Absenders – ich hielt Wieland ja geheim.

Aus Pauls Zimmer klang das vertraute Klopfen und Hämmern; er baute gerade wieder einen Bilderrahmen. Unschlüssig stand ich in der Tür. Von hinten sah Paul immer noch aus wie ich. Doch Paul trug seit einiger Zeit hellgraue oder cremefarbene Stoffhosen und gebügelte Hemden. Ich amüsierte mich, daß er aus Eitelkeit selbst in seinem unordentlichen, mit Pigment-Gläsern, Eierkartons, Eimern, halbfertigen Rahmen, herumliegenden Pinseln, Schnipseln und alten Zeitungen vollgerümpelten Zimmer so korrekt gekleidet war. Nie lief er in alten Kitteln herum, selbst wenn er davon ausgehen konnte, den ganzen Tag außer Familienmitgliedern niemanden zu sehen. Ich betrachtete Pauls Rücken und fragte mich, ob ich ihn einweihen sollte in meine Sorgen mit Wieland. Jetzt hatte mein Bruder mich bemerkt, obwohl ich keinen Laut von mir gegeben hatte. Er lächelte mich mit seinem halben, flüchtigen Lächeln an und winkte mir mit einer schwachen Handbewegung aus der Hüfte zu. Eine jener unnachahmlich linkischen Gebärden, die ich an ihm liebte. Ich trat näher. Paul hob den Pinsel und malte vor meinen Augen langsam weiter. Ich sah eine Reihe großer goldgelber Kugeln, im Hintergrund vielleicht die Andeutung eines menschlichen Halses.

»Großmutter? Tante Lena?« fragte ich.

Paul wiegte seinen Kopf halb zustimmend, halb verneinend. »Bernsteinplaneten.«

»Ach so, verstehe.« Ich legte meine Hände auf seine Schultern, umarmte ihn von hinten. Paul war schmächtig für einen Jungen; im Vergleich zu ihm kam Wieland mir kräftig vor. Jetzt mischte Paul etwas Weiß in das Goldgelb, um einige »Bernsteinplaneten« zu mattieren. Mein Bruder hatte eine Engelsgeduld. Ich hatte noch nie ein Bild fertiggemalt; wenn es mir nicht gleich gelang, wie es nach meinem Empfinden aussehen sollte, warf ich es weg. Je länger ich Paul zusah, desto unpassender schien es mir, plötzlich über Wieland zu sprechen. Ich hatte Paul kaum etwas über ihn erzählt, geschweige denn ihn vorgestellt, wie sollte er unsere Beziehung, unsere konfliktreiche Reise nach Warschau und Wielands sich seitdem häufenden Absagen, beurteilen können? Ich konnte Paul doch nicht wie früher um Rat fragen, wenn ich ihm bisher meine Gedanken und Gefühle vorenthalten hatte.

Ich fühlte mich sehr allein, als ich mich aus Pauls nach Räucherstäbchen riechendem schummerigem Atelier schlich.

Später fand ich einen Zettel von Wieland in meinen Gummistiefeln, die ich immer vor der Haustür abstellte. Er würde um acht auf der »Iltis-Lichtung« auf mich warten ...

Wieland hatte Cervelatwurstbrötchen und saure Gurken mitgebracht. Dann bettete Wieland den Kopf auf meinen Schoß und erzählte, daß sein Vater seit drei Tagen nicht mehr mit seiner Mutter gesprochen hatte, kein einziges Wort. Sein Vater schrieb Kurznotizen auf Einkaufszettel und legte sie auf den Herd. Wenn seine Mutter ihn anschrie, drehte er nur Wagners »Ring« lauter ...

An dieser Stelle unterbrach Wieland sich:

»Sag mal, Freia, stehen deine Eltern eigentlich auch auf Richard?«

Ich mußte erst einen Moment überlegen, wen er mit »Richard« meinte, dann murmelte ich: »Nein, wieso?«

»›Freia‹ ist in ›Rheingold‹ die Hüterin der ewigen Jugend, die die Riesen von Wotan für ihre Hilfe beim Bau der Burg als Lohn fordern. Falls du von ›Rheingold‹ schon mal gehört hast ...«

Ich schüttelte den Kopf und erzählte Wieland, wie Paul mir beziehungsweise einer mir sehr ähnlichen Figur spaßeshalber in einem Märchen diesen Namen verpaßt hatte, weil eine nordische Wettergöttin, die in einer Nebelhalle namens Fensalir regiert, Frija heißt.

»Ja, ja, die nordischen Götter, da sind wir wieder«, seufzte Wieland, »wie kann man sich solch einen Namen nur freiwillig aussuchen ...?«

»Mein Gott, Paul war noch ein Kind ... soll ich vielleicht meinen Namen alle fünf Jahre ändern, weil er irgend jemandem mal wieder nicht paßt?«

Nachdem er länger geschwiegen hatte, murmelte Wieland: »Bloß nie heiraten, bloß keine Frau und Kinder … bloß später kein Haus am Stadtrand, bloß … ach, am besten man bleibt alleine …«

Ich starrte den Jungen an, der diese entschiedenen Worte sprach und doch so anschmiegsam seinen Kopf auf meinen Schoß gebettet hatte und jetzt meinen Bauchnabel zu küssen begann.

In den nächsten Wochen sahen wir uns noch seltener als vorher, und wenn wir uns trafen, wirkte Wieland abgelenkt und verschlossen. Aber da er mir oft Plätzchen vom Bäkker mitbrachte oder selbstbespielte Kassetten, bekam ich das Gefühl, er hätte mir gegenüber ein schlechtes Gewissen. Paul schien zu merken, daß es mir nicht gut ging, und er malte mir einen riesigen, wunderschönen Jupiter, den ich über meinen Schreibtisch hängte. Doch manchmal entdeckte ich in seinen Augen auch eine Spur von Genugtuung.

Als es zu kalt wurde, um am Bleichen See zu picknicken, fing Wieland an, mich wieder öfter nachts zu besuchen – wir lagen dann bei Kerzenschein umschlungen auf meiner Couch unter einer Mohairdecke und hörten Musik, wobei Wieland ziemlich viel Wein trank. Ich versuchte zu verhindern, daß er sich betrank, aber er leerte ein Glas nach dem anderen. Wir hatten alberne Streitigkeiten, bei denen ich ihm sein Glas, kaum hielt er es unter die Weinflasche, mit Mineralwasser vollgoß oder ihn küßte, wenn er gerade einen tiefen Schluck genommen hatte, um ihm den Wein aus dem Mund zu trinken, aber letztendlich gelang es mir nie, ihn davon abzuhalten, sich, kurz bevor wir ins Bett gingen, vollständig zu betrinken. Nachher war er dann nicht mehr in der Lage, mit mir zu schlafen. Einmal, als wir beide einen Schwips hatten, lagen wir Arm in Arm auf meinem Bett und lauschten Pauls orientalischer Musik von oben. Wieland wippte mit den Zehen. Plötzlich setzte er sich auf:

»Wollen wir ihn nicht einfach mal überraschen, deinen Bruder? Er wird doch nicht mit einem Dolch auf mich losgehen, oder?«

Ich war betrunkener, als ich vermutet hatte, mir war auf einmal alles, was mir sonst Kopfzerbrechen gemacht hätte, egal. Wieland sprang auf. Ich hatte Mühe, auf die Beine zu kommen. Auf der Treppe stolperte ich. Die Tür zu Pauls Atelier war wie immer angelehnt. An seiner Art, Türen weder zu schließen noch richtig zu öffnen, meinte ich Pauls wankelmütiges Wesen wiederzuerkennen.

Mein Bruder saß versunken vor einer gespannten Leinwand, als wir vorsichtig eintraten. Wieland stand hinter mir, ich spürte seinen warmen Atem in meinem Nacken. Jetzt wurde ich doch nervös. Der Raum war nur schwach beleuchtet, Paul haßte grelles Licht und malte zu unser aller Verwunderung am liebsten nachts. Eine Öllampe stand zu seinen Füßen, Zeichnungen lagen überall zwischen Pinseln und ausgeschnittenen Notizen herum. Von der Decke hingen dicht hintereinander wie ein unendlicher Vorhang riesige Transparent-Papiere, die Paul mit blauem Wachs besprenkelt hatte. Im Hintergrund lief die Sitarmusik. Paul saß mit dem Rücken zur Tür, das marineblaue Hemd ließ seine vom Sommer gebräunten Unterarme sehen. Langsam drehte er sich um. Ich spürte, wie Wieland den Atem anhielt. Niemand sagte etwas. Paul sah uns ausdruckslos an – er mußte sehr überrascht sein, wie wir plötzlich nach so vielen Monaten wie Geister in der Tür standen, aber sein Gesicht spiegelte nichts davon. Schließlich wandte er sich ebenso gemessen wieder seiner Leinwand zu. Dann hob er einen Arm und malte einen feuerroten Strich quer über das Bild. Wieland und ich starrten erschüttert auf diesen Strich. Leise traten wir zurück in den dunklen Flur.

Auf dem anschließenden nachmitternächtlichen Spaziergang stolperten wir Hand in Hand über Baumstümpfe und
moosbewachsene Steine, um die ich gewöhnlich geschickte
Bögen machte. Ich rülpste laut im Wald, vor dem ich sonst
Ehrfurcht hatte, so betrunken war ich. Hatte ich Pauls Wut
auf den Jungen, der ihm seine Zwillingsschwester entfrem-
det hatte, unterschätzt? Als ich ein paar unbeholfene Sätze
über den kurzen Atelierbesuch machte, merkte ich, daß
Wieland anfing, sich unbehaglich zu fühlen. Meine Familiengeschichte begann ihm über den Kopf zu wachsen. Da lief er
fort von seinem Wagner hörenden, Bücher über die »Deutsche Kriegsflotte« lesenden Vater und seiner tablettensüch-
tigen, sich in den Schlaf flüchtenden oder schimpfenden
Mutter, um hier am Ende der Stadt in eine andere verwir-
rende Welt einzutauchen.

»Ihr seid doch nicht verheiratet!« sagte Wieland zu mir.
Und ich dachte für ein paar Sekunden daran, wie oft ich
Paul geheiratet hatte. All die Fotos, auf denen wir Blu-
menkränze auf dem Haar und aus Gräsern geflochtene
»Ringe« tragen, die später von Plastikringen aus Kaugum-
miautomaten ersetzt wurden. Mindestens fünfzehnmal
hatte ich meinen Bruder geehelicht.

Nach diesem ersten Treffen mit Paul zog Wieland sich
noch weiter zurück. Nur noch selten fand ich grüne und
blaue Murmeln in unserer Kuhle auf der Insel, baumelten
Säckchen mit vom Wasser rundgewaschenen Steinen an einem tiefhängenden Ast hinter der Garage, lagen Trauben-
zuckerbonbons unter dem Salamander-Stein im Garten.
Nur noch selten schrieb er mir Briefe, die ich morgens mit
klopfendem Herzen aus meinen Gummistiefeln auf der
Treppe zog. Und doch war es in dieser Zeit, daß Wieland
mir sagte, er würde mich lieben.

An einem regnerischen Novembertag, an dem wir trotz
des Wetters zur Iltis-Lichtung gegangen waren, nahm er

mein Gesicht in seine Hände, studierte es mit ernster Miene und flüsterte mir diese Worte zu.

Das nächstemal trafen Wieland und Paul sich durch Zufall.

Ich kam mit Paul von einem verregneten Spaziergang – in diesem November hat es in meiner Erinnerung eigentlich nur geregnet –, als Wieland vor der Hintertür stand, lässig, die Hüften vorgeschoben, den Kragen seines Anoraks hochgestellt. Mein Vater war für drei Tage verreist und meine Mutter bei ihren Eltern.

Ich spürte ein Kribbeln in meinem Bauch, spürte auch den leichten Schreck, den Paul bekam. Es gab kein Zurück mehr. Die Tür hinter Wieland leuchtete rot. Wir sahen beide zu ihm hin – Wieland, mit seinem ernsten, forschen Blick, der ihm trotz seiner schlaksigen Gestalt etwas Erwachsenes verlieh, etwas, das ich noch nie in Pauls und meinem Spiegelbild gesehen hatte, wenn wir nebeneinander im Flur standen, mit hochgezogenen Schultern die Reißverschlüsse unserer Daunenjacken schlossen und uns angrinsten. Wieland fuhr sich einmal kurz durch die blonden, strubbeligen Haare. Paul und ich gingen im Gleichtakt schneller. Wieland lehnte sich zurück und musterte uns abwechselnd. Sein Blick blieb an Paul hängen, er wanderte hinauf und hinunter. Mir schlug das Herz bis in den Hals.

Wieland und ich küßten uns immer zur Begrüßung. Nun waren wir verlegen. Und mir schien, als würde diese Verlegenheit stärker von ihm ausgehen. Mir schien, er wäre, als ich ihn dann doch beinahe wütend küßte, ein bißchen zurückgewichen. Zu dritt liefen wir ins Haus, die Jungen hinter mir.

Da beide kein Wort sagten, schien es mir überlassen, ein Gespräch anzufangen. Ich bot ihnen an, Tee zu kochen und dazu Baumkuchen anzuschneiden. Paul legte eine alte Vinylplatte auf, »Rubber Soul« von den Beatles, und fragte

Wieland schließlich, welche Musik er gerne hörte. Und Wieland antwortete ihm ausführlich. Ich war in der Küche beschäftigt, während die beiden anfingen, sich zu unterhalten. Man spürte ihre Vorsicht im Umgang miteinander. Doch nach einer Weile flogen Pauls und Wielands Worte hin und her, ein sanftes Pingpong, bei dem es weniger auf den Inhalt der Worte als auf die Tonlage der Stimme, ihr Schwingen, ihre Untertöne ankam. Kraftlos schnitt ich Baumkuchenstücke, und meine Arme wurden unendlich schwer, als ich das Tablett mit Tee, Honig, Zucker und Kuchen zu den beiden ins Wohnzimmer trug.

Nach diesem langen Abend, an dem wir über die Farbe Lila in Pauls Gemälden, über die Wahrscheinlichkeit extraterrestrischen Lebens und Reisen in die Wildnis, von denen Wieland träumte, sprachen, eine Unterhaltung, bei der ich mich nicht auf die Gesprächsgegenstände konzentrieren konnte, sahen sich Wieland und mein Bruder lange Zeit nicht. Es folgten Monate, in denen Wieland mich verbissen liebte und mir viel zu oft sagte, daß er mich begehrte …

In den Ferien fuhren Wieland und ich in die Tschechoslowakei, wo wir wanderten und zuviel Pivo tranken. Paul machte in der fernen Provence einen Sommerkurs in Französisch. Aber irgendwann kamen der Spätsommer und der Herbst und natürlich – unvermeidlich – der Tag, an dem sie sich wiedersahen. Es war Pauls und mein achtzehnter Geburtstag.

Wir hatten beschlossen, in unserem Keller eine kleine Party zu feiern. Dazu würden wir die fünf, sechs nettesten Klassenkameraden einladen sowie zwei Jungen, mit denen Paul ab und zu Kanufahren ging. Doch mein Hauptgast war natürlich Wieland.

Schon bei den Vorbereitungen fiel mir auf, wie oft Paul fragte, ob Wieland denn dieses oder jenes Essen bevorzugen würde, und selbst als er überlegte, ob man Matratzen auf den Boden legen oder Stühle herunterholen sollte, stand die Frage im Raum, was Wieland davon halten würde. Paul und ich waren alles andere als geübte Party-Organisatoren. Wieland schien für uns beide eine Art Testperson zu sein, die uns bestätigen könnte, alles »richtig« gemacht zu haben, weil er so viel Ruhe und Selbstvertrauen ausstrahlte.

Wir brauchten zwei Wochen, um diese Party vorzubereiten. Wir nähten bunte Bezüge für unsere häßlichen braunen Sitzmatratzen, im Sperrmüll fanden wir einen alten zusammengerollten Perserteppich, den wir an die Wand hängten. Hin und wieder stürmte unsere Mutter nach unten, weil ihr Tips für Salate eingefallen waren, die wir ebensoschnell vergaßen, wie sie uns gegeben wurden. Mein Vater half uns beim Getränke-Schleppen.

Wenn Paul und ich früher etwas zusammen unternahmen, konnten wir uns meist schnell einigen, nun aber stritten wir über jede Schale mit Erdnüssen und jede Girlande. Paul schien mir krankhaft perfektionistisch, und ich merkte, wie ich, um ihn zu ärgern, die Schalen in entlegene Ecken stellte oder die Girlanden unschön von der Decke baumeln ließ. Paul wiederum sabotierte meine Bemühungen, lebensgroße Kopien unserer Kinderfotos anzubringen, und tat mir nicht einmal den Gefallen, sich lustige Namen für unsere Cocktails auszudenken.

Als die Party schließlich näher rückte, hatte ich kaum noch Lust zu feiern. Lieber wäre ich mit Wieland alleine gewesen, obwohl er sich auch beim letzten Besuch hoffnungslos betrunken hatte.

Um neun kamen die ersten drei Gäste. Sie brachten Wein mit und schenkten uns eine Folkrock-CD, die wir gleich einlegten. Alle lachten über die großen Fotos von Paul und mir in gestreiften Latzhosen und roten T-Shirts, mit Lollies in den Händen, fast so groß wie unsere Gesichter.

Dann kamen unsere Eltern herunter, mein Vater hatte noch zwei Freunde mitgebracht. Der Anblick meines Vaters mit seinen Kumpels behagte mir zwar nicht, aber bald erzählte er so amüsante Geschichten, daß alle zwei Minuten eine Lachsalve von seinen Zuhörern ausging. Die Stimmung war gut, nur Paul lief aufgeregt herum, schob Schälchen hin und her, räumte Gläser ab, die Gäste erst vor einem Moment abgestellt hatten, und zupfte an den Girlanden.

Jedesmal, wenn der Glitzervorhang wehte, den wir in die Kellertür gehängt hatten, sah ich, wie Paul sich schnell umwandte. Um zwölf wollten wir anstoßen.

Um sieben vor zwölf flatterten die glitzernden Plastikstreifen, und Wieland stand lässig in der Tür. Als er heranschlenderte, traute ich meinen Augen nicht: er war nicht allein gekommen, hinter ihm stand ein anderer Junge mit feuerrotem Haar unter einer schwarzen Mütze. In der Hand hielt er eine Flasche Sekt. Wieland trat auf Paul und mich zu. »Herzlichen …«, hob er an, dann küßte er jeden, ohne den Glückwunsch zu beenden, auf die linke und die rechte Wange. »Das ist Patrick, mein Nachbar, könnte man sagen …«

Ich nickte ihm stumm zu. Noch nie hatte Wieland von ihm erzählt. Mir fiel leider nichts ein, wie ich hätte reagieren sollen. Ich starrte ihnen nur hinterher, wie sie sich im Keller umschauten und schließlich zur Bar stapften. Ich konnte nicht aufhören, Wieland anzusehen, seine Nase, sein Kinn, seinen Adamsapfel, seinen Nacken, seinen Rücken, seine schlanken, langen Beine, seine Hände, die jetzt so gedankenverloren über den Rand des Bierglases strichen … Für einen Moment fragte ich mich, ob Wieland und ich nicht unseren Schwur, unsere Beziehung geheimzuhalten, hätten lösen sollen. Er hatte mich nicht anders als meinen Bruder auf die Wangen geküßt – und auch dieser Patrick mit seinem Thälmann-Mützchen und seinem listigen Grinsen würde nicht wissen, wer ich eigentlich war ...

Den restlichen Abend über wusch ich Gläser ab, spielte den DJ, lüftete, füllte Erdnußschälchen, wischte Weinlachen vom Boden auf. Ich hatte keine Lust mehr, mit irgend jemandem zu reden außer mit Wieland, und begann mich zu ärgern, daß ich überhaupt die Idee mit der Fete gehabt hatte. Statt dessen könnten Wieland und ich jetzt umschlungen auf dem Sofa liegen und herumspinnen, was wir uns einmal für ein Baumhaus bauen würden ...

Von der ersten bis zur letzten Minute der Party hatte ich fieberhafte Sehnsucht nach Wieland; daß er mit anderen ins Gespräch vertieft war, ohne meine Nähe zu suchen, tat mir weh. Doch ich brachte es nicht fertig, zu ihm hinzugehen – ich wollte, daß er meine Abwesenheit bemerkte und zu mir kam ...

Aber Wieland blieb mit Patrick zusammen an der Bar stehen. An der Art, wie sie gestikulierten, wie sie ihre Hüften vorgeschoben hatten, merkte ich, daß sie recht vertraut miteinander waren. Warum hatte Wieland mir nie von diesem Freund erzählt? Mir kam der Gedanke, ob unsere Geheimbeziehung vielleicht nicht nur bedeutete, daß wir uns vor anderen versteckt hielten, sondern auch, daß wir andere Menschen voreinander versteckt hielten.

Unsere Gäste schienen sich gut zu amüsieren, Peter spielte weiter den Animateur, meine Mutter half Paul gerade, ein Geschenkband durchzutrennen, und alle redeten angeregt miteinander. Und wieder glitt mein Blick zu Wieland, sein Körper leuchtete für mich, jede seiner Bewegungen schien mir besonders, unnachahmlich, diese Art, sich die Haare aus dem Gesicht zu schieben, den Kopf zu senken, wenn er konzentriert zuhörte, das Standbein zu wechseln, die Beine übereinanderzuschlagen ... Aber er schaute nicht zu mir hin. Ich hob Flusen vom Boden auf, zerkrümelte Erdnüsse zwischen meinen Fingern. Als Anja einmal zu mir hersah und Anstalten machte, näher zu kommen, guckte ich schnell weg und tat beschäftigt. Als ich den Blick wieder hob, redete Jochen, einer der Kumpel meines Vaters, gerade auf Patrick ein, und Wieland schaute sich um. Er konnte mich nicht sehen, denn ich saß mit Mario hinter dem DJ-Pult; sein Blick wanderte suchend umher und blieb an Paul hängen. Mein Bruder hatte sich der Länge nach auf einer Matratze ausgestreckt. Gerade räkelte er sich, strich sich mit beiden Händen von der Brust über die Lenden. Wielands Blick blieb auf Paul gerichtet.

Ich wurde unruhig, fixierte Wieland, ich hoffte, er würde meinen Blick spüren und dann zu mir herschauen. Manchmal funktionierte das. Wir hatten schon hundert Meter voneinander entfernt auf Lichtungen im Wald gestanden, und Wielands Kopf hatte sich langsam zu mir umgedreht, als hätte ich an einem Seil gezogen. Paul setzte sich jetzt auf, wobei er sich sein Hemd etwas zurechtrückte. Er hob den Kopf – und traf Wielands Blick. Einen Moment lang hielt er seinem Blick stand, dann legte Paul den Kopf zur Seite und lächelte Wieland an mit seinem halben, immer etwas unglücklich wirkenden Lächeln, er hörte nicht auf zu lächeln, und Wieland nickte – kaum merklich und sehr ernst.

Ich stand mit steifen Beinen auf.

»Wechsel!« sagte ich kompromißlos zu Mario und stellte die Musik aus, die er als letztes aufgelegt hatte. Dann legte ich »Helter Skelter« auf und sah mit Genugtuung, wie sich die Tanzenden schnell auf die Matratzen flüchteten.

Ausgerechnet in dem Moment, als ich meine Zunge ins Weinglas steckte und komische, schnalzende Geräusche machte, um einen Tropfen herauszulecken, stand Wieland vor mir.

»Wie geht's? Zufrieden?«

Ich wischte mir mit einem Hemdsärmel schnell über den Mund und schüttelte den Kopf.

Wieland hob eine Augenbraue. »Was ist denn los?«

»Nichts, ich bin kein Partytyp, vergiß es.«

Er setzte sich auf einen Hocker neben mich. Nach längerem Schweigen meinte er:

»Ich dachte, die Gastgeber werden so beschäftigt sein, daß ich mir lieber einen Spielkameraden mitbringe.«

Ich zuckte mit den Schultern und tat so, als würde ich mich hingebungsvoll auf die Musik konzentrieren. »Laß mich alleine …«, sagte ich schließlich, stand auf und stellte mich zu einem der Grüppchen. »Helter Skelter« klang laut und scheppernd aus.

Die ersten Gäste verabschiedeten sich, meine Mutter hatte sich auch schon schlafen gelegt. Nachdem sich der Kreis um ihn aufgelöst hatte, hatte sich mein Vater mit Jochen hinter die Bar verzogen und sah jetzt wieder wie ein Mann seines Alters aus.

Paul lag ausgestreckt auf einer Matratze und unterhielt sich angeregt mit Patrick – ich beobachtete sie eine Weile. Dann konzentrierte ich mich ganz auf meine DJ-Tätigkeit, entschlossen, die übriggebliebenen Gäste mit Rausschmeißer-Musik zu vertreiben. Ich spielte Schlager von Roberto Blanco und Heintje. Ich wollte mit Wieland allein sein.

Eine Weile schien sich niemand mehr um die Musik zu kümmern. Ich befürchtete, sie könnten sich noch ewig so unterhalten.

Um kurz vor fünf standen jedoch alle auf einen Schlag auf. Wieland löste sich jetzt von der Bar. »Du warst ja eine verbissene DJane!«

Ohne etwas zu erwidern, schob ich die heilige Heintje-Single meiner Mutter in ihre Hülle.

»Mein Geschenk habe ich vorhin Paul in die Hand gedrückt, weil ich dich gerade nicht gesehen habe, aber das ist natürlich für euch beide!« raunte Wieland.

Ich starrte ihn ungläubig an, ich wollte etwas sagen, aber mir fiel nichts ein. Nichts, was die Skala meiner Gefühle zum Ausdruck gebracht hätte.

Wieland küßte mich links und rechts.

»Bis bald!«

Er drehte sich um – mir schien, er wartete, bis ich wieder in ein Gespräch vertieft war – und trat auf Paul zu. Während ich mir Stefanies Dank für unsere Einladung und ein Lob für unsere »witzige Dekoration« anhörte, beobachtete ich aus den Augenwinkeln, wie Wieland mit Paul redete. Paul fuhr sich durch die Haare, nickte mehrfach zustimmend, lachte einmal; es sah nicht nach einer kurzen, unverbindlichen Verabschiedung aus. Dann ging Wieland mit Patrick, der mir nichts außer einem kurzen unverständlichen Witz erzählt hatte, hinaus. In der Tür drehte Wieland sich noch einmal um und sah mich mit einem düsteren und sehnsuchtsvollen Blick an, der mich verwirrte. Ein letztes Mal wehte der nun schon etwas lädierte Glitzervorhang auf, dann waren Paul und ich allein.

»Ich will mich ja nicht einmischen, aber bei der Musik, die du so aufgelegt hast … da haben die Leute immer aufgehört zu tanzen!« meinte Paul, während er leere Weinflaschen auf einem Tischchen gruppierte. Schweigend räumten wir bis zum Morgen auf.


Die nächsten Tage sah ich Paul kaum. Wieland meldete sich nicht, und ich versuchte mich mit einem Buch über die alten Ägypter abzulenken. Nachts ging ich mit meinem Fernrohr auf die Iltis-Lichtung, weil es in diesen Tagen eine Venus-Jupiter-Konjunktion geben sollte.

An den Wieland-verdächtigen Orten hatte ich immer noch keinen Zettel gefunden.

In der folgenden Nacht konnte ich überhaupt nicht schlafen. Ich machte hundert Liegestütze, ich duschte lange und heiß, ich trank Melissentee – es gab kein Mittel, mich müde zu machen. Um drei Uhr nachts war ich schließlich außer mir vor Unruhe. Ich zog mich wieder an, nahm meine Taschenlampe, schlich mich über die quietschende Holztreppe hinunter, und schon stand ich draußen. Der Himmel war von einem diffusen, kalten Licht getränkt. Es war eine Art von Himmel, schieferfarben und undurchdringlich, die ich haßte. Ich schritt schnell über den Rasen, trat in den Wald, spürte den Temperaturunterschied, die besondere Kühle des Waldes, die mich seit der Kindheit für Sekunden die Luft anhalten ließ. In der unendlichen Familie der Tannen hörte ich mein festes Schuhwerk wie die Schritte eines Fremdlings. Ich war zu laut, mein Herz klopfte, mein Anorak streifte geräuschvoll die Nadeln.

Ich sah den blaßgrünen Streifen Wiese schon von weitem durch die Tannen wie den Vorboten einer Krankheit. Je weiter ich lief, desto mehr veränderte sich meine Stimmung. Ich war nicht mehr unruhig, nicht mehr ängstlich, ich hörte das Knacken unter meinen Schuhen nicht mehr. Ich lief einfach nur, zielsicher und ohne Gefühl, ein gehorsamer Soldat. Ich hatte einen leichten Trab eingelegt, und jeder meiner Schritte erfolgte pünktlich im Takt, als würde ich nicht aus Fleisch und Blut, sondern aus einem Uhrwerk bestehen. Einmal verscheuchte ich ein Insekt von meiner Stirn, ohne dabei die Kälte meiner Hand zu bemerken.

Ich lief noch zwischen den Tannen, als ich sie sah. Während ich aus dem Takt geriet, wollte ich mir noch einreden, zwei fremde Jungen vor mir zu haben, aber es gelang mir keine drei Schritte. Auf der Wiese saßen Wieland und Paul im Schneidersitz. Sie saßen dicht voreinander und sahen sich an.

Ich blieb zwischen den Tannen stehen. Mein Herz klopfte laut und langsam wie der Klöppel einer gewaltigen Glocke. Ich fing an zu frieren. Ich bewegte mich nicht. Dann drehte ich mich um mit einem Ruck, als würde ich einen festgefahrenen Karren aus dem Morast ziehen. Das Knirschen unter meinen Füßen war ohrenbetäubend laut. Sie mußten mich gehört haben. Sie mußten mich gesehen haben. Das letzte, was ich erhascht hatte, war, wie Wieland eine Hand im Zeitlupentempo gehoben und an Pauls Wange gelegt hatte.

# 16

# Bernsteinketten

Jo saß mit geradem Rücken auf ihrem Sofa, eine Teetasse in der Hand. Sie hob die kleine, mit bunten Vögeln bemalte Tasse nur leicht an, stülpte die Lippen vor und schlürfte ihren Tee. Mit Honig natürlich. Wir saßen in ihrem Wohnzimmer, das mit seinen Biedermeiermöbeln, seiner Ranftbechersammlung, einem Nachdruck von Georg Friedrich Kerstings »Die Stickerin« und einer Lithographie der Jägerzeile in Wien ein wenig wie ein Salon aus dem 19. Jahrhundert anmutete. Meine Mutter und ich hockten auf kleinen Sesseln, deren Sitzfläche niedriger war als die des Sofas, und hörten Jo zu. Sie erzählte wieder vom Krieg, von der Flucht aus Westpreußen, von einem Arztbesuch bei Dr. Gehlke, von der Verwundung meines Großvaters in Rußland, von Tante Marions Geburtstag und einer vor Jahrzehnten eingetroffenen, liederlich geschriebenen Ansichtskarte von Onkel Kazimierz aus Jalta – als würden all diese Erlebnisse zeitgleich stattfinden, jetzt. Zwischendurch nahm sie mehrere Schmerztabletten, von denen ich wußte, daß sie auch eine seditative Wirkung hatten. Jos Krebserkrankung war trotz der Operation vor ein paar Jahren innerhalb kurzer Zeit wieder ausgebrochen.

Meine Mutter nickte geduldig, versuchte jedoch, jeden Stichworteinwurf zu vermeiden, weil das bei Jo wieder eine endlose, schleppend vorgetragene Rede nach sich gezogen hätte.

Meine Großmutter war gerade dabei zu schildern, wie sie Gotenhafen (meine Mutter und sie stritten wieder über den Namen dieser Stadt) verlassen mußte. Je verwirrter sie in den letzten Wochen geworden war, desto mehr redete sie über den Krieg und ihre Flucht.

Zwischendurch leckte sie genießerisch ihren Honiglöffel ab. So etwas hätte sie, die immer viel Wert auf »Form« gelegt hatte, sich vor ein paar Monaten noch nicht »durchgehen lassen«. Sie machte schmatzende Geräusche, ließ sogar Honig aus ihrem Mund wieder auf den Löffel tropfen.

»Menschen überall, Verwundete, Sterbende, Kinder, Fliegeralarm ... und immer diese Ahnung, daß der Russe nicht mehr weit ist ...« Jo starrte uns eindringlich an, während sie sprach. Manchmal preßte sie die Lippen aufeinander oder schüttelte den Kopf.

»Mitten in der Nacht wachen meine Schwester Lena und ich von einem ohrenbetäubenden Lärm auf ... wir wissen, das ist wieder einmal Bombenalarm, und wir müssen so schnell wie möglich in den Keller, da wir aber nun einmal im vierten Stock nächtigten ...«

»Im zweiten, übertreib nicht, Jo!« rief Renate.

»Kind, weiß ich, in welchem Stock mein Bett stand, oder du?«

Meine Mutter schwieg und begann wie ein gelangweiltes Kind an der Tischdecke herumzuzupfen.

»Also wir laufen vom vierten Stock ...«, meine Großmutter betonte das »vierten« mit einer gehässigen Deutlichkeit, »in den Keller ...« Dann verlor sie den Faden und starrte auf ihren leeren Honiglöffel. Renate stand ungeduldig auf und sortierte Wäsche in eine Kommode.

Jo nestelte an ihrer Mohairdecke herum. Sie hatte sich binnen kürzester Zeit vollkommen verändert. Ich wußte nicht, ob die Einsicht in ihre Krankheit Jo den Lebensmut genommen und den Verfall ihres Gedächtnisses beschleunigt hatte oder ob ein Ereignis, unabhängig davon, an ihrem Erinnerungsverlust schuld war: Vor sechs Wochen war sie in ihrer Küche gestürzt und hatte einen Oberschenkelhalsbruch erlitten. Niemand wußte, wie lange sie in ihrer Wohnung auf dem Boden gelegen hatte, bevor ein vorbeigehender Nachbar am nächsten Morgen ihr Fingernägelkratzen an der Innenseite ihrer Wohnungstür hörte. Dr. Gehlke hatte vermutet, daß der Grund für diesen Sturz ein Schlaganfall gewesen sei. Mein Großvater hatte zu diesem Zeitpunkt schon wegen seines Prostata-Krebses im Krankenhaus gelegen. Er hatte seitdem die Klinik nicht mehr verlassen; meine Mutter wohnte mehr in Minden als in Berlin, und Paul und ich wechselten uns mit Besuchen ab. Peter kam selten; er war durch seine Praxis nicht sehr flexibel. Davon abgesehen, hatten er und Jo sich noch nie gut verstanden.

Immer, wenn ich meine Großmutter besuchte, versuchte ich herauszufinden, woran sie sich noch erinnern konnte, und zu verstehen, warum andere Dinge spurlos ihrem Gedächtnis entglitten zu sein schienen. Ich hatte den Eindruck, daß hauptsächlich zwei Kriterien erfüllt werden mußten, damit eine Erinnerung Jo erhalten blieb: Das Ereignis mußte vor langer Zeit stattgefunden haben, am besten in ihrer Kindheit und Jugend, und es mußte eine negative Erinnerung sein.

Abendelang hatten Renate und ich neben Jo gesessen, hatten sie mit Kompott gefüttert und ihr Fotos von den vielen Reisen gezeigt, die sie in ihrem Leben unternommen hatte. Winterurlaub in Davos, Herbstferien in der Lüneburger Heide, ein Wochenende in London, ein Trip in die Provence, Silvester bei Freunden in Wien, sogar eine Reise nach Miami hatten meine Großeltern, denen es an Geld nie gemangelt hatte, noch gemacht. Aber abgesehen von der Florida-Reise, an die sich Jo wegen des unerwartet schlechten Wetters und des »schrecklich unübersichtlichen Flughafens« von Miami gut erinnern konnte, schienen die meisten Reisen in keinerlei Zusammenhang mehr zu ihrem Leben zu stehen.

Sie ließ sich von uns gern etwas über London erzählen, wiegte nachdenklich den Kopf, als Renate über die schönen Spaziergänge in der Provence und das gute Essen dort berichtete; sie hörte gespannt zu, als mir die Jagdhunde der Ferienhausnachbarn in der Lüneburger Heide einfielen, wie sie unser Spielzeug apportierten und einmal sogar eine Plastiktüte mit Himbeeren, die Jo im nahe gelegenen Wald vergessen hatte, an die Tür brachten – Jo schien alles zum erstenmal zu hören und kicherte amüsiert.

Ich schleppte all die Fotoalben an, die Jo nach der Flucht, nach dem Verlust früherer Alben, mit noch größerer Akribie angelegt hatte; ich ließ Jo Blicke in ihre auf unzählige Schuhkartons verteilte Postkartensammlung werfen, ich suchte die entsprechende Kleidung, die sie auf den Reisefotos trug, aus ihren drei großen Schränken heraus, ließ sie die Stoffe befühlen und hielt ihr alte Parfüm-Flakons unter die Nase. Gelegentlich schien Jo sich für Sekunden zu erinnern. Es mußte, schloß ich, ein Gedächtnis »für den Moment« geben.

»Dieses Parfüm habe ich geliebt! Das habe ich damals immer benutzt, als ich zu den Elternabenden ging. Dieses Kleid hab ich in dem Sommer getragen, als Tante Barbara starb. Und in den Schuhen hab ich damals Lena in der Baumschule geholfen und hab junge Triebe gestutzt, als Kurt seinen Beinbruch hatte. Und dieses Haarband, das habe ich immer getragen, wenn ich mit Mäxchen ins Thermalbad ging, damit meine Haare nicht aus der Badekappe rutschten!«

Aber wenn man Jo diese Dinge zwei Tage später zeigte, erinnerte sie sich an nichts mehr.

»Das ist ein häßliches Haarband. Ist das von meiner Schwester?« hieß es, oder: »So ein süßliches Parfüm hab ich nie benutzt. Das ist doch eher etwas für Hilde. Diese Schuhe sind etwas grob für meinen Geschmack. Die müssen Tante Karla mit ihrer Pferdemacke gehören.«

Einmal versuchte ich es mit Musik. Meine Großeltern besaßen viele Platten mit klassischer Musik, und ich hoffte, sie würden bei Jo manche Erinnerung wach werden lassen.

Als ich die Platten in dem dunklen Holzschränkchen, auf dem, seit ich denken konnte, ein riesiges, altmodisches Radio stand, der Reihe nach durchschaute, wählte ich zunächst die besonders zerkratzten aus. Ich dachte mir, daß Jo und Mäxchen sie besonders oft gehört haben mußten und die Chance am größten sei, daß sie bei Jo irgendeine Erinnerung auslösen könnten. Ich legte also die »Pastorale« von Beethoven auf, eine Platte, die Paul und ich oft während der »Märchen-Abende« gehört hatten, an die ich mich noch gut erinnern konnte – aber zu meiner Enttäuschung schüttelte Jo nur den Kopf.

»Ich habe Durst, bring mir bitte ein Glas Wasser, und stell den Lärm ab.«

Auch bei Chopin, Brahms und Schubert rührte Jo nur abwesend in ihrer Teetasse herum.

Daraufhin spielte ich die weniger zerkratzte Ouvertüre von »Don Giovanni«, und wider Erwarten lauschte meine Großmutter verzückt.

»›Don Giovanni‹ ist das doch …«, sie wippte mit den Zehen. »Lauter, bitte.«

Uns alle deprimierte der Gedächtnisverlust unserer Großmutter. Aber während es mich interessierte, was Großmutter vergessen hatte und was nicht, und darauf hoffte, mittels dieser Kenntnis ihr einige Erinnerungen zu erhalten oder andere ins Gedächtnis zurückrufen zu können, war Paul einfach nur erledigt nach solchen Besuchen bei Jo.

In dieser Zeit malte er, wenn ich in seinem Atelierzimmer am Fenster stand und von Jos Zustand berichtete, einen Zyklus von großformatigen Bildern: Auf jedem Gemälde war im Zentrum ein einziger Gegenstand zu erkennen, etwa ein Schlüssel oder eine Brille, aber nur ein Teil des Objekts war scharf konturiert, die andere Hälfte löste sich graduell in einem grauen schmierigen Nichts auf. Diese Serie nannte er: »0,5 Grad. Subito, Jo.«

Meine Großmutter stellte jetzt ihre Teetasse ab, setzte sich mit all der ihr verbliebenen Kraft aufrecht hin und sah uns herausfordernd an. Sie wartete darauf, daß wir ihr die Entscheidung, was jetzt zu tun sei, abnehmen würden. Flüchten aus Gotenhafen, über den womöglich gefährlichen Seeweg, oder doch warten? Der Russe würde es nicht ernsthaft wagen, seinen Fuß auf Gotenhafen zu setzen ... aber: gab es nicht ständig diesen Fliegeralarm?

»Hat sich Tante Ilse über die CD gefreut?« fragte meine Mutter etwas gereizt. Sie hatte eine neue Einspielung von Schubert-Liedern besorgt, die Jo gestern Tante Ilse zum Geburtstag geschenkt hatte.

Aber Jo reagierte nicht auf die Frage.

»In einer halben Stunde müssen wir am Hafen sein. Die Kleine muß noch andere Schuhe anziehen, sonst erfrieren ihr die Zehen!« Jo sah uns gespannt an.

Meine Mutter seufzte und warf mir einen ungeduldigen Blick zu. Die Kleine war sie. Fünf Jahre alt. Es war seltsam: Mit jedem Menschen, insbesondere mit Peter, hatte meine Mutter eine Engelsgeduld und »nahm sich gerne zurück«, nur bei ihrer eigenen Mutter verwandelte sie sich in einen mauligen Teenager.

»Jo! Iß mal etwas von den Plätzchen hier!« sagte meine Mutter ungewöhnlich heftig und legte meiner Großmutter ungefragt zwei Zuckerkringel auf die Untertasse.

Meine Großmutter schaute sie wie aus großer Ferne entgeistert an, dann murmelt sie: »Kind, gut, daß du da bist, gut, daß du da bist!«

Ab und zu warf sie ängstliche Blicke zum Fenster.

Ich betrachtete meine Großmutter, die umherwandernden Augen, die in nicht enden wollendem Erstaunen hochgezogenen borstigen Augenbrauen, die eingefallenen

Wangen, die schmalen, knöchernen Schultern, die Bernsteinkette um ihren Hals, ihre kleinen, runzligen, im Schoß gefalteten Hände. Wie lange wird sie noch bei uns sein?

Ich sah Jo an, daß ihre Gedanken – wie meistens – auf die vermeintlich nächstliegenden, konkreten Dinge gerichtet waren. Zum Beispiel, wo die Stiefel ihrer kleinen Tochter liegen könnten.

Von der Küche her hörte ich meine Mutter im Spülbecken planschen.

Hektisch begann ich loszureden, es fiel mir schwer, diese Sätze über die Lippen zu bringen: »Johanna, wir können nicht hierbleiben, wir müssen fort, jeden Tag wird eine neue Stadt eingenommen, worauf wollen wir warten? Doch nicht mehr auf den Geburtstag des ›Führers‹?«

»Du hast ja recht, du hast ja recht, Lena«, murmelte meine Großmutter, »aber was sollen wir bloß tun? Das Haus und alles aufgeben?«

»All den Plunder hierlassen, so schnell wie möglich zum Hafen. Wir wollen doch nicht noch das Schiff verpassen!« antwortete ich.

»Gut, Lena.«

Jos Hände fuhren unruhig über die Perlen ihrer Bernsteinkette wie über einen Rosenkranz. Seit neuestem versuchte ich, in ihre Erinnerungen »einzusteigen«. Ich wollte, daß Jo sich erinnerte – an diese Zeit, von der so oft in unserer Familie erzählt worden war und in der es dennoch so viele Leerstellen gab. Ich wollte, daß sie sich erinnerte. So gut wie möglich. Solange sie noch da war.

»Lena, seit wann hast du denn so kurze Haare?« fragte meine Großmutter plötzlich in das Schweigen.

»Ach, den Zopf habe ich mir abgeschnitten und im Schlafzimmer an die Wand gehängt, damit du immer an mich denken kannst …«, sagte ich so dahin.

»Lena …«, meine Großmutter beugte sich nach vorne

und strich mir über den kahlgeschorenen Kopf, »das steht dir aber nicht so recht ...«

Plötzlich setzte sie sich gerade auf und guckte mich forsch an. Sie legte den Kopf nach rechts und links, dann schloß sie die Augen für einen Moment, und ein unglaubliches, glückliches, in seiner extremen Verzückung schon wieder beängstigendes Lächeln breitete sich auf ihrem Gesicht aus.

»Freia ...«

Nicht im geringsten verwundert, rührte sie jetzt den Honig in ihrer Tasse um und vergaß für einen Moment ihr Gotenhafen, »den« Russen, den Fliegeralarm, die Flüchtlinge, den Schnee. Sie betrachtete mich wie den verlorenen Sohn und trank ihren Tee.

Ich lehnte mich zurück. In diesen wenigen Minuten des Friedens wirkte meine Großmutter fast elegant: ihre schmale, aufrechte Gestalt in dem mintgrünen taillierten Kleid, der Fächer, mit dem sie sich, egal ob es Sommer oder Winter war, Luft zuwedelte, der Rubin an ihrem linken Ringfinger, die Bernsteinkette auf ihrem Dekolleté. Die war natürlich aus Polen, nicht aus der Zeit ihrer Flucht, sondern sie war, zusammen mit einer Kette für Tante Lena, ein Geschenk von Renate gewesen. Von einer dieser Reisen, von denen es nachher hieß: »Ich war kurz zum Reiten in den Masuren. Nein, von Kazimierz habe ich schon lange nichts mehr gehört.«

Meine Großmutter und Tante Lena hatten ihre Ketten – sie waren nicht feinperlig und filigran, nein, sie bestanden aus großen, dicken goldgelben Perlen, die so auffällig waren, daß man sie nur mit Stolz oder gar nicht tragen konnte – fast immer umgelegt. Denn »es gibt doch auch sehr schöne Dinge in Polen. Schmuck, das können die.« Woraufhin Mäxchen damals einwarf, daß die Polen nun aber kein spezielles Talent für die zufälligen Bernsteinvorkommen in ihrem Land aufbringen mußten ...

Jetzt faßte ich unwillkürlich an die Bernsteinkette in meiner Jackentasche. Warm und feucht lagen die Perlen in meiner Hand. Diese Perlenkette hatte Tante Lena gehört, die vor zwei Monaten wie jeder in meiner Familie mütterlicherseits an Gallenkrebs gestorben war. Ihre Bernsteinkette hatte sie bis zum Schluß getragen. Eine halbe Stunde bevor sie starb, hatte sie mich gebeten, ihr die Kette abzunehmen und mir selbst umzulegen. Erst dachte ich, daß sie mich mit ihrer Tochter Marion verwechselte, aber sie murmelte nur: »Der hab ich schon all meine Ringe angesteckt.«

Mit einem Blick auf die Hände meiner Tante hatte ich dennoch den Kopf geschüttelt.

»Lena, nein, das möchte ich nicht. Ruh dich einfach nur aus, und schau ein wenig aus dem Fenster. Siehst du, wie der Wind die bunten Blätter auffegt? Ist das nicht alles wunderbar?«

Aber meine Tante umklammerte meine Hand mit einer Kraft, die ich ihr nicht mehr zugetraut hätte. »Freia, nimm mir die Kette ab, ich möchte sie noch an dir sehen! Ich möchte wissen«, und an diesem Punkt fing sie an zu schluchzen, »daß alles weitergeht.«

Meiner Tante das liebste Schmuckstück abzunehmen, auch wenn es ausdrücklich auf ihren Wunsch hin geschah, kostete mich viel Überwindung. Als sich obendrein der Verschluß nicht öffnen ließ, kam ich mir noch mehr vor wie eine Diebin. Ich mußte meine todkranke Tante halb auf den Rücken drehen, um das rostige kleine Rädchen bewegen zu können.

Als ich mir die Kette umlegte, schienen die Perlen die fiebrige Körpertemperatur meiner Tante in sich aufgenommen zu haben. Ich starrte auf ihren mit roten Flecken übersäten Hals. Vor meinen Augen verschwamm alles, und nur weil Jo mir eingebleut hatte, daß man vor Sterbenden niemals weinen dürfe, kniff ich mir heftig in die Unterarme, um dem seelischen Schmerz einen körperlichen entgegenzusetzen. Tante Lena war innerhalb eines halben Jahres von einer resoluten Wanderin in ausgewaschenen Jeans und mit locker geknotetem Halstuch zu einem abgemagerten Gespenst mutiert, das nichts mehr tat, als an die Decke zu schauen und nach jeder Mahlzeit eine übelriechende Flüssigkeit zu erbrechen.

Sie schluchzte – zum Weinen fehlte ihr die Kraft –, ich hielt dabei ihre dünne Hand, an der ich jedes Knöchelchen spüren konnte. Und ihre Hand wurde langsam, wie ein Tag, der zur Neige geht, kälter.

Die ersten Monate nach Tante Lenas Tod habe ich die Bernsteinkette täglich getragen, obwohl ich unter ihr litt, denn sie schien mir zu schwer, zu warm und zu klobig für meinen dünnen Hals. Später legte ich sie zwar nicht mehr um, brachte es aber nicht fertig, sie wegzuwerfen oder zuunterst in meine Seekiste zu legen. Also trug ich sie immer mit mir in meiner Jackentasche herum.

Meine Mutter hatte sich in der letzten halben Stunde nicht mehr blicken lassen. Dann und wann hörte man es aus der Küche rumpeln – ein sicheres Zeichen dafür, daß meine Mutter im Begriff war, ihr kompliziertes Ordnungssystem dem meiner Großmutter – von der sie allerdings nicht zu unrecht meinte, sie könne nicht mehr für sich selber sorgen – überzustülpen. Ich wußte, irgendwo in ihrem Hinterkopf war Renate eifersüchtig auf ihre Mutter. Auf die Macht, die sie über mich, über alle, immer noch, hatte. Trotz zitternder Teetasse in ihrer Hand. Trotz der Honigflecken auf der Tischdecke und ihrer Kleidung. Meine Großmutter, die sich nie unsichtbar wie meine Mutter gemacht, wehmütigen Gedanken, Fernweh, Selbstzweifeln nie hingegeben hatte, weil in ihrer engen Welt einfach kein Platz für solche Gedanken war. Meine Großmutter hatte lange Zeit einfach nur ein Ziel vor Augen gehabt, und zwar: lebend durch den Krieg zu kommen. Als sie alt wurde, hatte sich dieser einmal bestandene Kampf in einen unendlichen verwandelt. Wie Sisyphos wurde sie immer wieder an die gleiche Stelle befördert: an den Wohnzimmertisch ihres Hauses mit der gesprungenen Glasplatte und mit der Frage: Was machen wir nun? Flüchten oder bleiben? Noch war die Flucht untersagt, aber viele Nachbarn waren schon fort mit ihren überladenen, pferdebespannten Karren, die teilweise schon nach wenigen hundert Metern unter ihrer Last zusammenbrachen und geflickt werden mußten. Ihre Häuser kündeten vom raschen Aufbruch, überall waren Wäsche, Bücher, Kleidung, Geschirr verstreut, mancherlei Hausrat lag vor den Türen, denn er hatte keinen Platz mehr auf den Karren gefunden. Und jeden Tag hörten Jo und Lena (ihre Eltern befanden sich zu diesem Zeitpunkt mit ihrer jüngsten Schwester im Ostseebad Binz) die Artilleriefeuer aus dem Osten, sahen den hellen Lichtschein am Horizont, kilometerlang, sahen, wie er näher rückte, die deutsche Front zurückgedrängt wurde, unausweichlich, die russische Rache …

Mein Blick fiel auf den großen, in Bronze gefaßten Spiegel. Ich saß dort auf dem Sofa neben meiner Großmutter in ihren schwarzen Plüschpantoffeln, die Renate ihr erst vor zwei Tagen bei »Schuh-Salamander« gekauft hatte. Aber diese Dinge sah Jo nicht, wenn sie wieder in der Zeit angelangt war, die sie am meisten in ihrem Leben berührt haben mußte. Meine Großmutter sah durch mich hindurch auf das Ölgemälde mit Jägern und englischen Jagdhunden auf einer verschneiten Anhöhe, das schon seit vielen Generationen im jeweiligen Wohnzimmer der Familie gehangen hatte. Sie mußte es ihr Leben lang angeschaut haben. Die Männer standen stramm in bunten Uniformen und blickten streng auf das ihnen zu Füßen liegende Land, die Hunde mit geöffneter Schnauze, lechzender Zunge und wedelndem Schwanz an ihrer Seite. Unter dem Ölgemälde hingen gerahmte Schwarzweißaufnahmen von Jos Eltern und Großeltern.

Ich stellte mir meine Mutter als Kind in dieser Wohnung vor. Die riesigen dunklen Möbel. Der Glasschrank mit dem Porzellan, das ein leises, hysterisches Kichern von sich gab, wenn draußen Lastwagen oder Panzer vorbeifuhren. Die Stille, die sonst hier geherrscht haben würde. Bis auf den Schlag der Standuhr, die einem Kind Angst gemacht haben könnte. Die trotz ihrer Größe und des glänzenden Messings nie ganz richtig ging. Mußte diese Feststellung nicht eine Befreiung gewesen sein? Wohin? An die Seite meines Vaters? Vielleicht, wenn sie doch nur noch ein paar Schritte weiter gegangen wäre ... Mein Blick fiel, wie schon so unendlich oft, auf das Foto meines Großvaters als junger Soldat zu Pferd. Unglaublich, sein rechtes Bein zu sehen. Angewinkelt an den Leib des Pferdes gepreßt, weite Kniebundhosen, langer schwarzer Stiefelschaft.

Meine Mutter war vier Jahre alt, als sie ihren Vater zum erstenmal sah. Vorher kannte sie nur dieses Foto von ihm. Als Max zu Mäxchen wurde, wünschte er sich sehnlichst einen Sohn, aber Jo bekam kein weiteres Kind mehr. Manchmal, wenn er sich rasierte, murmelte Mäxchen: »Ein Bube ist zehn Taler wert, ein Mädchen doch nur ein paar Rappen ...«, dann ließ er sich wieder von seiner Tochter ins Bett helfen.

Ich hörte auf das unablässige Rumpeln und Räumen in der Küche und fragte mich, ob meine Mutter darauf hoffte, daß Jo eines Tages Johännchen oder Hannilein werden würde.

Plötzlich, völlig unvermittelt, fuhr Jo zusammen.

»Lena ...«

»Ja?« fragte ich alarmiert, meine Stimme schriller, als mir lieb war. Ich wollte doch zuversichtlich wirken.

»Lena ...!«

»Was – ist – Johanna?«

»Lena ... wir wissen nicht, wo sie sind, und sie sind überall ...«

217

»Johanna, gleich sind wir auf der ›Theodor‹, und dort sind wir sicher.«

»Auf unserem Schiff war es leise, manchmal sogar zu leise«, wisperte meine Großmutter, jetzt wieder im Imperfekt. »Freia, reichst du mir bitte meine Mohairdecke? Danke ... Man denkt ja, wenn Menschen in Furcht und Schrecken sind, dann klagen und schreien sie. Aber das war bei uns nicht so. Vielleicht lag das auch daran, daß wir alle doch recht zivilisierte Menschen waren; jedenfalls war es leise, die Leute jammerten höchstens. Ich fand die Stille schon fast unheimlich. Nur die Artillerie hat man vom Ufer her gehört. Und sie klang nahe ...«

Jo nahm einen großen Löffel Honig, schob ihn sich in den Mund und ließ ihn dort. Man sah an den Bewegungen ihres Mundes und ihres Kiefers, wie sie den Honig absaugte. Dann spuckte sie den Löffel aus, er fiel auf die Mohairdecke. Ich legte ihn auf den Tisch.

»Weißt du was, Freia?«

Jo sah mich plötzlich hellwach an. »Um ein Haar wären Lena, Renate und ich doch mit der ›Gustloff‹ mitgefahren.«

Ich setzte mich gerade hin. »Nein, Jo, das ist deine Phantasie ...«

Doch Jo hustete und begann, sie hatte einen ihrer »guten Momente«, relativ zusammenhängend zu erzählen:

»Wir waren nämlich wegen dem ganzen Gepäck ... doch zu spät am Pier ... das kleine Minensuchboot konnte nicht so viele Passagiere mitnehmen ... eine Traube von Menschen wartete vor uns ... wie war das noch mal ... wir waren spät ... wegen den Steckrüben ... und da rief man schon: ›Stopp! Anbordnahme abgeschlossen!‹ ... die Leute, die ganz vorn warteten, fingen an ... zu weinen ... nein, die Frauen weinten ... die hatten den ganzen Tag in der Kälte gestanden ... wollten die Anbordnahme nicht verpassen ... ja, so war das ... wegen irgendeinem Problem ... Mäxchen könnte das jetzt genauer sagen als ich ... die ›Theodor‹

konnte noch nicht auslaufen ... und Lena, Renate und ich ... wir warteten den ganzen Tag, die ganze Nacht ... bis zum nächsten Morgen! ... in dieser Kälte ... in der Hoffnung, daß die Besatzung Mitleid bekommen ... und uns doch noch ... an Bord nehmen würde ... Plötzlich nützte alles nichts mehr ... daß wir in der Partei waren ... nützte gar nichts ... das war schrecklich ... Am nächsten Tag ... wurden doch noch einmal ein paar Passagiere an Bord genommen ... wer nicht mehr mitgenommen werden konnte, wurde zu den ... wie hieß das? ... Fallreeps nannte man die ... von der ›Gustloff‹ geschickt ... also in den Tod.«

Noch nie hatte Jo bisher erzählt, daß sie in der Partei gewesen waren. Es hieß immer nur »gute Verbindungen zur Partei«. Meinen direkten Fragen – Paul stellte solcherart Fragen nicht – waren Mäxchen und sie immer ausgewichen, oder sie hatten sogar »nein, nein« gemurmelt. Und ich fragte mich, welche Privilegien meine Großmutter besessen hatte, daß sie zu den Auserwählten gehörte, die am nächsten Morgen noch außer der Reihe an Bord genommen wurden. Die Handvoll Leute. Unter Hunderten, Tausenden, die sich vor so einem Schiff gedrängt haben mußten. Ich starrte Jo an und fragte mich weiter, was sie alles wußte, was ich nicht wußte. Was sie vergessen hatte und an was sie sich sehr wohl erinnern würde. Tante Lena konnte ich nicht mehr fragen.

Die Anbordnahme. Wie würde Jo dieses Ereignis in den Schubladen ihres Gedächtnisses archiviert haben? Als ultimativ negatives Erlebnis, als Verlust des geliebten Gotenhafen, als Einsicht in die kurz bevorstehende Kriegsniederlage oder positiv – der »Gustloff« knapp entkommen und der Beginn der verhältnismäßig unbeschwerlichen Flucht?

Wäre Jo noch gerissen genug, um mich anzulügen? Der Satz »ich erinnere mich nicht« könnte zur Ausrede werden ...

Ich preßte meine Hand um die Kette in meiner Tasche, aber spürte in den Fingerspitzen nur meinen eigenen schnellen Herzschlag. Durch Jos geschlossene dunkle Brokatvorhänge drang kaum Licht. Ein feiner, unendlich aufgefächerter schwacher Sonnenstrahl rann aus dem Spalt zwischen beiden Vorhanghälften und versickerte in Jos Wohnzimmer, nur im geöffneten Honigglas auf dem Tisch leuchtete er plötzlich, wie mit letzter Kraft, auf.

Meine Großmutter und ich – sie mit jetzt geschlossenen Augen, das Gesicht eine reglose Maske, nur an ihren ineinandergekrampften Händen erkannte ich ihre Anspannung – ich mit meinen abgelaufenen Turnschuhen und meiner Glatze –, wir saßen beide in ihrem Wohnzimmer, das aussehen wollte wie ein aristokratischer Salon aus dem 19. Jahrhundert.

Ich schlief schlecht in dem tiefen, weichen Bett meiner Großmutter. Immer wieder lief erst Wasser, dann Blut unter der Tür hindurch in mein Zimmer, stieg an, die rote Flut benetzte meinen Körper, begrub mich unter sich. Ich wachte auf und hielt selbst noch, als ich das Licht anknipste, einige dunkle Flecken auf dem Teppich in Nähe der Tür für Blutlachen. Dann schaltete ich das Licht wieder aus und versuchte, im Sitzen zu schlafen, denn ich wollte nicht in dieses tiefe, weiche Bett sinken, mich fallen lassen, zurück in die Geschichte, dorthin, wo ich herkam. Ich blieb wach sitzen bis zum Morgen. Ich sah, wie die Sterne erst noch hell in der Dunkelheit leuchteten, um dann langsam, mit der Dämmerung, dem Morgen, dem Tagesbewußtsein, der Geschäftigkeit, der Vergeßlichkeit, ihre Leuchtkraft einzubüßen und zu verschwinden.

# 17

# Wasserpfeife

Wieland hatte am Morgen, nachdem ich ihn mit meinem Bruder auf der Lichtung gesehen hatte, einen Zettel unter den Salamander-Stein gelegt, aber ich hatte mich nicht gleich gemeldet. Ich fürchtete mich nämlich vor einer Begegnung mit ihm.

Schließlich meldete sich Wieland noch einmal – ganz konventionell, per Telefon, was mich erstaunte. Er stellte sonst auf diese Weise nur dann Kontakt zu mir her, wenn er genau wußte, daß meine Eltern nicht da sein würden. Nun schien es ihm egal zu sein.

Mit knappen Worten verabredeten wir uns um acht hinter der Garage. Selten habe ich so lange gebraucht, um mich zu entscheiden, was ich anziehe. Eigentlich machte ich mir keine Gedanken über derartige Dinge, jetzt aber war ich unsicher, ob ich eine Jeans, eine Armyhose oder meinen einzigen Rock tragen sollte, und zog mich noch dreimal um. Um halb acht saß ich nervös auf meinem Sofa und überlegte hin und her, wie ich Wieland begegnen sollte. Ich ging davon aus, daß Paul und er mich gesehen hatten, sein Schweigen und Pauls ausweichendes, unsicheres Verhalten seitdem schienen mir Hinweise genug. Eigentlich war alles so eindeutig, daß es gar nichts mehr zu bereden gab. Aber was wäre, wenn Wieland den Vorfall mit Paul als Lappalie betrachten und mich um Verzeihung bitten würde? Obwohl das nicht wahrscheinlich war, denn sie hatten wie Romeo und Julia voreinander gesessen und ihren Anblick genossen.

Ich saß so lange grübelnd auf dem Sofa, daß ich beinahe

die Uhrzeit vergessen hätte und Wieland hinter der Garage warten ließ.

Wir sahen uns nicht in die Augen, als wir uns ohne Kuß begrüßten. Während wir in den ersten Stock zu meinem Zimmer hinaufstiegen, dachte ich kurz daran, wie aufregend unsere Versteckspiele früher gewesen waren. Jetzt stolperte Wieland, ohne einmal nach links oder rechts zu spähen, ohne sich zu bemühen, leise zu sein, hinter mir die Stufen hoch.

Oben legte ich eine Cowboy-Junkies-Platte auf und stellte eine Keksdose auf den Tisch. Aber ich hatte das Gefühl, jeder Versuch, die Atmosphäre »behaglich« zu machen, war umsonst. Ich hatte mir vorgenommen, erst einmal abzuwarten, was Wieland zu sagen hatte. Er saß mit feindseligem Gesichtsausdruck vor mir, und als er anfing zu sprechen, versuchte er, gefaßt zu wirken. Ich merkte, daß er sich jedes Wort vorher zurechtgelegt hatte.

»Freia ... du bist ein ... modernes Mädchen ... und du wirst verstehen ... es kann vorkommen ... daß ein Junge feststellt, er fühlt sich mehr zu Jungen hingezogen als zu Mädchen ... ich bin so ein Fall.«

Ich nickte und murmelte irgend etwas in der Art von »daß ich nichts gegen Schwule hätte, aber sehr unglücklich darüber sei, daß ich ihn verlieren würde oder schon verloren hätte«.

»Mein Leben wäre anders auch einfacher! Das kannst du mir glauben. Meinst du, ich kann das je meinen Eltern erzählen? Mein Vater wird mich enterben ...«

Ich nickte sprachlos. Wieland redete weiter. Ich erinnere mich daran, eine Weile nur genickt zu haben.

Irgendwann fragte ich in einem nicht so gelassenen Tonfall wie vorhin bei meiner Generalprobe auf dem Sofa: »Warum muß es ausgerechnet Paul sein?«

Die Antwort darauf wollte ich nicht wirklich hören. Aber sie kam natürlich prompt. Jedes Wort verletzte mich, weil es darauf hinauslief, daß Paul der anziehendere Mensch sei als ich. Ich spürte, wie ich, je länger Wieland sprach, immer ärgerlicher wurde. Irgendwann machte ich etwas sehr Dummes. Ich hatte Wieland gerade gefragt, ob er denn keine Lust empfunden hätte, als er mit mir zusammengewesen war, ob er sich nicht erinnerte, mir einmal etwas ganz Besonderes ins Ohr geflüstert zu haben ... und Wieland hatte schweigend auf die Tischplatte gestarrt. Nun machte mich sein Schweigen mit jeder Sekunde immer wütender. Warum mußte er jetzt alles verleugnen? Unsere gemeinsamen Nächte, unser stundenlanges stummes Beieinanderliegen im Wald, auf der Iltis-Lichtung ...? Plötzlich sprang ich auf, nahm die Keksdose, eine große fünfeckige Metallbox, und warf sie nach ihm. Sie traf ihn am Kopf.

Wieland schnellte hoch. »Bist du wahnsinnig?«

»Du bist das größte Arschloch, das mir je begegnet ist, du setzt nie wieder einen Fuß in mein Zimmer!« schrie ich ihn an und mußte im gleichen Moment an seine Mutter denken.

Wieland hielt sich die blutende Stirn, als er hinaushastete.

Die nächsten Wochen waren fürchterlich lang in meiner Erinnerung. Der Winter kam, und die Tage wurden länger und länger, da ich fast nie schlief. Es waren schwarze Tage, an denen ich um Mitternacht an meinem Schreibtisch saß und Bücher über die Etrusker, die Dinosaurier, Kaiser Rotbart, Wurmloch-Theorien und Tiefseefische las. Ich sprach kaum ein Wort in jenem Winter. Die Schule hatte ich nach drei Tagen nicht mehr aufgesucht. Manchmal ging ich ins Wohnzimmer, wo meine Mutter stand wie eine vergessene, verblühte Zimmerpflanze – und wenn ich sie sah, schlich ich langsam wieder hinaus. Ich wollte keine Fragen gestellt und keine Schlafmittel hingelegt bekommen. Ich wollte Wieland zurück.

Ich rief mir alle Geschichten, Gespräche, Geister in Erinnerung. Ich erinnerte mich, ihm von Palmolon erzählt zu haben, und wußte noch, wie er gelacht und sich versprochen hatte beim Versuch, den Namen wiederzugeben: Palomolon. Ich legte ein Ginkgoblatt, das Wieland mir einmal geschenkt hatte, unters Kopfkissen, nur dann konnte ich ein bißchen schlafen. Manchmal dachte ich an meine Klassenkameradinnen und ihre wechselnden Lieben, hin und wieder brausten sie auf Mopeds durch unsere leeren Sträßchen, aber ich behielt nie im Kopf, wer gerade mit wem liiert war.

Seit meinem Streit mit Wieland vermied ich es, mit Paul zusammenzutreffen. Und doch ahnte ich, daß sich nach unserem Zerwürfnis ihr geheimes Leben fortsetzte. Bei Paul brannte selten das Licht, er roch manchmal stark nach Schweiß, und wenn er morgens seinen Kakao umrührte, tat er es mit in sich versunkenem Blick.

All die Tricks, mit denen ich versucht hatte, Wieland von meiner Familie fernzuhalten, würde Paul jetzt anwenden. Und er würde mindestens so vorsichtig sein wie ich, denn sein Geheimnis war noch umfassender als meines.

In jenem Winter hatte ich daran gedacht, mich umzubringen. Auf unserem Hängeboden lag ein altes Gewehr. Es lag schon lange da, und ich wußte, daß meine Mutter sich vor ihm fürchtete und es wegwerfen wollte. Aber Peter hatte gesagt: »Renate, wie willst du ein Gewehr einfach wegwerfen? In den Müll? Dann haben wir noch die Polizei hier sitzen, wegen unerlaubtem Waffenbesitz. In den Wald? Dann findet es vielleicht ein Kind.« Das Gewehr stammte von Mäxchen, aber der Zusammenhang war mir nie recht klar. Ich wußte nur, daß er es eigentlich nicht mehr haben durfte. Jedenfalls guckte ich mir dieses Gewehr genau an und stellte dann fest, daß es nicht geladen war. Aber ich wollte mich doch erschießen! – alle anderen Methoden waren indiskutabel. Ich wollte ein Dia von Uranus mit seinem verrückten vertikal rotierenden Ringsystem in meinem Zimmer an die Wand werfen, ich wollte Wielands Ginkgoblatt in meiner Brusttasche tragen und mir mitten ins Herz schießen ... Ich war achtzehn. Natürlich machte ich es nicht, Patronen hin oder her.

Der Winter brachte eine neue, umfassende Einsamkeit über mich. Ich schlich nicht mehr in Pauls vollgerümpeltes Atelier mit der flackernden Öllampe und dem Rascheln der unzähligen Transparentpapiere, ich traf mich nicht mehr mit Wieland und ließ mich küssen und lieben, ich sprach nicht mehr mit Wieland über Gott und die Welt – Gott und die Welt schienen mir immer schon weit weg von unserem Haus am Stadtrand, aber Wieland hatte wenigstens ein bißchen Anschluß an die Welt dort draußen für mich bedeutet. Er hatte mir aus der Zeitung vorgelesen, wenn wir in den Wiesen gelegen hatten, und mich ab und zu ins Kino eingeladen. Und er hatte große Pläne für die Zukunft. Wie man die Welt retten und wohin man noch reisen könnte ... Es waren viel mehr Dinge, die ich vermißte, als ich befürchtet hatte – in dieser Zeit, als ich Wielands Nähe nur noch in dem Zimmer über mir ahnte ...

Als ich Silvester mit meinen Eltern bei einem Kollegen von Peter auf der Dachterrasse stand, dachte ich nicht an die Zukunft, sondern an jene Momente, an denen ich unglücklich gewesen war in meinem Leben – wie oft war ich zusammengezuckt, wenn ich meine Hand nachts auf die glühend heiße Motorhaube unseres Volvos gelegt hatte, wenn mir diese leblose Hitze, die von keinem Menschen ausging, die Finger zu verbrennen drohte, wenn ich die frischen Blätter an dem ordentlich aufgehängten Anorak meines Vaters im Flur sah, wenn ich meine Eltern im Wohnzimmer beobachtete, wie sie nebeneinander irgendwelchen Beschäftigungen nachgingen – mein Vater telefonierte mit einem Freund, meine Mutter las in einer ihrer Frauenzeitschriften – und sich über Stunden nicht ansahen, wenn meine Mutter mit entrücktem Gesicht am Fenster stand und ihr Blick weit über die Wipfel der Tannen wanderte ...

Bei dieser Art des Unglücklichseins früher hatte ich mich selbst nie in Frage gestellt: Renate und Peter lebten jeder in einem Paralleluniversum für sich, die Großeltern zankten sich über den Alltag, Mäxchen war ein Muffel, Jo ein Feldmarschall, jetzt aber ging es nur noch um mich. Was ich getan oder unterlassen hatte, um Wieland zu verlieren, war mir nicht klar. Ich hatte keine Freundin, die mir den Kopf zurechtrücken und mir sagen konnte: Wenn dein Freund Männer liebt, hast du überhaupt keinen Fehler gemacht ... aber hätte mich so ein Satz überhaupt trösten können? Warum war Wieland erst glücklich mit mir gewesen und dann nicht mehr? Wie oft hatte er im Wald meinen Kopf zwischen seine Hände genommen, sich auf mich gelegt, sein Rücken ein gespannter Bogen, und seine Hüften, kantig und schmal, stießen gegen meine ... Was war irgendwann, ohne daß ich etwas davon ahnte, mit ihm passiert, um ihm den Entschluß nahezulegen: Das alles will ich nicht mehr?

In jenem Winter saß ich manchmal in unserem eigenen Haus mit dem Fernglas und beobachtete Paul. Von der Stiege zum Dachboden, durch einen Spalt meiner Tür, durch das Schlüsselloch des oberen Badezimmers – immer sah ich ihn, wie er mit nacktem Oberkörper, ein Handtuch über die Schultern geworfen, hinaufstieg, sah die wenigen Haare auf seiner Brust, sah seinen schlendernden Gang, seine spitzen, schlaksigen Hüften, seine schmalen Hände, die das Geländer herauf-, herabglitten ... und ich dachte daran, wie ich einmal die Badezimmertür geöffnet hatte und mein Bruder vor dem Spiegel gestanden hatte ... nackt ... und mich mit meinem Gesicht angeguckt hatte, sein Glied in seiner Hand ...

Immer sah ich ihn, und ich wurde Zeuge seiner großen Verwandlung. Es war offensichtlich, daß Paul es sich zum

Ziel gesetzt hatte, nicht mehr so auszusehen wie ich. Er tat Dinge, die ich ihm nie zugetraut hätte. Er fuhr mit unserem Volvo, wir waren ja jetzt volljährig, in die Stadt und ging in ein Sonnenstudio! So etwas hatte ich nur meinen Klassenkameradinnen zugetraut. Die Haut meines Bruders wurde dunkler und dunkler. Vielleicht wollte er orientalisch aussehen … Er trug neujahrsschneeweiße, februarblaue und fliegenpilzrote Anzüge, er ließ sich die Haare halblang wachsen und färbte sie pechschwarz. Es quälte mich, zu sehen, wie mein Bruder von einem schmächtigen Teenager zu einem körperbewußten, verführerischen Mann wurde. An seiner Tür hing ein Foto – sicherlich aufgenommen von Wieland –, auf dem er vor einem in viele Richtungen zeigenden Wegweiser auf einem Stein saß. »Enter please« stand darüber. So etwas hätte Paul noch vor wenigen Monaten nicht aufgehängt.

Manchmal lag ich nachts im Bett und versuchte mir vorzustellen, was Wieland jetzt mit Paul tun könnte. Ich dachte, daß es nicht viel anderes sein würde als mit mir. Und daß Paul ähnlich reagierte wie ich. Ich war ziemlich sicher, daß es so war. – Bei diesem Gedanken mußte ich immer weinen. Doch ich beobachtete Paul nicht nur voller Haß, sondern auch mit Bewunderung. Ich hätte ihm diese Veränderungen nicht zugetraut. Wider Willen war ich fasziniert, wenn er in einem seiner makellosen Anzüge aus seinem duftenden Atelier trat, mit den glänzenden langen, leicht gelockten Haaren, wie gut mußte er neben Wieland mit seinen blonden kinnlangen Haaren aussehen!, auch sein dunkler Teint stand ihm zweifellos. Und an seinem linken Ringfinger trug er einen eckigen dicken Ring, über den mein ausgesprochen uneitler Vater schallend gelacht hatte. Aber ich in meinen Arbeitshosen und weiten T-Shirts starrte meinem Bruder immer nur ungläubig und gebannt hinterher …

Die Spannung, die zwischen uns lag, konnte man kaum beschreiben. Jeder Tag war eine Zerreißprobe. Paul und ich lebten schließlich unter einem Dach und waren es gewohnt, viel Zeit miteinander zu verbringen. Bis zum Februar spach ich mehr oder weniger nicht mit ihm. Nachdem ich einmal schweigend aus der Küche gegangen war, als er weinte, hatte er keine weiteren Anstalten mehr gemacht, mit mir ins Gespräch zu kommen. An mir huschte er nur vorbei – sein neuerworbener, stolzer Gang war für einen Moment durch meine Anwesenheit vergessen. Wenn er mich am unteren Ende der Treppe hörte, beschleunigten sich seine Schritte, und eine Hand glitt nervös durch sein glänzendes Haar.

Irgendwann im Februar jedoch stiefelte ich kurz entschlossen in Pauls Atelier, um ihm zu sagen, daß er seine Musik gefälligst leiser stellen sollte. Paul lag mit nacktem Oberkörper auf mehreren am Boden herumliegenden Kissen und rauchte. Es war eine Art Wasserpfeife, an der er zog. Er drehte sich zu mir um. Etwas Freundliches trat zu meiner Überraschung in sein Gesicht. Ich kam näher und setzte mich auch auf den Boden.

»Wie geht es dir?« fragte er jetzt, ohne mich anzusehen. Er zog noch einmal an seiner Wasserpfeife und starrte an die Zimmerdecke.

»Beschissen«, antwortete ich nach einem Zögern.

»Peter und Renate wissen nichts, oder?«

»Nein, ich habe ihnen nicht erzählt, daß du deiner Schwester ihre große Liebe ausgespannt hast!« sagte ich, um Paul bloß nicht das Gefühl zu geben, sein Schwulsein stünde hier im Vordergrund.

Paul seufzte und sah mich für einen Moment an. Wir mußten beide wieder weggucken, weil zuviel Schmerz aufkam. Dann legte er eine braune Hand auf mein Knie. Es gab nichts zu sagen. Nur seine Hand lag auf meinem Knie.

Irgendwann hörte ich die große Uhr unten im Wohnzimmer schlagen. Ich wußte nicht, wieviel Zeit vergangen war, seitdem ich hier saß. Ich beschloß, ihr nächstes Schlagen abzuwarten, und starrte auf Pauls Wachsmuster-Bilder, bis die Kleckse sich vor meinen Augen verdoppelten, verschoben, immer neue Muster bildeten.

Paul drehte sich jetzt vom Rücken auf den Bauch. Er vergrub sein Gesicht in den Armen. Dann sah ich nur noch das leichte Zucken seiner Schultern und das Zittern des Wasserspiegels in der Pfeife. Ich selbst blieb unbewegt sitzen. Die Tränen liefen haltlos über mein Gesicht, mein Kinn, meinen Hals herunter in den Ausschnitt meines T-Shirts, sie liefen über meine Brust, kitzelten meine Brustwarzen, flossen weiter. Mein Hosenbund war später ganz naß. Im Hintergrund brauste Pauls alte Beatles-Platte, bis zu einer Stelle mit einem Sprung, und ich stellte mir vor, diese Szene würde sich in alle Unendlichkeit wiederholen: Pauls zuckende Schultern auf den Kissen, die zitternde Wasserpfeife, der Fluß meiner Tränen über meinen Körper, das Knacken und Kratzen der schnarrenden Klaviertasten …

Nach dieser Nacht hatte sich mein Verhältnis zu Paul geändert. Wir redeten oft miteinander, vermieden aber das Thema Wieland. Ich fragte ihn nur einmal kurz:

»Ihr seht euch oft, oder?«

Und Paul nickte. Ein anderes Mal stieß ich mit einem Glas Wein an und rief: »Und, wie war das erste Mal? Das mußt du mir einfach erzählen! Wie ist das denn so?«, aber Paul wurde knallrot und stopfte sich Salzstangen in den Mund. Am nächsten Tag lag ein Palmolon auf meinem Bett mit grüner Schrift: »Du Hast Einen Wunsch Frei«, und ich legte ihn mir unters Kopfkissen.

Im März bekam ich einen langen Brief von Wieland und einen Strauß Rosen. Jetzt erst fühlte ich mich wirklich wie eine abgelehnte Frau. Rosen! Was sollte ich mit Rosen? Wenn es doch ein Buch oder eine Kassette gewesen wäre! Die Rosen nahm ich Wieland wirklich übel, abgefertigt mit einem Standard-Gruß fühlte ich mich. Mußte er mich im nachhinein zur Frau machen, um mich mit gutem Gewissen ablehnen zu können? Peter schenkte Renate Blumen, um sie mit ihnen allein zu lassen – ich hatte von Blumen die Nase voll.

Wielands zwei Seiten langer Brief war geprägt von vernünftigen Sätzen über die Schwierigkeit, eine Beziehung aufzulösen und sich zu trennen, und wie wichtig es sei, einander noch zu respektieren. Er könne mir versichern, ich hätte nichts »falsch gemacht«, und es läge in keiner Weise an mir, daß er nicht bei mir bleiben konnte. Er sei froh, wichtige Dinge über sich selbst in jungen Jahren und nicht wie manch einer erst mit dreißig oder vierzig herausgefunden zu haben, fügte er noch hinzu. Zum Schluß schrieb er, er hoffe für mich, daß ich spätestens nach dem Sommer, wenn ich mit meinem Studium anfangen würde, einen netten Jungen kennenlernen würde ... und weiter stand da, aus welchen Gründen auch immer:

»Die erste Liebe ist nie die letzte – außer bei Eltern, aber da sieht man ja, wo das hinführt.«

Den Brief legte ich zu anderen Briefen von Wieland, holte einen Spaten aus der Garage, hob hinter unserem Haus ein rosenlanges Rechteck aus und warf die Rosen hinein. Blumen ...

Im April sah ich Wieland wieder. Es war so zufällig und unspektakulär, wie ich es erwartet hatte. Ich lief morgens die Treppe hoch, und Wieland und Paul traten aus der Tür. Ich nickte und lächelte, Paul kam näher und fragte, ob ich später mit ihm kochen wolle. Dann gingen beide. Ich starrte ihnen hinterher. Sie sahen so schön aus, in ihren Anzügen, mit ihren blonden und schwarzen halblangen Haaren. Einen Moment lang überkam mich unglaubliche Erregung bei dem Gedanken an ihre beiden Körper, die mir so vertraut waren, von denen ich mir alles vorstellen konnte ... ihre Lust, ihr geheimes Leben ... Und ich wünschte mir sehnlichst, wie sie zu sein, schmale Hüften, einen kleinen, festen Hintern, einen hervorspringenden Adamsapfel, sehnige Hände, behaarte Arme zu haben ... dann würde ich zu ihnen kommen, wir wären alle zusammen ... und nie mehr müßte ich allein sein in den Nächten und Tagen, die mir so einerlei geworden waren.

Von nun an änderte sich alles. Wieland hatte Paul klipp und klar gesagt, er hätte bei unserer Begegnung das starke Bedürfnis gespürt, wieder mit mir zu reden, und suchte Kontakt zu mir.

Zwei Tage später kochten wir zu dritt. Das heißt, ich saß auf dem Sofa und ließ mich bekochen – ich fand, das hätte ich verdient. Paul kochte gern ausgefallene Dinge, die gelegentlich mißlangen, aber unter Wielands Kontrolle wurde es ein großartiges Essen: Es gab Fenchel-Chinakohl-Gemüse in Erdnuß-Mango-Soße, dazu Hühnchen. Zum Nachtisch Heidelbeerquarktaschen mit heißer Heidelbeersoße. Sie gaben sich wenigstens Mühe mit dem Neuanfang.

In den nächsten Wochen sahen wir uns regelmäßig zu dritt. Wir machten sogar zusammen einen Wochenendtrip ans Meer, als Peter und Renate in die Masuren gefahren waren. Wir liefen zu dritt am Ostseestrand herum, tranken heißen Kaffee in holzgetäfelten Stübchen, die rotgefrorenen Hände an den Tassen wärmend, standen abends mit Gummistiefeln in der auslaufenden Brandung, um dem Sonnenuntergang zuzuschauen. In unserer uniformen Regenkleidung sahen wir uns alle ein bißchen ähnlich, und ich konnte mir einbilden, ihr Gefährte zu sein. Wieland und Paul vermieden es, sich in meiner Gegenwart zu berühren, und manchmal legte einer von ihnen für einige hundert Meter seinen Arm um mich.

Nachts spielten wir bei einem Glas Wein Karten oder schwatzten über dies und das, bis ich mich in mein Zimmer und sie sich in ihr Doppelbett verzogen. Dann setzte ich mir vorsichtshalber meine Walkmankopfhörer auf und schlief zu den Klängen einer ausgeleierten Rachmaninow-Kassette, die Wieland einmal für mich im Hibiskus versteckt hatte, ein.

Im Mai beschloß ich, mir mit dem Abi doch etwas Mühe zu geben, nachdem ich vorher sehr viel geschwänzt hatte. Meinen Studienplatz in Meteorologie wollte ich nicht aufs Spiel setzen. Paul hatte ausnahmsweise schon feste Pläne, er wollte sich an der Hochschule der Künste bewerben. Daß ich im Herbst nach dem Bruch mit Wieland und Paul die Schule oft hatte sausen lassen, schien meinem Vater egal gewesen zu sein; er hatte zu meiner Überraschung sofort mein Taschengeld erhöht – seine Art, darauf zu reagieren, daß seine Tochter offensichtlich gerade Probleme hatte –, meine Mutter zeterte ein wenig über meine »ungewisse Zukunft«, trat aber alsbald wieder wortlos ans Fenster.

Bald darauf stellten Paul und ich meinen Eltern Wieland offiziell als Pauls Freund vor. Eines Abends hatte Wieland in seiner üblichen knappen Art gesagt:

»Ich bin das Versteckspiel langsam leid. Bin ich zwölf oder was?«

Meinem Blick, der eine deutliche Sprache gesprochen hatte – »bin ich also nichts als eine Kinderepisode gewesen?« –, war Wieland ausgewichen.

Wie wir dies alles Peter und Renate beibringen sollten – an seine eigenen Eltern hatte Wieland dabei nicht gedacht –, darüber sprachen wir drei an einem weiteren langen Abend bei Heidelbeertaschen mit heißer Heidelbeersoße. Sie entwickelten sich zu unserer Lieblingsspeise, auch wenn ich mich manchmal fühlte wie eine Passagierin auf der Titanic, die sich kurz vorm Untergang noch einmal den teuersten Champagner einschenken läßt ...

Der Gedanke, was ich empfand, wenn wir meinen Eltern Wieland als Pauls Freund vorstellten, schien beiden während unserer Strategiebesprechung nicht gekommen zu sein, es ging die ganze Zeit nur um ihre Homosexualität. Während ihres aufgeregten Gesprächs aß ich wenigstens ihre Heidelbeertaschen auf.

Ich erinnere mich genau an jenen Sonntagnachmittag: Renate und Peter war irgendwann aufgegangen, daß wir vier eigentlich wie einander fremde Hotelgäste unter einem Dach wohnten, und sie hatten den »gemeinsamen« Sonntagnachmittag eingeführt. Man traf sich gegen drei Uhr, aß Kuchen, trank Kaffee und tauschte Belanglosigkeiten aus. Nachher konnte dann jeder wieder guten Gewissens seinem seltsamen Privatleben nachgehen.

Es war ein strahlender Frühsommertag, die Tannen stachen grün in den blauen Himmel wie auf einer nachkolorierten Postkarte. Wieland trug ein 6-Uhr-blaues Jackett und weiße Hosen, und Paul sah in seinem sandfarbenen Anzug mit fliederfarbenem Halstuch aus wie ein südländischer Mädchenschwarm. Er hatte sich sehr verändert, doch seine zappelige Gestik war ihm geblieben.

Während meine Mutter uns Kaffee einschenkte – für jeden anders, mit Zucker, mit Milch, ohne alles … –, erzählte Peter, daß er letzte Woche einem Patienten mit sechs Fingern die Hand geschüttelt hätte und daß es früher noch viel häufiger solche Abnormität gegeben hätte, Männer mit Schwanzrudimenten am Steißbein, Frauen mit drei Brustwarzen, Kinder mit Haaren im Gesicht …

Wieland und Paul warfen sich einen entsetzten Blick zu. Das konnte nicht der rechte Rahmen für ihr Vorhaben sein. Die Lage war nicht ganz einfach: Paul redete, sobald mehrere Leute zusammenkamen, nicht viel, auch meine Mutter unterbrach meinen Vater selten. Wieland als Gast konnte sich das auch nicht herausnehmen. Also blieb ich übrig. Ich zählte im Kopf bis zehn – mir ging dabei der

Satz »Flucht nach vorne« durch den Sinn –, dann schlug ich meinem Vater auf den Oberschenkel und sagte:

»Peter, hör mal auf mit deinen ewigen Patientengeschichten, du nervst!«

Mein Vater war robust, was Beleidigungen anbelangte. Er zwickte mich einmal kurz in die Seite und erzählte dann ungerührt von einem Reisejournal, das er im Fernsehen gesehen hatte. Nachdem er eine Weile lang über Insektenplagen in Indonesien schwadroniert hatte, legte er eine Pause ein, um endlich etwas Kuchen zu essen. Alle anderen hatten ihr Stück schon aufgegessen. Wir drei warfen uns einen Blick zu. Dann nahm Paul das Wort:

»Ich möchte euch heute ... sagen, daß Wieland nicht nur ein guter Freund von ... Freia und mir ist, sondern mein Freund.«

Mein Vater ließ die Kuchengabel sinken, dann grinste er.

»Erwarte jetzt bitte nicht, daß ich total überrascht bin ...!«

»Nein?«

Peter musterte seinen Sohn selbstbewußt, lehnte sich zurück und machte Pauls Gestik nach. Er warf die Hände in die Luft, hielt eine herabhängende Hand nach vorn, faltete gespreizte Hände vor der Brust, legte den Kopf auf die rechte, auf die linke Seite ...

Paul starrte seinen Vater mit zunehmender Abscheu an. Schließlich schüttelte er den Kopf. Ich hatte das Gefühl, daß er den Tränen nahe war. Wieland verschluckte sich an einem Bissen Kuchen.

»Schon gut, war ja nicht so gemeint. Also: Überrascht bin ich nicht, und wir leben ja nicht mehr im 19. Jahrhundert, also von mir aus, mach, was du willst ... macht, was ihr wollt ...«

Mein Vater rührte nachdenklich in seinem Kaffee.

Paul nickte. Schweigen breitete sich aus.

Schließlich redete mein Vater weiter:

»Keine Enkel … keine … naja, da müssen wir uns, glaube ich, noch dran gewöhnen … also, das ist natürlich so als Vater … naja.«

Er brach ab und zerstach sein Kuchenstück.

Nun meinte Paul:

»Keine Kinder … das ist jetzt noch nicht das Thema, oder?«

Peter wiegte bedächtig den Kopf.

»Willst du mir sagen, daß du jemals mit einer Frau ins Bett gehen willst?«

Peter warf Paul einen Blick zu, der nichts Freundliches enthielt.

Paul sagte nichts. Wie in früheren Zeiten rutschten meine Füße unter dem Tisch zu Paul hinüber, und ich nahm einen seiner dünnen Knöchel zwischen meine Schuhe.

Plötzlich fuhr mein Vater zu mir herum. Er musterte mich einen Moment – ebenso abweisend wie seinen Sohn.

»Sag mal, nicht, daß du mir auch noch auf dumme Ideen kommst!«

Ich schwieg.

»Hast du jemals einen Freund gehabt?«

»Seit wann interessierst du dich dafür, was wir …«

»Ja oder nein?«

»Ja – ich bin auch nicht mehr Jungfrau, falls es dich interessiert.«

Meine Mutter schaute auf.

»Können wir den Typen mal kennenlernen?«

Wieland und ich warfen uns einen alarmierten Blick zu.

»Nein, kannst du nicht, Peter, der Typ hat mich sitzenlassen und sich verpißt … der denkt keine Sekunde mehr an mich. Ist anderweitig beschäftigt.«

Jetzt ging es mir besser, und ich lud mir ohne Eile ein großes Stück Kuchen auf den Teller.

Mein Vater stieß trotz dieser tristen Bemerkung einen Seufzer der Erleichterung aus.

»Und … wie nennst du ihn?« Er blickte Wieland an. »Paulo … Pauli?«

»Nein, nur Paul, ich mag keine Verniedlichungen«, stellte Wieland fest.

»Also ich bin hier schon wirklich von Helden umgeben … Mannomann … ich muß schon sagen …!« Mein Vater schnaubte und nahm einen Schluck Kaffee.

Plötzlich stand meine Mutter auf und knallte ihren Teller so heftig auf den Tisch, daß er zerbrach.

»Das – ist – ja – nicht – mehr – auszuhalten!«

Peter fuhr zusammen. Renates Gesicht war finster. Ich sah auf einmal, daß Peter Angst vor ihr haben konnte.

»Du bist einfach unmöglich«, sagte meine Mutter jetzt leise zu ihm. Dann wandte sie sich zu Paul und Wieland:

»Wollt ihr noch irgend etwas aus der Küche, ich gehe kurz rüber … Kaffee?«

Von diesem Tag an verbrachten wir drei so viel Zeit zusammen wie in all den Jahren davor jeweils zu zweit. Mein offener Angriff auf Wieland hatte mir gutgetan, mein nächster Triumph waren die verschiedenen Meteorologie-Studenten, die ich ihm plötzlich als Freunde vorführen konnte, wie er es mir gewünscht hatte. Als ich den Hörsaal zu meiner ersten Vorlesung betrat, richteten sich alle Augenpaare auf mich. Wir waren sechzehn Studenten, vierzehn Jungen und zwei Mädchen. Das andere Mädchen saß im Rollstuhl. Zwei Wochen später hatte ich einen Liebhaber. Daß ich nichts für den Jungen empfand, machte es mir möglich, mit ihm zu schlafen. Auf meinem Schreibtisch stand, gut sichtbar für jeden, ein Foto von Wieland und mir.

Manchmal graute mir vor mir selber, wenn ich mich kurz nach dem Beischlaf mit diesem Kommilitonen, dem noch einige folgen sollten, im Badspiegel betrachtete. Aber dann dachte ich an Wielands Körper und hoffte, daß diese vielen neuen Berührungen irgendwann in ferner Zukunft die Erinnerung an ihn löschen würden.

Nie hätte ich mir vorstellen können, daß auch andere Leute das gleiche Interesse wie ich für Wolken, Polarlichter und Niederschlagsrekorde aufbringen konnten, und ich fühlte mich tatsächlich ein wenig aufgehoben in dieser neuen Gemeinschaft. Dennoch blieben Paul und Wieland weiterhin meine wichtigsten Bezugspersonen. Ein Leben ohne Paul? Unvorstellbar. Obwohl er sich mir zunehmend entfremdete – er besuchte jetzt oft Galerien und Museen, fuhr zu »Performances« in die Stadt und ging auf Akademieparties –, wäre ein wirklicher Bruch mit ihm das gewesen, was einem Selbstmord am nahesten gekommen wäre. Ohne Wieland konnte ich mir mein Leben genauso schlecht vorstellen. Je länger unsere Beziehung zurücklag, je weniger ich mir unsere Abende und Nächte im Wald in Erinnerung rufen konnte, je mehr andere, unerfahrene, schüchterne Jungen meinen Körper berührten, desto mehr kam ihm die Rolle eines älteren Bruders zu.

Er studierte Geschichte, Politik und Ethnologie und berichtete Paul und mir, die wir schweigend zuhörten, über alle möglichen Diskussionen, an denen er teilnahm.

Über ihre Beziehung redeten Paul und ich immer noch nicht. Wenn ich mir Wielands Foto auf meinem Schreibtisch anschaute, merkte ich, daß er älter geworden war.

Wieland und Paul stellte ich meinen jeweiligen Liebhabern zwar meistens vor, mußte mir danach jedoch ab und zu dumme Sprüche meiner Kommilitonen über das Männerpaar anhören, was aber meine Solidarität mit den beiden nur verstärkte; bisweilen wurde ich ihr leidenschaftlichster Advokat.

Manchmal war mir, als hätte ich mein Talent, Wieland zu lieben, an Paul abgegeben, und war froh, daß ich dank Paul Wieland in meiner Nähe behielt, denn wer weiß, wohin er sonst schon verschwunden wäre? Hatte ich am Anfang gedacht: Warum ausgerechnet Paul?, schien ich jetzt zu denken: Zum Glück Paul. Und doch las ich nachts, wenn meine Dias über mir flimmerten, die Briefe, die Wieland mir damals geschrieben hatte, wieder und wieder.

An der Uni hatte ich bald einen schlechten Ruf, aber damit war ich vollkommen zufrieden, denn er ersparte mir lange, anstrengende Abende mit eintönigen Gesprächen in Cafés, für die ich sowieso kein Talent hatte. Die Jungs wußten, was von mir zu erwarten war, und ich bekam schnell und ohne allzuviel Aufwand, was ich wollte. Jedesmal versuchte ich, ihre Körper so zu berühren, als hätte ich nie vorher einen anderen berührt, denn: Ich wünschte mir sehnlichst, daß sie Macht über mich hätten. Daß sie stärker als meine Erinnerung werden würden – langsam, mit der Zeit, anscheinend ohne Anstrengung, wie die Erosion …

Irgendwann war Paul verschwunden. Das funzelige Licht in seinem düsteren Atelier flackerte nicht mehr, seine schlurfigen Schritte waren nicht mehr als Knirschen auf dem Parkett zu hören, die Sitarmusik drang nicht mehr nachts an mein Bett, um mir zu signalisieren, daß Wieland und er noch wach waren.

Als Paul nach drei Tagen nicht wieder aufgetaucht war, rief mein Vater die Polizei an. Vorher hatte er wilde Phantasien von Homo-Orgien und ähnlichem entwickelt; meine Mutter hingegen hatte eher Sorgen, daß er den Volvo an einen Baum gesetzt haben könnte. Von der Polizei hörten wir in den nächsten Tagen jedoch nichts. Dann, am Sonntag – weil es herbstlich kühl geworden war, saßen wir nicht mehr zur Kaffeestunde draußen, sondern im Wohnzimmer –, ging plötzlich die Tür auf, und Paul stand in verschmutztem Anzug, mit Sieben-Tage-Bart und fettigen Haaren vor uns.

Peter begann als erster zu sprechen:

»Wo – hast – du – gesteckt?«

Renate stand auf und tat etwas für sie sehr Ungewöhnliches: Sie umarmte einen Menschen rückhaltlos.

Paul setzte sich nun erschöpft zu uns und erzählte ohne Umschweife, daß er Wieland gesucht hätte. Wieland sei verschwunden. Einfach so. Er hätte ihm nur einen Zettel hinterlassen, daß er eine Weltreise per Schiff machen würde. Wielands Vater war vor einem halben Jahr gestorben, und er hatte eine Menge Geld geerbt. In Nähe der Nibelungenklänge war der Name Paul nie gefallen. Das zahlte sich jetzt aus.

Paul erzählte uns, wie er die großen deutschen Häfen abgeklappert hätte. Er hatte gedacht, daß Wieland sich auf einem Frachtschiff hatte anheuern lassen, und er glaubte, daß Wieland noch ein, zwei Tage in einer Pension zubringen würde, bevor es losging. Aber er hatte Wieland nicht gefunden.

Als er zu Ende gesprochen hatte, wollte mein Vater, der stirnrunzelnd zugehört hatte, wie üblich einen Kommentar abgeben, doch Paul sagte ebenso leise wie bestimmt, bevor die unterschiedlichsten Theorien über Wielands Verschwinden ausgebreitet werden konnten:

»Ich gehe jetzt schlafen.«

Drei Jahre später feierten Paul und ich unseren Geburtstag alleine in einer kleinen, verrauchten Cocktail-Bar. Am frühen Abend hatte es bei unseren Eltern eine kleine Bescherung gegeben. Wir wohnten zu diesem Zeitpunkt nicht mehr zu Hause, sondern nahe beieinander in der Stadt. Renate und Peter hatten Paul Kunstbände und eine Doppel-CD mit Kompositionen zu moderner Malerei, »Bildvertonungen«, geschenkt, ich bekam einen Rucksack, ein neues Minifernglas und Schuhe. Von den Großeltern gab es den üblichen »Kalten Hund«, den Jo früher selbst gemacht und den Renate jetzt in ihrem Auftrag besorgt hatte. Ein vor einem Monat schon eingetroffenes Päckchen mit einer reichlich verworrenen Anschrift hatte Jo jedoch selbst abgeschickt. Es enthielt Bettwäsche mit Motiven für Fünfjährige.

Irgendwann hatte Peter behauptet, er müsse jetzt unbedingt schlafen gehen, weil er um zehn Uhr abends schon elendig müde sei.

»Was glaubst du, wird er sich in den nächsten Tagen melden? Ich meine, wenigstens gratulieren?«

Paul legte seine Hand kurz auf die meine. Ich zuckte die Schultern. Wir hatten gelegentlich Ansichtskarten von Wieland bekommen, denen nicht viel mehr zu entnehmen war als sein derzeitiger Aufenthaltsort. Einmal steckte eine Karte für Paul in einem Umschlag mit rotem Wüstensand, einmal klebte für mich eine winzige Muschel mit Tesafilm auf einem Motiv der nordnorwegischen Küste.

»Ich glaube nicht, daß er sich wegen unseres Geburtstages melden wird. Entweder er sitzt auf einem Schiff und kann uns gar nicht erreichen, oder, noch wahrscheinlicher, er hat das Datum nicht im Kopf. Oder er meldet sich irgendwann mit verspäteten Grüßen. So wie die letzten beiden Jahre: ›Hi Ihr, happy birthday und frohes Neues gleich dazu, bin in Hongkong, tolle Stadt, Architektur, wie ich sie noch nie gesehen hab, und unheimlich viele Leute unterwegs. Wünsch Euch was. Euer W.‹«

Paul nickte müde bei dieser Erinnerung. Und ich fuhr fort, wissend, daß meine Worte kein Trost sein konnten: »Damals, bei unserem achtzehnten, kam er auch erst sieben Minuten vor zwölf zu unserer Party, so was ist ihm nicht wichtig.«

»Ich versteh das alles nicht. Wenigstens zum Geburtstag … wenn wir schon nicht wissen, was er jetzt eigentlich macht und wie es ihm geht …!«

Im grüblerischen Gesicht meines Bruders spiegelten sich meine eigenen Gefühle.

»Warum, glaubst du, ist er damals verschwunden? Ich meine, habt ihr euch verstanden in der letzten Zeit?«

Endlich wagte ich es, eine Frage nach ihrer Beziehung zu stellen.

Mein Bruder wiegte den Kopf eine Weile, überlegte, nahm unentschlossen eine Salzstange, stellte sie zurück ins Glas, nippte am Cocktail, drehte an seinen neuen Manschettenknöpfen. Dann erzählte er mir zum erstenmal von Wielands Distanz, seiner tränenlosen Kenntnisnahme vom Tod des Vaters, seiner Sehnsucht, möglichst weit weg zu gehen ... und davon, daß Wieland die Situation mit mir in der Zeit seines Zusammenseins mit ihm mehr belastete, als ich vermutet hatte. Einmal hatte er Paul nach einem Heidelbeertaschenabend, bei dem ich angenommen hatte, niemand außer mir hätte sich zwischenzeitlich befremdet gefühlt, einen Zettel auf den Tisch gelegt mit den Worten: »Wenn ich Freias leidendes Gesicht sehe, werde ich wütend und traurig.«

»Irgendwann muß ich weggehen von euch beiden – irgendwann, wenn ich die Kraft dafür habe«, hatte er immer wieder gesagt. Und wenige Tage vor seinem Aufbruch hatte er Paul nachts ins Ohr geflüstert: »Weißt du ... die zweite Liebe ist selten die letzte, und wenn, dann sieht man ja, wohin das führt!«

Und dann verwies er auf irgendeine Cousine, die gerade geheiratet hatte.

Wir probierten noch einen anderen Cocktail. Als Paul ihn ausgetrunken hatte, fragte er wieder, schon mit leicht verwaschener Stimme:

»Meinst du, er ruft morgen an und gratuliert uns nachträglich zum Geburtstag?«

»Wenn du wirklich wissen willst, was ich glaube: Wieland steht jetzt irgendwo an der Reling und denkt keine Sekunde an uns!«

Der Alkohol hatte auch bei mir gewisse Schranken heruntergesetzt. Mußte Paul so selbstmitleidig sein? dachte ich jetzt voller Ingrimm. Pauls Trauerphase über den Verlust von Wieland war nicht kürzer als meine gewesen; lange Zeit hatte er nur in seiner Bude gesessen und gemalt. Die Gradzahlen auf seinen Bildern schwankten zwischen minus 10000 und plus 5 Millionen, gemäßigte Temperaturen kamen nicht mehr vor. Dann zogen wir aus, und mein Bruder verkroch sich in seiner neuen Höhle. An der Akademie hatte er ein ganzes Semester ausfallen lassen. Peter hatte sofort sein Taschengeld erhöht.

Wieland war vor drei Jahren verschwunden, aber Paul hatte immer noch keine feste Beziehung und sich, wie ich, mit belanglosen Bekanntschaften »getröstet«.

Wir zahlten und gingen zum Nachtbus. Irgendwann nahm Paul meine Hand, und die Leute lächelten uns freundlich an. Was für ein nettes junges Paar.

Als Paul hätte aussteigen müssen, verständigten wir uns mit einem kurzen Nicken, blieben bis zur nächsten Station sitzen, liefen gemeinsam zu meiner kleinen Altbauwohnung in Uni-Nähe und fläzten uns gleich aufs Sofa. Ich warf meinen alten Dia-Projektor an, und wir sahen Voyager-Aufnahmen aus den siebziger Jahren von Saturn und Jupiter an. Ich betrachtete lange den »Roten Fleck« und stellte mir vor, wie die Erde dort fünfzehnmal hineinpaßte. Und Paul erklärte mir ernsthaft, daß Palmolon aufgrund chemischer Veränderungen vor drei Jahren jetzt nicht mehr hellgrün, sondern tiefblau wie das Meer an seinem tiefsten Punkt sei. Und auf einmal war alles ein wenig wie früher.

# 18

# Das leuchtende Schiff

Dieses Wochenende kümmerte wieder ich mich um Jo. Paul war vor vierzehn Tagen hier gewesen, meine Mutter war aus der vollgerümpelten, unübersichtlichen Wohnung in der Mindener Grevestraße nicht mehr wegzudenken.

»Bring mir den Fotoband, Freia«, rief Jo und zog sich die Mohairdecke bis fast an die Schultern hoch. Sie saß auf dem Sofa, ihrem Lieblingsplatz im Wohnzimmer. Mit einer fahrigen Handbewegung nahm ich »Die Ostseebäder« von einem der unzähligen kleinen Beistelltischchen und legte Jo das Buch auf den Schoß. Ich war ein wenig abgelenkt heute, denn ich hatte gestern einen langen Abend mit Dr. Tuben und Christian verbracht. Die beiden verstanden sich gut, nachdem sie sich vor einem Jahr kennengelernt hatten – an dem Abend, an dem auch ich Christian zum erstenmal traf.

Dr. Tuben hatte auf einer öffentlichen Veranstaltung ein Buch vorgestellt, dessen Mitherausgeber er war: »The Light Book« war bei einem obskuren Verlag in Los Angeles erschienen. Es ging um den Zusammenhang von Licht und Gesundheit, um die vielfältigen Auswirkungen von natürlichem und künstlichem Licht auf den Menschen. Tuben hatte in den vergangenen Jahren einige ausgedehnte Reisen in die Arktis unternommen, um unter anderem einen Gemütszustand zu erforschen, den die Eskimos Nordkanadas, genauer gesagt, der Ellesmere Islands, als »piblocto« bezeichnen: Dabei rennt der Betroffene hinaus aufs Eis, schreit, gestikuliert und reißt sich, trotz der Minustemperaturen, die Kleider vom Leib. Der hysterische Anfall endet damit, daß der Kranke vor Kälte und Erschöpfung zusammenbricht. Aber »piblocto« ist nur eines unter vielen winter- und lichtmangelbedingten Krankheitsbildern, für die die Eskimos zahlreiche Namen parat halten. Tuben interessierte sich brennend für sie.

Als wir nachher mit ein paar anderen in einer Kneipe saßen, begann Dr. Tuben ein wenig zu sticheln, daß ich mir mit der Erstellung des neuen Wolkenatlas eine reichlich »preußische« Aufgabe gestellt hätte. Doch ich hatte ihm gestanden, daß ich in letzter Zeit nichts getan hatte, gar nichts, außer einen Hauch von Wolke zu suchen, so lichtdurchlässig, daß die Bezeichnung »Wolke« schon fast irreführend sei.

Unendlich langsam blätterte Jo jetzt Seite um Seite des Ostseebäder-Bildbandes um, machte schmatzende und glucksende Geräusche, die ich gelernt hatte, als Wohlbefinden und ein gewisses Ruhebedürfnis zu deuten. Mäxchen hatte für die letzten Wochen seines Lebens in ihre Wohnung zurückkehren können, aber Jo und er hatten nicht mehr viel miteinander gesprochen. Jeder lag krank in seinem Zimmer, und sie wurden eifersüchtig aufeinander, wenn Renate, Paul oder ich scheinbar länger in einem Zimmer verweilten als im anderen. Nun hatte Jo schon wieder vergessen, daß Mäxchen tot war.

»Das Buch kannst du Mäxchen auch ruhig mal mitbringen … der kann dir zu jedem Bild was erzählen … dann ist es für dich nicht so langweilig bei ihm im Krankenhaus …«, murmelte Jo.

Ich war erstaunt, wie klar sie manchmal denken und sprechen konnte. Boshaftigkeit beflügelte ihren Geist, das war mir schon aufgefallen.

Ich nahm Jo das Buch aus der Hand und reichte ihr eine Schale Kompott. Jo warf einen skeptischen Blick auf die Schale, dann goß sie sich mehrere lange Bahnen Rosenhonig auf das Kompott. Hatte sie in früheren Stadien ihrer Krankheit nur großzügig ihren Löffel vollgeladen, so leerte sie jetzt einfach das halbe Glas aus. Vielleicht würde sie ja auf diese Weise wenigstens einen winzigen Bruchteil ihrer gehorteten Schätze noch zu Lebzeiten genießen.

Nach jener Präsentation von »The Light Book« war ein junger Mann aus dem Publikum mit in die Kneipe gekommen; er hatte sich als Christian vorgestellt und mir erzählt, daß er Tischler sei. Wir hatten daraufhin ein langes, ebenso verqueres wie amüsantes Gespräch über den Einfluß des Wetters auf die Holzbeschaffenheit geführt und mit Tuben bis morgens zusammengesessen, als hätten wir drei schon oft gemeinsam die Nächte durchzecht. Als wir endlich unter einem wolkenlosen Morgenhimmel aufbrachen, hatte Christian mich nach meiner Telefonnummer gefragt und meine Hand kurz in die seine genommen.

Jetzt stand Renate in der Tür.

»Freia, hilfst du mir kurz, Jos fürchterlich schwere Truhe im Schlafzimmer umzustellen, damit der Rollstuhl Platz hat …«

Nachdem ich meiner Mutter geholfen hatte, setzte ich mich wieder auf den Hocker neben Jo. Sie hatte ihre Augen halb geschlossen, nur durch einen Schlitz schien sie mich anzuschauen. Sie sah so fremd aus, war mir so fremd geworden in den letzten Jahren. Doch dann seufzte sie auf, wie sie schon immer aufgeseufzt hatte, auch als ich als Kind auf ihrem Schoß herumgeturnt hatte, und lächelte mich kopfschüttelnd an.

»Werd bloß nicht so alt wie ich.«

»Jo« – ich nutzte den guten Moment –, »was war für dich die schönste Zeit deines Lebens?«

»Die schönste? Kind, das weiß ich nicht mehr. Ist das Leben schön? Ich weiß ja gar nichts mehr.«

»Und was war besonders furchtbar?«

Jemand anderes hätte vielleicht den Tod des Ehepartners, zumal er erst so kurz zurücklag, erwähnt, aber Jo wiegte den Kopf.

»Wie wir unser Haus verlassen mußten. Alles, was wir hatten, dalassen mußten. Fast alles. Mein Klavier … die Biedermeierkommode … die Vorhänge mit dem Lilienmuster … die habe ich so geliebt … und den Eichenschrank aus der Familie meines Vaters … und die Kasse aus dem Marzipangeschäft in Königsberg, die ist mit der dritten Seekiste untergegangen … die liegt immer noch in der Ostsee. Bei den Polen irgendwo. Ja, das war das Schlimmste.«

»Und Jo, wie war das, als ihr geflohen seid. Ich meine, ihr mußtet doch auf dieses Schiff, die ›Theodor‹, wie kamt ihr da drauf?«

In diesem Moment stand meine Mutter wieder in der Tür und unterbrach uns, was sonst nicht ihre Art war.

»Es gibt ja so verrückte Geschichten über den Untergang der ›Gustloff‹. Das Bernsteinzimmer soll vielleicht auf dem Schiff gewesen sein … Polnische Suchteams haben nichts aus dem Wrack bergen können … aber wer weiß? Vielleicht sind ja schon andere vorher damit verschwunden?«

Ganz wie früher fiel ihr Jo ins Wort: »Ja, ja, alles, was nicht niet- und nagelfest ist, nehmen die mit … nie an polnischen Tankstellen tanken … dann fehlen nachher die Radkappen.«

Meine Mutter holte einmal tief Luft, schwieg aber. Seitdem meine Großmutter dement war, hatte sie absolute Narrenfreiheit; was sie auch sagte, nahm niemand mehr ernst. Renate schluckte also ihren Ärger herunter und begann von neuem:

»Das Bernsteinzimmer, das ja eine Weile lang im Königsberger Schloß …«

In diesem Moment klingelte das Telefon, und meine Mutter hastete in den Flur. An ihrer Stimme hörte ich, daß Peter anrief.

Ich schloß die Tür. Jo schien zu schlafen. Ich nahm mir

fest vor, mich in den nächsten Tagen wieder an meinen Wolkenatlas zu setzen und die digitalen Bilder, die man mir aus dem Ausland zugeschickt hatte, zu klassifizieren. Ein Altocumulus kurz vor einem Monsun in Kaschmir. Ein Cirrus Spissatus, also ein grobflockig dichter Cirrus, aus Umeå, Schweden. Ein Cumulus Congestus, hochaufgetürmt, ein Kobold mit Hut, aus Seattle und Cumulonimbus Mamma – mit beutelförmigen Auswüchsen – aus Tabriz im Iran. Aber auf mich warteten noch Hunderte Bilder, die ich zudem in Unterklassen aufteilen mußte.

Nun warf ich wieder einen Blick zu Jo. Wie ein Reptil, schläfrig, träge, mit halbgeschlossenen Augen, lag meine Großmutter auf dem Sofa, völlig unberechenbar, in einem Moment weinerlich und hilflos, im nächsten boshaft und gewitzt … Ob sie wohl noch in der Lage sein würde, meine Frage zu beantworten?

»Jo, wie war das noch mal? Ihr wart am Pier und wolltet auf die ›Theodor‹, die war aber schon belegt, weil ihr so spät ankamt. Mit eurem ganzen Gepäck. Aber irgendwie wurdet ihr am nächsten Tag doch noch außer der Reihe an Bord genommen …«

Meine Großmutter gähnte und antwortete, als hätte ich sie gerade nach einem Kuchenrezept gefragt:

»Am Anfang wurde gefragt, wer in der Partei war … nachher wurde das zu umständlich, und man ging einfach davon aus, daß alle in der Partei waren … wir warteten schon … bei minus 20 Grad … seit … ich glaube, anderthalb Tagen. Meine Füße hab ich nicht mehr gespürt … irgendwann kam so ein Schiffsmensch … keine Ahnung, wie man den nennt … Mäxchen wüßte das … und der sagte: noch acht Leute. Acht und nicht mehr. Plötzlich drängelten sich da sechs junge Frauen nach vorne. Genau, so war das … woher die so schnell kamen, weiß ich nicht … flink waren die … Aber mir platzte der Kragen, wir warteten hier seit anderthalb Tagen! … und dann drängeln da so junge Dinger … die auch noch richtig schicke Wintermäntel anhatten … gar nicht verfroren aussahen! Ich rief: ›Wir warten länger! Wir sind endlich einmal dran‹ … der Schiffsmensch … winkte mir und Lena zu … ja, genau, so war das. Ich kann mich gut erinnern. Schrecklich war das. Ich nahm Renate huckepack … denn ich wollte, daß wir als ein Mensch durchgingen! … aber plötzlich stand neben uns noch eine andere Dame … ich kannte sie … Frau Hunstein mit ihrem Sohn Rudolf, den alle Rudi nannten … was hat die noch mal gemacht, die Frau Hunstein? … Friseuse war die, jetzt hab ich es wieder … ihr Mann irgendwo an der Ostfront … der Rudi hatte knallrote Haare und war exakt so alt wie Renate … ich erinnere mich, wie ich einmal Frau Hunstein vor ihrem Laden traf … ich erzählte ihr, daß Renate heute Geburtstag hatte … genau wie Rudi … das war zu Zeiten, als alles noch gut aussah … die Deutschen fast am Ural, in Nordafrika, und die Amis noch nicht dabei … Frau Hunstein war ganz nett … aber ein bißchen einfach … Jetzt hab ich den Faden verloren!«

Ich nahm Jos Hand und drückte sie. »Jo, du erinnerst dich. Du mit Renate auf dem Rücken …«

»Huckepack!« rief Jo, stolz, den Begriff gefunden zu haben.

»Genau, huckepack hast du Renate genommen. Und die Frau Hunstein stand neben dir. Aber irgendwie seid ihr doch auf das Schiff gekommen, was passierte jetzt?«

Jo kniff die Augen zusammen, um sich zu konzentrieren. Dann schüttelte sie den Kopf. »Lena, ich weiß es nicht mehr.«

»Johanna, du konntest deine Füße kaum noch spüren, so kalt war es …«

»Genau, kaum noch spüren, so kalt war es!« rief Jo und sah mich erwartungsvoll an, damit ich ihre Geschichte weitererzählen würde.

Ich drückte noch einmal sanft ihre Hand. »Johanna, der

Schiffsmann hat die Wahl zwischen dir und Frau Hunstein. Er steht vor euch, er sieht von ihr zu dir und von dir zu ihr. Dann zwinkerst du ihm kokett zu, und er winkt dich aufs Schiff ...«

»Nein, Unsinn, du erzählst aber auch alles falsch!« fuhr Jo mich an, und ich wußte, daß ich den richtigen Weg eingeschlagen hatte.

»Also, die Frau Hunstein stand da plötzlich neben uns ... ja, und dann mußte sich der Mann ... vielleicht waren es auch mehrere ... entscheiden, die oder wir ... und sie guckten zwischen Frau Hunstein und mir hin und her ... und Frau Hunstein tat es mir plötzlich nach und hob ihren Rudi auf die Schultern ...! Ich war steif vor Angst ... ich dachte, noch eine Nacht hier draußen überlebe ich nicht ...«

Jo blickte mich eindringlich an und schüttelte langsam den Kopf. »Noch eine Nacht hier draußen überlebe ich nicht.«

Dann schwieg sie wieder. Ich überlegte krampfhaft, mit welchen Tricks ich diesmal ihr Gedächtnis überlisten könnte. Doch plötzlich fuhr sie völlig ungerührt fort:

»Da rief Natilein plötzlich ... vorher war sie den ganzen Tag still vor Angst gewesen ... also plötzlich rief die Kleine richtig laut: ›Die ham gar nich mehr den Gruß gemacht. Schon ganz lange nicht mehr.‹ Und Nati streckte ihren dünnen kleinen Arm sehr gerade nach vorn ... das weiß ich noch ... der Schiffsmann ... der hatte übrigens einen häßlichen Bart ... musterte Frau Hunstein ... weißt du ... Kind ... in dieser Zeit waren viele Leute ... nicht mehr sehr ... führertreu ... man war enttäuscht, fühlte sich verraten ... aber so weit war man ... wie soll ich sagen ... doch noch nicht ... daß man eine Verweigerung ... des Gehorsams ... geradewegs ... als Tugend empfunden hätte ... das war doch noch ... wie soll ich sagen ... anstößig ... jedenfalls ... was wollte ich erzählen? Also dieser Schiffsmensch ... Mäxchen könnte sagen, was das für einer war ...

der winkte mir und Renate dann zu ... ›Sie kenn ich doch auch‹, murmelte er noch zu mir ... und Frau Hunstein ließ ihren Rudi von den Schultern herab ... nie wieder haben wir sie gesehen ... blieben am Pier ... gingen auf der ›Gustloff‹ unter ... was weiß ich ... aber Renätchen hat uns das Leben gerettet ... so war das.«

Jo nickte und beugte sich wieder über ihre Kompottschale. Im nächsten Moment hörte ich sie schmatzen. Ich starrte sie an. Jo schloß die Augen und faltete ihre Hände auf dem Schoß. Dann schloß auch ich die Augen und versuchte mir Renate vorzustellen, wie sie diesen unglaublichen Satz von sich gegeben hatte. Ich dachte an die Fotos von damals, aus der Zeit kurz vor der Flucht, meine Mutter mit einer Mütze, deren Bänder unter ihrem Kinn verknotet waren, einem hellen Kleid, darunter, wegen der Kälte, Wollhosen und in zu großen Schnürstiefeln mit langen Schleifen, die fast auf den Boden reichten. Meine Mutter war sehr dünn und hatte ein spitzes, ängstliches Gesicht mit großen, etwas umschatteten Augen. Und ihre Brauen waren auf jedem Bild in einer Art unendlicher, bedrückter Frage hochgezogen. Aber sind die Momente repräsentativ, die ein Foto einfängt? Man kann ihnen nicht trauen, diesen Schnappschüssen, die festhalten, behaupten und verallgemeinern, wenn doch fast alle unsere Gesten, Mienen und Momente in ein Meer aus Nichts abgetaucht und vergessen sind ...

Jetzt schob Jo ihre warme, schlaffe Hand in meine. Ich spürte ihren langsamen Puls und öffnete die Augen.

»Renate hört das alles nicht mehr gern ... daß sie uns das Leben gerettet hat ... sie hört das nicht gern ... kennst sie ja.«

Ich sah auf das eingefallene Gesicht meiner Großmutter und bemerkte, wie ihr Blick nach rechts, zur Tür, wanderte. Ihre Stirn zog sich unheilverkündend in Falten. In der Tür stand Renate. Sie stand dort, die Arme in die Hüften gestemmt, und sah uns finster an. Ich hatte keine Vorstellung, wie lange sie dort schon gestanden hatte.

Ich blickte zwischen meiner Mutter, die dort groß und aufrecht in der Tür stand, und meiner kleinen, zusammengesunkenen Großmutter hin und her. Ich spürte Jos Anspannung an der Versteifung ihrer Hand in meiner. Sie war immer noch regunglos, nur ihre Augen waren starr nach rechts gerichtet. Ich sah auf den Staub am Saum des dunklen Brokatvorhangs, den Jo schon sehr lange nicht mehr aufzog. Ich blickte auf die Strohsterne, die Renate als Kind gebastelt hatte und die seit Jahrzehnten, ebenfalls eingestaubt, an dem Knauf einer Sekretärschublade hingen. Ich schaute auf das Foto meines Großvaters, ohne Prothese, hoch zu Roß. Mit einem gewinnenden, naiven Lächeln, das ich nur von Schwarzweißfotos an ihm kannte.

Plötzlich wurde mir übel. Eine Welle, ein Schwall aus meinem Bauch drückte nach oben, und ich sprang auf, stürzte zum Bad und übergab mich. Ich hörte nichts, kein einziges Geräusch aus der ganzen stummen Wohnung, bis auf mein eigenes Würgen. Schließlich spülte ich mir den Mund aus, wischte mir mit einem Stück Klopapier den Schweiß von der Stirn, legte eine Hand schützend auf meinen Bauch und ging, immer noch leicht zitternd, in die Küche, wo ich mich auf einen Stuhl fallen ließ.

Dann hörte ich meine Mutter sagen: »Das solltest du nicht erzählen!«

»Was meinst du?« fragte Jo harmlos.

»Die Geschichte von damals.«

»Welche denn? Was habe ich denn erzählt? Wie wir auf dem Schiff das Marmeladenglas versteckt haben?«

Ich traute meiner Großmutter zu, daß sie sich nicht mehr erinnerte, worüber sie noch eben gesprochen hatte.

»Warum habe ich das wohl gesagt, wer hat denn zu Hause Strichlisten über die Nachbarn geführt und mich dazu angehalten, meine Spielkameraden …«

»Ich erinnere mich nicht!« schrie Jo auf einmal.

Dann fuhr sie plötzlich ganz ruhig fort:

»Freia versteht das ... wir waren Kinder unserer Zeit ... Freia hat uns nie Vorwürfe gemacht ... Freia ist nicht so wie du ... so ... so ... was weiß ich ... bring mir Tee mit Honig. Mit Waldhonig. Ich bin das alles leid. Ich bin dich leid. Ich bin mich leid ... bring mir Tee. Mit Waldhonig.«

Später trat ich zu meiner Mutter, die in Jos Küche vor dem Fenster stand. Einen Moment lang schwiegen wir, und ich überlegte, was ich so schnell wie möglich sagen könnte, um ihr nicht das Gefühl zu geben, aus »Entsetzen« über sie zu schweigen.

Aber bevor ich einen Satz formulieren konnte, begann Renate schon:

»Als die ›Gustloff‹ unterging, genau in dem Moment, wo sie endgültig versank, ist plötzlich überall auf dem Schiff die gesamte Beleuchtung angesprungen, eingeschaltet wie von einem Geist, eine richtige Festbeleuchtung ... für den Untergang. Das haben alle Überlebenden immer wieder geschildert ...«

»Renate, weißt du so viel über dieses Schiff, weil du später Rudi unter den Überlebenden gesucht hast?«

»Ja.«

»Und was ist jetzt mit der Festbeleuchtung?«

»Die Festbeleuchtung ist die Festbeleuchtung. Ich komme nicht darüber hinweg: Ich muß immer an die Festbeleuchtung denken. Als das Schiff unterging, ging überall das Licht an.«

»Mutti« – das hatte ich noch nie gesagt –, »wollen wir einen kleinen Spaziergang machen? Ich glaube, das würde dir jetzt guttun.«

»Freia, die Sirene ging plötzlich los, als das Schiff unterging. Und habe ich dir erzählt, daß der Schwere Kreuzer ›Hipper‹, das erste Schiff am Unfallort, keinen einzigen

Schiffbrüchigen mitnehmen konnte? Habe ich dir das erzählt?«

»Nein, nimm mal deine Jacke, und wir lassen Jo kurz allein.«

»Freia, es gab zu wenig Rettungsboote, und die Rettungsboote in den Davits wurden nicht ausgeschwenkt. Man hat noch die Blaukammern geöffnet, und einige Passagiere konnten ein paar dieser vor Kälte schützenden blauen Anzüge anziehen ... aber Freia, die Außentemperatur betrug minus zwanzig Grad. Und als das Schiff unterging, leuchtete es noch einmal auf. Freia, es leuchtete und ging unter. Ich weiß nicht, wie viele Lampen, Glühbirnen, Betten, Tische, Toiletten, Waschbecken die ›Gustloff‹ hatte. Freia, es gibt so vieles, was ich nicht weiß.«

»Bitte, komm.«

»Freia, ich spreche nicht gern.«

»Bitte, komm.«

»Nein, ich bleibe hier. Ich möchte hier stehenbleiben und hinaussehen. Der Sonnenuntergang, wie er alles mit sich reißt. Dieses mörderische Rot, dieses verlogene Orange, das gierige Gelb. Jeden Tag wird die Welt zertrümmert. Immer wieder wird etwas aufgebaut, etwas geboren, aus der Taufe gehoben, an den Zenit geschleudert. Und immer wieder rinnt und tropft alles herab, glänzt auf, um stumpf und unsichtbar zu werden. Immer wieder am Ende die Nacht!«

Meine Mutter stand am Fenster, lächelte mich jetzt wie aus weiter Ferne an, machte eine ausgreifende Geste in Richtung Sonne, als würden wir gerade einen kleinen Spaziergang zu ihr hin unternehmen, als wären die Maßstäbe, die Dimensionen, die Zeit und die Welt vollkommen anders.

In den nächsten Tagen fürchtete ich, mein Kind zu verlieren. Wenn ich nachts im Bett lag und grübelte, legte ich eine Hand auf meinen Bauch, und er kam mir fremder vor als je. Vielleicht schien es mir ungerecht, daß ich, nachdem ich von all den Toten und dem perfiden Glück meiner Familie gehört hatte, Leben gebären würde. Ich wußte natürlich, daß der Gedanke absurd war, er kam mir trotzdem – nachts – und ließ sich nicht immer vertreiben. Feind, in meinem Kopf. Ein Fremder, unter meiner Haut. Das Normalste von der Welt: das Verrückteste von der Welt: ein Kind. Einmal wachte ich mitten in der Nacht mit starken Schmerzen im Unterleib auf. Sie hielten stundenlang an, aber was dort in mir war, hielt sich gut an mir fest. Es gab da etwas, das schon unabhängig von mir und meinen Launen einen Lebenswillen besaß. Manchmal bekam ich Angst vor dem Willen dieses in mir lebenden Gastes; wenn es leise in mir pochte. Dann wiederum kamen mir meine Gedanken lächerlich vor. Luxusgedanken. Jeden Tag wurden Tausende von Kindern zur Welt gebracht. Ich bekam jetzt ein Kind wie so viele andere Frauen. Ich würde die Geschichte fortschreiben. Ich würde mit Haut und Haaren an einem neuen Krieg, vielleicht als besorgte Mutter, beteiligt sein, ich war nicht mehr die Sackgasse der Geschichte, das Mädchen vom Stadtrand, das nicht dazugehörte, das nicht in den »Zungenkuß« ging, sondern in den Zoo, und das über alles aus der Entfernung nachdenken konnte. Ich hing auf einmal mittendrin, der braune Strich, der auf unserem Stammbaum (als richtiger Baum mit Ästen eingezeichnet) alle Familienmitglieder miteinander verband, würde nicht bei »Eva Maria Sandmann« aufhören, sondern durch mich hindurch und weiter gehen. Plötzlich war ich Knotenpunkt in einem dichten Netzwerk, zwischen meinem Fernrohr und den Wolken war mehr als kühle Luft, etwas war schwer und zog mich nach unten. Manchmal legte ich mich auf die kalten Steinfliesen im Bad, weil ich Rückenschmerzen hatte. Manchmal war mir schwindelig, und ich legte meine Wange an den kalten Stein. Ich war von nun an dabei, mein Leben lang. Ich würde mit meinem Kind zur Schule durch die Stadt gehen, die Stadt würde mit meinem Kind zu mir zurückkommen, zurückschlagen, die Gedächtniskirche, die Einschußlöcher an den Häusern in Friedrichshain, die ungebrochene Würde der jüdischen Synagoge an der Oranienburger Straße, die, eine Schande für diese Stadt, immer noch oder schon wieder bewacht werden mußte, der U-Bahnhof Oranienburger Straße, der, mit Wasser überflutet, Hunderte in den Tod riß, die vielen Baulücken in der Stadt, all das würde zu mir zurückkommen und weitergehen, es gab kein Entrinnen, ich mußte mich stellen, der Zukunft und der Geschichte, die, in der Neugierde meines Kindes, persönliches und kollektives Erleben untrennbar vermischen würde.

Nur Paul würde übrigbleiben, einsam und frei. Die Grübelmonster von damals hätten niemals beim Anblick unserer Gesichter eine Antwort auf die Frage nach dem großen Unterschied geben können, die Antwort lag unter unserer Haut.

# 19

# Leere Kühlschränke,
# goldene Kästen

Als ich von einem morgendlichen Spaziergang zurück-
kam, an dem es mir immerhin gelungen war, Cirrus Intor-
tus, die »verflochtene Cirrus-Wolke«, zu fotografieren, bekam ich den Anruf.

Wir fuhren am nächsten Tag gemeinsam fünf Stunden in
Richtung Westen, um uns um die Beerdigung und die
Wohnungsauflösung zu kümmern. Während dieser Auto-
fahrt sprachen meine Mutter und ich kaum ein Wort miteinander; sie legte »Hundert Jahre Einsamkeit« als Hör-
spielkassetten ein.

Eine Woche schufteten wir in der Wohnung meiner Großeltern; ab und zu machten mir Kreislaufprobleme zu schaffen, dann mußte ich pausieren. Zum Glück kamen noch
Tante Ilse, eine Cousine von Jo, und Marion, die Tochter
von Tante Lena und Onkel Kurt, vorbei, um uns zu helfen.
Die Männer glänzten durch Abwesenheit – Paul hatte allerdings nach zwei Tagen Grippe bekommen und war mit Fie-
ber zurück nach Berlin gefahren, war also »entschuldigt«.

Vor dem Tag, an dem die letzten Möbel und Haushalts-
geräte abgeholt werden sollten, fürchtete ich mich die
ganze Zeit.

Auf dem Küchentisch, der als einziges noch geblieben war,
standen eine Ketchupflasche, ein Glas mit Heringen, ein
Glas Honig – sein Inhalt fest wie Bernstein –, ein Glas Ge-
würzgurken und eine Tube Meerrettichpaste. Ich lehnte
mich an die graue, staubige Wand, die hinter dem Küchen-
buffet zum Vorschein gekommen war, und sah meiner Mut-

ter stumm zu, wie sie Flaschen, Dosen, Gläser und Tuben aus den beiden Kühlschränken und aus der Speisekammer auf den Tisch stellte. Resigniert hob ich die halbe Tube Meerrettichpaste hoch: Das Verfallsdatum stimmte exakt mit Jos Todestag überein. Eine Mark neunundvierzig verriet das ölige, schon halb abgelöste Etikett. Meine Mutter wollte diese Dinge in unseren Volvo verfrachten, um sie Hunderte von Kilometern entfernt zu Hause in den Kühlschrank zu stellen. Wir würden in den nächsten Wochen diese von einer Toten in den letzten Tagen vor ihrer Krankenhauseinlieferung angebrochenen Lebensmittel aufessen.

Renate weinte nicht und blieb eigenartig ungerührt, sogar als aus einem Erinnerungsbuch über Flüchtlinge aus West- und Ostpreußen ein Foto von Jo als junges Mädchen mit einem Blumenkranz im Haar wie ein unverhoffter Liebesbrief aus der Feldpost fiel.

»Freia, wann kommen die Studenten, um die Waschmaschine abzuholen? Es ist sieben nach drei!«

Marion, die ich nur alle paar Jahre bei Hochzeiten oder Trauerfeiern zu Gesicht bekam, stand in der Küchentür und stemmte beide Arme in die Hüften. Ich legte die Meerrettichpaste weg. Seitdem ich hier war, dachte ich zwanghaft über die Momente von Einsamkeit nach, die Jo und Mäxchen am Ende erlebt haben mußten. In all den Anhäufungen von Dingen, die wir jetzt durchforsteten, suchte ich nach einer Spur zu ihnen und hielt doch nur Schuhanzieher, Armbanduhren, Geburtstagseinladungen und Tierkalender in den Händen.

Ich warf einen Blick auf die Standuhr, die jahrzehntelang im Wohnzimmer gestanden hatte und jetzt völlig deplaziert neben die Wohnungstür gerückt war.

»Das Waschmaschinen-Pärchen müßte jetzt kommen, Marion, auf fünf Minuten kommt es nicht an, oder?«

Marion musterte mich feindselig. Sie hielt mich mit meiner Glatze und meinen langhaarigen schwulen Bruder für unmöglich, und ich sah in ihr eine von Ehrgeiz zerfressene, ewig nörgelnde Scheidungsanwältin. Nur die Not hatte uns zusammengeführt. Daß ich jetzt ein Kind von einem Mann bekam, den ich erst ziemlich kurz kannte, kommentierte sie erst gar nicht.

Wir waren so viele Frauen hier, daß der Spruch »viele Köchinnen verderben den Brei« wieder einmal Bestätigung erhielt. Jede wollte sich nützlich machen, um Renate nicht mit der Last der Wohnungsauflösung allein zu lassen. Doch ich mußte mir nach einer Woche gemeinsamer Arbeit langsam eingestehen, daß wir einen Großteil unserer Energie nicht darauf verwendeten, effizient auf- und auszuräumen, sondern darauf, unsere jeweiligen Neurosen halbwegs konfliktpräventiv aufeinander abzustimmen. Meistens ohne Erfolg: Während ich jetzt eine Sammlung von ungefähr zwanzig benutzten Küchenschwämmen aus einer Schublade holte, beobachtete ich meine Mutter. Sie war damit beschäftigt, sämtliche Gummibänder, die ich in einen blauen Müllsack geworfen hatte, wieder herauszusortieren. Marion hob dann jedes dieser herausgefischten Gummibänder auf und befreite es von Flusen. Tante Ilse rief laut von ihrem Schemel dazwischen, daß der Keller noch ausgeräumt werden müsse; dies wiederum war schon gestern passiert. Darüber, was mit der alten Standuhr passieren sollte, hatte immer noch niemand nachgedacht.

Bloß weil sie schon über Achtzig war, wollte Tante Ilse auf keinen Fall übergangen werden – dabei war ihr diese Arbeit eigentlich viel zu anstrengend; sie hielt uns alle entschieden mehr auf, als nützlich zu sein, wenn sie mit ihren zittrigen Händen das Porzellan in Zeitungspapier einwickeln wollte.

Und ich? War ich eine Hilfe? In meinem ausgebeulten Anzug und den viel zu großen Gummistiefeln von Mäxchen versuchte ich hier den Macker abzugeben, der alles zackig regelt. Alle zwei Stunden rannte ich jedoch aufs

Klo und heulte heimlich in die zwanzig Jahre alten, steifen, knubbeligen Frotteehandtücher, Tränen, die an dem harten Stoff sofort wieder abperlten und mir wegen seiner mangelnden Absorptionsfähigkeit das Gefühl gaben, untröstbar zu sein, was meinen Tränenfluß, der immer abgewiesen wurde, sofort verstärkte.

Ich weinte nicht darüber, daß Jo und Mäxchen wie 220000 andere Bundesbürger dieses Jahr an Krebs gestorben waren, nicht darüber, daß meine Mutter mir so freudlos mit ihrem unverbesserlichen Nachkriegs-Spartick vorkam und zu Hause Großmutters Meerrettichpaste, die ihr eigentlich viel zu scharf war und die Augen tränen ließ, täglich eisern auf ihr Frühstücksknäckebrot streichen würde, um eine Mark neunundvierzig nicht zu vergeuden, ich weinte nicht darum, daß es meinen Vater wieder einmal nicht die Bohne interessierte, daß wir Frauen hier mit einer nicht enden wollenden Arbeit konfrontiert waren, während er zu Hause gerade einen Waldspaziergang machen und sich mit den »Geistern« unterhalten würde, ich weinte nicht darüber, daß Paul mit Grippe fiebernd in seinem Atelier lag und mir jetzt nicht mehr beistehen konnte, ich weinte nicht darüber, daß Jo am Tag vor ihrem Tod zum ersten und letzten Mal in ihrem Leben den roten Pullover anzog, den meine Mutter und ich vor fast zehn Jahren für sie zum Geburtstag ausgesucht hatten und der jetzt wieder im Gepäck meiner Mutter lag, wie ein Brief, der retour geschickt wurde, ich weinte nicht darum, daß die Bernsteinkette in meiner Jackentasche mir immer noch hautwarm vorkam, hautwarm von dem hageren, stets mit roten Flekken übersäten Hals meiner Tante, der immer nach Schweiß und Kölnisch Wasser roch, nein: Ich weinte darüber, daß Mäxchen und Jo zwei Kühlschränke besessen haben.

Ein Jahr vor ihrem Tod bestand Jo darauf, daß für Mäxchen ein weiteres Badezimmer eingebaut wurde; sie hatte es offenbar satt, mit meinem Großvater die Intimität gemeinsamer Zahncreme, Haarbürsten und Hautöle zu teilen.

Auch meine Eltern ließen seit langem keine zeitliche Grauzone in ihrer Badbenutzung zu. Der eine putzte sich nicht die Zähne, wenn der andere sich die Fußnägel schnitt, keiner ging auf die Toilette, wenn der andere gerade eine Gurgelorgie machte, aber sie hielten wenigstens noch die Vorstellung aus, das gleiche Bad zu benutzen. Nicht so Jo und Mäxchen. Entsprechend verschieden sahen die beiden Orte ihrer Körperhygiene stets aus. Bei Jo dominierte die Farbe Weiß und die Firma Weleda, alles lag ordentlich an seinem Platz, in der Roßhaarbürste auf dem Glasbord befanden sich kaum Haare. Bei Mäxchen hingegen hingen zwei von vielen Wasserflecken fast unkenntliche Poster mit zerklüfteten Berglandschaften an verrosteten Heftzwecken, die die Pfleger wegen Mäxchens lauten Protesten nicht abnehmen konnten. Und sie mußten ständig zerknüllte Handtücher vom Boden und ausgelaufene Tuben aus dem Waschbecken heben.

Nach der Badtrennung hatten sich Mäxchen und Jo wenig später auch zwei Kühlschränke zugelegt. In verschiedenen Zimmern schliefen Mäxchen und Jo schon, seit ich denken konnte.

Mir ging ein Bild von meinem Großvater durch den Kopf, wie er manchmal bei Onkel Kurt im Treibhaus Maden eingesammelt und zerdrückt hatte – einfach zwischen zwei Finger nahm er sie. Dabei saß er die ganze Zeit, da er ja sehr schlecht gehen konnte, auf einem Klappstuhl zwischen den Beeten und verrückte seinen Platz nur gelegentlich. Er war sicherlich keine große Hilfe für meinen Onkel, genoß das Gefühl, scheinbar gebraucht zu werden, aber sehr.

Ich stellte mir gerade Jo mit ihrer Kernseife-Obsession, ihrer »Mit-Essen-spielt-man-nicht«-Mentalität vor und dann Mäxchen, wie er an einem schwülen Sommertag mit erdigen Händen und verschwitztem Gesicht vom mühevollen Umtopfen im Garten ins Haus humpelte – es war überall still dort, die Nachbarn hielten totenähnlich ihr Mittagsschläfchen, nur meine arbeitsame Großmutter rieb in mühevoller Kleinarbeit gläserweise Meerrettich, den sie wegen seiner natürlichen keimabtötenden Wirkung liebte – vielleicht das einzige, in dem sie sich mit meinem Vater einig war. Erst als ihre Krebserkrankung weit fortgeschritten war und jeder Handgriff ihr Schmerzen bereitete, gab sie die liebevolle Herstellung ihres antibakteriellen Brotbelags auf und kaufte übellaunig im Supermarkt Meerrettich-Creme.

Ich stellte mir jedenfalls Mäxchen vor, wie er mit seinen großen, sonnenverbrannten Händen, Erde unter den Fingernägeln, die Küche betrat und kurz in Versuchung kam, Jo, damals noch Johanna, ebendiese Hände unter die weiße Bluse zu schieben. Auch der breite Mund meines Großvaters mit den Schweißperlen auf dem Rand der Oberlippe könnte ein Problem gewesen sein, aber noch viel eher vermutete ich, daß sich Jo deshalb weigerte, irgend etwas, das mit Nahrungsmittelaufnahme zu tun hatte, mit Mäxchen zu teilen, weil er sich vielleicht einmal in über fünfzig Ehejahren von ihr gewünscht hatte, daß sie etwas anderes in den Mund nehmen würde als in Meerrettich-Soße gewendete Würstchen. Ja, genau das hielten meine außer Rand und Band geratenen Gedanken für den eigentlichen Grund, warum hier zwei nigelnagelneue Kühlschränke standen und uns mit ihren offenen Türen irgendwie erstaunt anzuschauen schienen.

Renate sortierte derweil hektisch Kinderfotos nach einem umständlichen System in von zu Hause mitgeschleppte Aktenordner ein; auf die Fotos selbst warf sie keinen Blick, nur auf das mit verschmiertem Kugelschreiber auf der Rückseite festgehaltene Datum. Weil sie so nervös war, fiel ihr gelegentlich ein Stapel aus der Hand, dann lag plötzlich ein verstreutes Schwarzweiß-Mosaik aus Gesichtern, Badeanzügen, ausgebombten Häusern, Sonnenhüten, anfahrenden

Zügen, Skifahrern und Beerdigungen vor uns. Hastig sammelte Renate die Bilder ein, drehte sie wie bei einer Art umgekehrtem Memory-Spiel wieder um und setzte das chronologische Einordnen fort.

Die Miene meiner Mutter veränderte sich auch nicht, als ich zu meiner Überraschung ein mit goldenem Geschenkpapier beklebtes Kästchen aus einer ansonsten mit verstaubten Plastikblumengirlanden vollgestopften Tüte zog. Ich hielt einen Moment inne, wog das Kästchen in den Händen, bevor ich es öffnete. Was mochte darin wohl sein? Liebesbriefe? Oder nur steinalte Pralinen?

In dem Kästchen lagen sieben verschiedene Postkarten vom »Führer«, drei ausgeschnittene Bilder der Fliegerin Hanna Reitsch, ein ovales Katzenauge fürs Fahrrad mit einem eingravierten Hakenkreuz und mehrere in der Handschrift meiner Großmutter verfaßte Vorschriften für eine Gratulation an Göring zur Geburt seines ersten und einzigen Kindes. Ich erinnerte mich, gelesen zu haben, daß Göring zu dieser Geburt mehr als 600000 Glückwunschkarten – nicht nur aus Deutschland – erhalten hatte. Die meiner Großeltern war also auch dabei. Ferner lag in dem Kästchen ein in eine Landkarte eingeschlagenes Buch. Beim Auswickeln bemerkte ich, daß auf der Karte, die Mittel- und Osteuropa darstellte, der Frontlinienverlauf in Rot mit Datumsangabe in Schwarz markiert worden war. Das Buch war »Mein Kampf«. Einen Moment hielt ich es fassungslos in den Händen. Sie hatten es nicht nur besessen, sondern auch noch Anfang 45 vielen anderen Büchern vorgezogen und auf die Flucht mitgenommen. Ich dachte an all die distanzierten und ironischen Bemerkungen meiner Großeltern in den vergangenen Jahrzehnten über die Nazi-Zeit und über Hitler selber. Doch mir ging auch Mäxchens feindselige, knurrige Bemerkung über die Schmarotzerbienen durch den Kopf und Renates schnell geflüsterter Satz »wer hat denn zu Hause Strichlisten über die Nachbarn geführt und mich dazu angehalten, meine Spielkameraden …«, den ich kaum hatte glauben können.

Mäxchen und Jo waren die letzten Jahre über so hinfällig und hilfsbedürftig gewesen, daß sich fast jede Vermutung oder Unterstellung von selbst zu verbieten schien. Mir fiel plötzlich auf, wie viele kleine grenzwertige Äußerungen ich doch von ihnen kannte, doch nie hatte ich diese bisher zu einem stimmigen Gesamtbild zusammengefügt, nie wäre mir früher in den Sinn gekommen, Mäxchen und Jo als Nazis zu bezeichnen. Mein Großvater mit seiner Prothese und seinem wunden Stumpf hatte bei uns seit jeher uneingeschränkte Liebe und Zuneigung erhalten, und wenn Jo von der »glücklichsten Zeit ihres Lebens« berichtete, wirkte sie mädchenhaft-naiv. Oft Erzähltes wie »Die berühmte Bananengeschichte« ließen sie zwar nicht heldenhaft, aber doch mitfühlend erscheinen. Und wenn Großvater erregt von Messerschmitts, der Flakabwehr, der Hauptkampflinie und ähnlichem sprach, dachten Paul und ich uns: So sprechen alte Männer wohl vom Krieg.

In zwei weiteren schäbigen Plastiktüten, die Renate mir jetzt vom Hängeboden reichte, fand ich ähnliche mit goldenem Papier beklebte Kästen. In einem lagen mehrere Bildbände über die Reichsautobahn sowie einige selbst geschossene Fotos von einem »Führerbesuch«. Die Fotos waren auf der Rückseite mit »Der Führer in München« und einem leider nicht mehr lesbaren Datum versehen. Was meine Großeltern nach München verschlagen hatte, wußte ich nicht. In dem dritten Kasten lag eine Biographie über Carin Göring, die erste, schwedische Frau von Göring, für die der Reichsmarschall nach ihrem frühen Tod den gewaltigen Landsitz »Carinhall« erbauen ließ, sowie das Buch »Nordische Schönheit«. Zuunterst lag ein kleines, vergilbtes, halb auseinanderfallendes Büchlein ohne Rücken mit dem Titel »Menschenkenntnis und Charakterkunde. Zur Erkennung und Beurteilung der Kopf- und

Gesichts-Formen«. Von Emil Peters. Das Werk war in 15. Auflage im Jahr 1922 beim Konstanzer »Volkskraft«-Verlag erschienen. Ich schlug das Buch auf irgendeiner Seite auf. Unter der Überschrift »Die praktischen und die unpraktischen Köpfe« las ich: »Weiche, verschwommene, ›verwaschene‹, schlaffe Gesichter, solche, die unklar und ungeordnet in der Form sind, haben keine Tatenenergie. Es sind Dummköpfe oder faule Träumer. Auch Gesichter, die in Krankheit oder gemeinem Schlemmerleben gesunken sind, zeigen, daß Geist und Wille irgendwie in einem Sumpf stecken. Selbstbeherrschung, Fleiß, Tatkraft, geistige Ordnung, Organisation, Wille – dies alles ist in den plastisch gebauten, geordneten, anspruchsvollen Gesichtern zu finden. In solchen Gesichtern liegt der Wille und der Weg zum Erfolg.«

Zwischen den Absätzen waren beispielhaft Figuren abgebildet, die mit Kurzunterschriften wie »Edle Mundform – Das Geistige herrscht über das Sinnliche«, »Unedle Mundform – Das Sinnliche herrscht über das Geistige« oder schlicht »Habgier, Lüsternheit« versehen waren. Auch dem »Verheimlichungstrieb« wurde ein ganzes Kapitel gewidmet.

Ich blätterte weiter zum Kapitel über die Nase, in dem jemand Eselsohren hinterlassen hatte: »Niemand kann leugnen, daß in der Hauptsache durch die Nase ein Menschenantlitz den Ausdruck des Bedeutenden erhält, ja daß wohl kaum je ein bedeutender Mensch über die Erde schritt, der nicht eine große Nase gehabt hätte.« Ich übersprang einen Absatz: »Kinder und Völker auf kindhafter Entwicklungsstufe haben kleine eingestülpte Nasen. Der Nasenrücken, der auf höherer Geistesstufe den kraftvollen Persönlichkeitswillen darstellt, scheint hier wie eingestürzt. Das sinnliche und elementare Gebiet der unteren Nase herrscht allein. Die Nasenflügel sind breit, die Nasenöffnungen sichtbar. Das körperliche Leben ist also stärker als das geistige, und das sinnliche Empfinden und Begehren tritt unverhüllt zu Tage.«

Das nächste Eselsohr gehörte zu dem Kapitel »Der Mund«, und ich las eine mit Kopierstift zittrig unterstrichene Zeile: »Und man darf sicher annehmen, daß ein verkniffener Mund irgendwelche Abnormitäten der geschlechtlichen Organe und ihrer Tätigkeit verrät.«

Plötzlich tippte mir jemand auf die Schulter. Es war Renate.

»Was hast du denn da ausgegraben?«

Nachdem Renate mir die staubigen Plastiktüten sowie eine alte Luftmatratze, eine Sporttasche voller schlaffer Bälle und ein paar Skier vom Hängeboden gereicht hatte, hatte sie sich, während ich friedlich gelesen hatte, in den Keller verzogen. Jetzt stand sie mit aufgelöstem Haar hinter mir, einen alten Lederfahrradsitz in der Hand.

Ich schwieg. Der Gedanke war mir unheimlich, daß die Kästen hier, fünfzig Jahre lang, von niemandem angerührt, ein friedliches Dasein gefristet hatten.

Meine Mutter setzte sich jetzt neben mich. Ich erwartete, daß sie mir die Kästen abnehmen, schimpfen und fluchen würde. Aber sie saß nur ruhig da, und für einige Augenblicke sahen wir beide aus dem Fenster.

Später habe ich mir schreckliche Vorwürfe gemacht. Dafür, in diesen Augenblicken darauf vertraut zu haben, daß die Stille beredter sein würde als Worte.

Aber was wußte ich, was in Renate in diesen Momenten vorging, als ich meinte, wir würden das gleiche denken.

Es klingelte, Marion und meine Mutter rannten gleichzeitig zur Tür, so daß es aussah, als wollten sie sich gegenseitig ein Bein stellen. Schließlich stapfte ein mit Army-Rucksäcken ausgerüstetes Studentenpärchen herein – die verspäteten Waschmaschinenkäufer. Ich blieb zurück, lief in der Küche zwischen den Kühlschränken auf und ab, legte eine Hand auf meinen Bauch, in dem es sich fast unmerklich regte, warf schnell ein paar alte Schwämme in den Müllsack, die Abgelenktheit meiner Mutter ausnutzend. Schließlich fiel mein Blick auf ein fast leeres Glas Honig. Jedesmal, wenn ich meine Eltern in nächster Zeit besuchen würde, würde ich meinen Tee mit diesem Honig süßen … das letzte, was meine Großmutter vor ihrem Tod gegessen hat, war ein Löffel Honig … dann stellte ich mir vor – ich konnte diese Gedanken gar nicht mehr vertreiben –, wie meine Großmutter sich in den letzten Tagen vor ihrer Einlieferung – die Diagnose »unheilbar« kannte sie schon – zum Kühlschrank schleppte und nach irgend etwas suchte, was ihr, wenn nicht Linderung, so doch vielleicht Lust verschaffen könnte. Von der Tafel Nougatschokolade hatte meine Großmutter nur ein einziges Stück genommen. Nein, nicht »genommen«: Ich sah die Bißspuren an der Tafel. Wer weiß, in welchem Zustand sie diesen Biß getan hat. Ich sah deutlich wie einen Scherenschnitt die Spur ihrer großen Schneidezähne. Das kurze Zucken in ihrem Gesicht, das ihr Lächeln war.

Ich mußte an die Momente von Einsamkeit denken, die sich für die beiden immer wieder aufgetan haben mußten, nachdem zum Beispiel Jo vom Abendbrot aufgestanden war, aber die »Tagesschau« noch nicht angefangen hatte. Momente, in denen jeder Mensch meistens alleine ist und die einem, wenn es einem gutgeht, nicht weiter auffallen, die in anderen Zeiten aber plötzlich dazu führen, daß man rastlos durch die Wohnung streift, hier und da etwas herumräumt, vielleicht von einem Impuls getrieben die Kühlschranktür aufmacht, innehält und sich eingestehen muß, daß nichts darin zu finden ist, was einem die Angst vor der nächsten Nacht nehmen könnte, und dann resigniert zum Honigglas greift, um an seinem bernsteinfarbenen Inhalt zu kratzen und zu kratzen. Schließlich lutscht man an den kristallinen Krümeln mit der Sehnsucht eines Kindes …

Doch das Gefühl, das Jo in ihren letzten Tagen gehabt haben mußte, konnte nicht das gleiche Gefühl gewesen sein wie damals, als sie kurz nach dem Ersten Weltkrieg heimlich ein Zuckerstück aus dem Glas auf dem obersten Regalbrett stahl – es war nicht das hüpfende Glücksgefühl, etwas Verbotenes getan, etwas Süßes und Sündhaftes heimlich genossen zu haben: der Zucker ließ sie jetzt kalt, die Schmerzen ließen nicht mehr nach, der Trost war weder in der Schokolade noch in den Schnittblumen, die sie sich selber kaufte, zu finden noch in den Bernsteinperlen an ihrem Hals, den hellbraunen undurchsichtigen Perlen, die wie korrupte Diener zu einer alternden Königin hielten, von der sie sich noch etwas versprachen …

Wir alle hatten von ihrem Tod profitiert: Renate und Peter erbten ihr noch nagelneues Auto, mein Bruder einiges Porzellan und den Fernseher und ich die Stereoanlage von Mäxchen und einen Teil des Schmucks von Jo. Da meine Mutter nicht ihr eigenes Geschenk zurückbekommen wollte, ging auch die zweite Bernsteinkette an mich. Sie lag jetzt, ein Gegengewicht zu Lenas Kette, schwer in meiner anderen Jackentasche, links und rechts die Geschwisterketten, meine Taschen beulten sich noch weiter aus, und manchmal war mir, als würden kräftige Hände daran ziehen.

Mir drängten sich Gedanken daran auf, wie Mäxchen und Jo in ihren letzten Lebenswochen allein in ihrem jeweiligen Zimmer irgend etwas in sich hineingefuttert hatten. Vielleicht hörten sie einander beim Essen und Trinken, vielleicht hörten sie, wenn dem anderen etwas aus der Hand glitt, vielleicht hörten sie sein Fluchen und Stöhnen durch die Wände, die verrieten, was immer die verschlossenen Türen voreinander verbergen wollten.

Ich fragte mich, wie man jahrelang im Krieg auf jemanden warten, als junge, behütete Frau allein durch das zerbombte Europa fahren konnte, in einem fremden Land, in einem barackenartigen Lazarett, das diesen Namen nicht verdiente, zwischen Kranken und Sterbenden den eigenen Mann suchen, auf Frachtzügen mehrere tausend Kilometer weit durch den Winter transportieren und später jahrzehntelang pflegen konnte – aber ihm nach der Geburt des ersten und einzigen Kindes im ersten Kriegsjahr jede Form von Zärtlichkeit, die über das Einreiben des Beinstumpfes mit Ringelblumensalbe hinausging, verweigerte.

Ich fragte mich vieles.

Was da in Jos Kopf an Geheimnissen ruhte, würde ich nie mehr erfahren. Was wußte ich schon, ich, die ich den Himmel absuchte nach Cirrus Perlucidus, davon, wen oder was sie in dem Mann mit dem kleinen Schnauzbart gesehen hatte, dessen Portraits aus dem Münchner Foto-Studio Hoffmann sie in goldenen Kästen aufbewahrte? Wie konnte ich die vielleicht gelegentlich etwas barsche Großmutter, die, seit ich denken konnte, alle Ferien mit uns verbracht hatte, mit der Frau in Verbindung bringen, die Göring eine Gratulationskarte schrieb und die die Gesichter ihrer Mitmenschen auf edle oder unedle Züge untersucht hatte, auch wenn sie später vorgab, daß diese Dinge die Nazis »diskreditiert« hätten?

Niemand war mehr hier, den ich befragen konnte. Auf nichts schien ich zurückgreifen zu können außer auf meinen unheilvoll sich wölbenden Bauch und die Erinnerung an jene »blaue Stunde«, diese Nähe zu meiner Mutter aus dem Nichts heraus, ohne Erklärung, Geschichte, Verbindung, plötzlich, wie ein unangekündigtes Hoch auf der Wetterkarte.

Ich fuhr mir einmal über den kurzgeschorenen Kopf und starrte auf die mit dunklen Flecken übersäte Küchenwand. Wasserflecken, Kaffeeflecken, Schimmelflecken. Ich bildete mir ein, daß die Schimmelflecken in den sieben Tagen, in denen wir hier schon aufräumten, größer geworden waren. Es tat mir nicht gut, so lange hier zu sein, das merkte ich deutlich. Meine Gedanken marschierten ohne mich los, hinein in die Dämmerung, in die Nacht, wie ein desertierendes Heer von einem verrückt gewordenen General. Vor meinen Augen sank das hell erleuchtete Schiff, mir wurde schlecht, und ich klammerte mich an einer Türklinke fest.

Es klingelte wieder, und ich erinnerte mich undeutlich, daß das Herr Deckel sein mußte. Herr Deckel mit seinen unruhigen, stets verängstigt guckenden fünfzigjährigen Kinderaugen, der die Kühlschränke für sein Geschäft »Küchen- und Badeinrichtungen aus zweiter Hand« abholen würde.

Könnte es nicht ein Gefühl von Erleichterung sein, wenn die beiden Kühlschränke von Mäxchen und Jo, die, wie sie hier in gemessenem Abstand voneinander standen, wie physische Repräsentanten der beiden schienen, verschwinden würden? Doch als ich Herrn Deckel mit zwei Trageriemen in die leere Diele stürmen sah, seine Halbglatze wippte bei jedem seiner schnellen Schritte, krampfte ich die Hände ineinander. Es war noch zu früh für ihr nächstes Leben, ihr »Zweite Hand«-Leben, sie konnten uns vier Frauen nicht hier mit den Stockflecken, den unvergilbten Hitlerfotos und dem bösartig schimmernden Katzenauge allein lassen: die Kühlschränke, denen – schräg, wie sie da im Raum standen – die Dynamik dieser jahrzehntelangen Beziehung innezuwohnen schien. Für vieles war es zu spät, aber dafür war es zu früh.

Ich fuhr mir noch einmal mit einer raschen Bewegung über mein kahlgeschorenes Haupt, geleitete Herrn Deckel schnurstracks in die Küche, Herrn Deckel, der mich neugierig musterte, den Stoff seiner geheimsten Träume vielleicht, dann machte ich fast militärisch auf dem Absatz kehrt, eilte ins Bad und legte eines der rauhen Handtücher an mein nasses Gesicht.

# 20

# Nachtkammern

Früher hatte ich Pauls Zeichnungen und Gemälde so, wie sie waren, geliebt. Nun regte es mich auf, daß sich meinem Empfinden nach kaum etwas von dem von mir Gesagten in ihnen wiederfinden ließ. Ich sah auf die Wesen in blauen Anzügen, die Paul vor schwarzem Hintergrund knapp skizzierte, und fragte mich, was diese Szenen mit einem Schiffsuntergang zu tun haben sollten.

»Das ist die Kleidung aus den ›Blaukammern‹«, flüsterte Paul mir jetzt zu.

»Und das ist für dich das Wesentliche am Untergang der ›Gustloff‹? Daß ein paar Leute spezielle Kleidung trugen, die sie wahrscheinlich auch nicht vor dem Ertrinken retten konnte?«

Mein Tonfall war unwirscher als beabsichtigt.

»Mir gefallen die Blaukammern eben«, gab Paul gekränkt zurück. Die drei Torpedotreffer, die Marinehelferinnen aus dem E-Deck, die Mütter, die ihre Kinder im Gedränge verloren hatten, die Mannschaft, die Frauen und Kinder aufforderte, bei minus zwanzig Grad einfach in die Ostsee zu springen, die Kutten, die losrissen – nichts davon fand sich in Pauls Gemälden und Zeichnungen. Immerhin ließ er seine Wesen frieren, um ihr Hineinschlüpfen in die blauen Anzüge zu begründen: Eine Gestalt hielt eine Gans umschlungen und fütterte ein kleines Wesen mit »Russisch Brot«: Die ersten vier Buchstaben, die sie wie Konfetti in die Luft warf, waren H-A-U-T. Das alles ergab dann seiner Meinung nach »Gänsehaut«.

Unsere »Transformationsarbeit« sollte doch die schwerfällige Ansammlung von Besitztümern, Reminiszenzen an die »glücklichste Zeit« unserer hundsnormalen Familie in etwas Leichtes, Klares, Transparentes verwandeln – statt dessen machte Paul alles umständlicher und rätselhafter als vorher. Ich war zunehmend unzufrieden mit unserem Projekt. Ich wollte Klarheit gewinnen, nicht ein weiteres Labyrinth aufbauen.

Außerdem fand ich, daß Pauls Gemälde aus den letzten Monaten so viel Platz einnahmen, daß der vollgestopfte Keller meiner Eltern mir dagegen klein und überschaubar vorkam. Manchmal nahm Paul mir die Dinge einfach aus der Hand, die ich gerade wegwerfen wollte – das Foto von Hanna Reitsch oder eine Eintrittskarte für die »Meistersinger« in Bayreuth –, um sie in seine Collagen einzubauen. Hitler schaute mich aus einem dieser Gemälde gleich dreifach an, ausgeschnitten aus einem Foto-Heftchen, in dem Hitler mit Kindern posierte und zu lachen versuchte.

»Was hast du denn, du bist so zwanghaft, dann steht eben viel rum, na und?« fragte Paul mich erstaunt und fuhr sich durch die Haare.

»Aber du hast mir einmal doch etwas versprochen … ich hatte einen Wunsch frei … der Palmolon, du weißt schon.«

»Ja … aber du kannst nicht immer die Regeln bestimmen … bloß weil du die Ältere bist …«

Die Ältere! Ich war eine Viertelstunde älter als Paul. Dieses Argument hatte ich seit unseren frühesten Kindertagen nicht mehr gehört.

»Du kannst nicht immer alles bestimmen …«, murmelte Paul noch einmal, während er einer Gans versonnen ein türkisfarbenes Auge malte.

»Nicht in der Liebe und nicht in der Kunst, stimmt's?« gab ich bitter zurück.

Paul sah mich an.

»In beiden Fällen hab ich versucht, mich auf dich einzu-
stellen ...«, fing er vorsichtig an.

»Mir perfekt nachzueifern, oder?«

Ich sah Wieland und Paul als Liebhaber vor mir – ein
Bild, immer noch deutlicher, als ein in Wirklichkeit einge-
fangenes je sein konnte.

»Du kannst mir nicht vorschreiben, wie ich male, das
geht einfach nicht. Dann muß eben jeder von uns alleine
arbeiten, wenn es zusammen doch nicht funktioniert.
Dann ist ›Erinnerung‹ eben doch eine einsame Angelegenheit, ich kann es nicht ändern, ich wünschte mir ja auch,
daß du meine Bilder verstehen würdest ...«

»Ich will nur nicht, daß du den ganzen Müll einfach re-
produzierst ...!«

Dieser Satz war sicherlich nicht sehr diplomatisch. Vielleicht hatte ich ihn ausgesprochen, weil mich gerade mein
Kind getreten hatte und ich wieder Angst bekam vor dieser dicken, eingeschweißten Familienkette aus Schweigen,
Totschlag und nochmals Schweigen, zu der ich nun für immer gehören würde. Über meinen Tod hinaus. Denn mein
Kind, meine Kinder, würden mich überleben und auch
noch meine Wohnungsauflösung in Angriff nehmen ...

Nachdem an einem Nachmittag wieder zwei Koffer mit
alten Stiefeln, eine große Plastikbox, in der viele kleine
leere Plastikboxen lagen, zwei Schuhkartons voller Ge-
schenkpapierrestchen, ein Schlitten mit verrosteten und
verbogenen Kufen und eine nicht mehr funktionstüchtige
Mikrowelle in meinen Keller gewandert waren (als ich gerade abschließen wollte, hängte Renate noch schnell zwei
pralle Leinenbeutel mit vergilbten Frauenzeitschriften an
einen Haken), nahm ich nun im »Kabinett« Pauls Hände
in meine und sagte:

»Manchmal frage ich mich, wie wir später einmal sein
werden ... Paul! Nach alldem, was wir in den letzten Wo-

chen erfahren haben, ist mir eine Idee gekommen ... laß uns doch all das aufschreiben ...! Ich hab meine alten Kalender genau geführt und liefere die Fakten, die Stichworte, und du findest dafür eine Sprache ... dann brauchen wir später nichts ... nichts! ... außer diesem Buch, unserem privaten Almanach, und deinen Bildern, auf unseren Dachböden, Hängeböden und in unseren Kellern zu verwahren, keine Kisten, Schachteln, Schuhkartons, Briefe, Einmachgläser, Souvenirs, diese Sammelwut unserer Familie! Nichts!«

»Das – wird – Arbeit«, gab Paul zögernd zurück mit einem Blick in sein Atelier, in dem überall halbfertige Skizzen, Zeichnungen und Gemälde herumlagen, standen oder hingen.

»Ich habe einen Wunsch offen ...«, rief ich ihm ins Gedächtnis.

»Aber bloß kein Tagebuch, nicht so mit Datum und Chronologiezwang, eher ein bißchen märchenhaft ...«, sagte Paul ausweichend.

Seit jenem Nachmittag haben wir allerdings nicht mehr über diese Idee geredet, und Paul war ein Mensch, den man nicht drängen durfte. »Vielleicht« war eines seiner Lieblingsworte.

Später, nach jenem Winter, der uns alle überraschte, der alles, unsere Erinnerungen an Fernreisen und an den letzten Abwasch, an kalte Großmutterhände und »das erste Mal«, unsere Träume, unsere Bündnisse und Antipathien, alles wie ein schwarzes Loch aufsaugen und auf einen einzigen vibrierenden Punkt des Schmerzes konzentrieren sollte, am kürzesten Tag des Jahres, in einer Nacht, in der alles in sich zusammenfiel und nicht schepperte, sondern einfach verschwand, später, nach diesem Winter, nach dem kürzesten Tag des Jahres, als das Eis des Winters schon längst in einen Sommer geflossen und in einem neuen

Winter gefroren war, würden Paul und ich uns über seinen Arbeiten vollständig zerstreiten.

Der Grund? wie Mäxchen rhetorisch gefragt haben würde: Paul wollte partout meine Zöpfe in einer Collage verarbeiten. Meine Zöpfe! – die schon damals gegen meinen Willen aufbewahrt und obendrein aufgehängt wurden. Paul fand mich wiederum zu kategorisch und meinte, die Zöpfe würden sich wirklich ausnehmend gut vor dieser ostseehimmelroten Leinwand und dem fein säuberlich aufgeklebten Puppengeschirr machen, gegen das ich auch schon rebelliert hatte. Bei dem Puppengeschirr hatte ich mich zurückgehalten, denn ich wollte meinem Bruder eigentlich nicht in sein Werk hineinreden, aber daß nun schon wieder jemand meine Zöpfe aufbewahren wollte, ging mir entschieden zu weit. Pauls Geistesblitz, nur einen Zopf zu verwenden, schien mir die Idee des Kompromisses nun wirklich ad absurdum zu führen.

Jetzt beugte sich Paul wieder über sein Gemälde, genauer gesagt, über die Gans. Ich trat zurück ans Fenster und suchte den Himmel nach Flugzeugen ab, aber heute war er mondlos und unbevölkert. Ein tiefhängender Stratus hatte sich breitgemacht, sich über die Stadt gelegt und nicht mehr gerührt wie ein müder Mensch, der sich gerade in seinem Bett ausstreckt hat. Es gab keine Orientierung an diesem Himmel, der seine Landkarte verbarg, seine Wege und Zeichen nicht freigab für die Wanderung meiner Augen, ihnen die Lust am Fliegen nicht gestattete und sie zwang, hier, in diesem nach Ölfarbe stinkenden Zimmer, auf dem türkischen Teppich zu bleiben. Ich schwieg. Ich hörte das Kratzen von Pauls kleinem Pinsel für Details. Paul malte weiter, ohne auf meine üblichen Berichte zu warten.

# 21

# Honigglas

Wir nahmen heute wie immer »ungehörige Mengen« von diesem »süßen Gold« für unseren Tee. Die Wohnungsauflösung war überstanden, und Paul und ich saßen bei Kaffee und Kuchen mit unseren Eltern im Wohnzimmer. Renate konnte sich eine Bemerkung über die »verwöhnte Nachkriegsgeneration« nicht verkneifen. Einer ihrer Lieblingssprüche war früher: »Und für mich ist eine Banane noch etwas Besonderes gewesen.«

Über ihre Gefühle in dieser Zeit sprach sie eigentlich nie, nur Dinge, Güter, Fakten konnten aufgezählt werden. Von dem und dem Jahr an gab es wieder Kirschen, dazu Bananen, in diesem Winter endlich etwas anderes als Steckrüben oder Kohlrabi. Diese Dinge konnte Renate minutiös wiedergeben. Aber ich dachte oft an ihre Worte in jener Nacht, als Jo endlich erzählt hatte, wie sie auf die »Theodor« gekommen waren. Seitdem hatte ich Angst um Renate.

Meine Mutter, deren Hängeböden voller Honiggläser standen – Holunder-, Gänseblumen-, Akazien-, Klee-, Lindenblüten-, sogar Rosenhonig besaßen wir schon, bevor Mäxchen sein gewinnträchtiges Hobby ausübte –, hatte den eindeutig für ein Tausendjähriges Elend angelegten Vorrat von Mäxchen und Jo natürlich mit zu uns geschleppt. Wenigstens Jo hatte an ihrem Lebensende ihre Form, ihre Sitten und ihren Verstand verloren und hemmunglos gegessen, worauf sie Lust hatte.

Der Gedanke, daß meine Mutter vielleicht selbst noch vor ihrem Tod in ferner Zukunft mit jedem Löffel Honig geizen würde, weil Honig ja etwas Kostbares und Gutes, also eigentlich nicht zum Verzehr Gestattetes, ist, deprimierte mich schon jetzt manchmal derartig, daß ich am liebsten alle Gläser in der Mitte unserer Stadt für die vielen jungen Leute, die an U-Bahnhöfen und Supermärkten mit zerrissener Kleidung und dunkel umrandeten Augen saßen, aufgetürmt hätte.

Peter hatte sich in den Kopf gesetzt, Paul das Angeln beizubringen, und sie machten sich jetzt auf zu den großen Seen weit hinter unseren kleinen Tümpeln, die sich mit den Jahren für mich von riesigen Wasserflächen zu kleinen Hausteichen gewandelt hatten. Auch der Weg durch den Wald beschränkte sich jetzt auf ein paar Tannenhaine, die man in wenigen Minuten durchquert hatte.

Nachdem Vater und Sohn gegangen waren, stand meine Mutter mit einem Glas Honig in der Tür und fragte mich mit ihrer üblichen, sehr leisen Stimme: »Was glaubst du, was soll ich denn dem Rudolf mitbringen, Rosen- oder doch lieber Kleehonig …?«

Ich faßte meine Mutter scharf ins Auge. Hoffentlich verschenkte sie nicht den Kleehonig, bloß weil wir von dem noch mehr Kisten hatten als von dem guten Rosenhonig. Auch von unserem Rosenhonigvorrat hatten wir so viele Gläser gelagert, daß wir damit durch den nächsten Krieg kommen würden.

Ich legte meiner Mutter eine Hand mit Nachdruck auf den Arm: »Nimm den Rosenhonig, bitte!«

»Wie du meinst …« Meine Mutter fuhr mir über die nicht vorhandenen Haare und murmelte nachdenklich: »Damals konnte man dir noch nahe sein, weil du Zöpfe hattest. Wie lange haben wir da immer zusammen geklönt, wenn ich dir die Dinger geflochten habe!«

Wie unterschiedlich die Erinnerung doch ist. Meines Wissens habe ich nur belanglose Kommentare in das ewige Schweigen meiner Mutter hineingerufen.

»Renate, der Name Rudolf, ist das wirklich Zufall, ich meine, du denkst an diesen Mann seit über dreißig Jahren, dieser eine Kuß damals, ich meine ...«

»Werd nicht esoterisch«, fuhr meine Mutter, die Horoskope und Biorhythmenkurven in Frauenmagazinen studierte, mich an.

»Rudolf ...«, begann ich noch einmal.

»... ist ein häufig vorkommender Name in der Generation deines Vaters«, ergänzte Renate knapp. Dann fing sie an, die ohnehin schon saubere Ablage neben dem Herd mit einem Schwämmchen abzuwischen und drückte dabei so fest auf, daß ich mir die Ohren wegen des Quietschgeräusches zuhalten mußte.

»Und Pauls Zweitname, bitte?« bohrte ich weiter.

»Reich mir mal das Spülmittel!«

Ich gab meiner Mutter die kleine grüne Flasche, und sie spritzte etwas Spülmittel auf das Schwämmchen, das schon vorher weiß vor Schaum war.

»Bist du denn jetzt etwas aufgeregt?« frage ich meine Mutter schließlich seufzend, während ich ihr weiter zuschaute.

Sie sah mich einen Moment verschwörerisch an, sagte dann aber: »Nein, nein, du weißt doch, wie ich bin.«

Sie schrubbte weiter, um dann um so nervöser fortzufahren: »Rudolf und ich, wir werden uns so ein bißchen über dies und das unterhalten ... und guten Kuchen gibt's da hoffentlich im ›Lilienthal‹.«

Ich grinste in mich hinein. Meine Mutter hatte Peter erzählt, sie würde mit mir heute einen Fahrradausflug zu einem Schloß im Umland machen. Sie hatte gelogen, und es war ihr nicht einmal schwergefallen, meinte sie.

Ob sie denn glaubte, daß Peter ihr immer die Wahrheit sagen würde, wagte ich zu fragen.

Meine Mutter blickte verdutzt auf. Wie ich denn darauf käme, daß er das nicht täte, fragte sie, doch eine Spur argwöhnisch. Sie wußte, daß ich früher, wie so viele Mädchen, ein besseres Verhältnis zu meinem Vater als zu ihr besessen hatte, und vielleicht ahnte sie jetzt etwas über die Tragweite dieses Bündnisses.

Ich überlegte nur den Bruchteil einer Sekunde. Dann beschloß ich: Nein, es war Peters Aufgabe, nicht meine, die Karten auf den Tisch zu legen. Und es gab auch noch einen anderen Grund: den Blick meiner Mutter in diesem Moment. Ich brachte es nicht übers Herz. Wenn Renate Peter betrogen hätte, wären ihm wenigstens noch sein Beruf, seine Kumpels, seine Kurzreisen geblieben; wenn Peter jedoch Renate betrog, dann gab es für sie keinen Raum außerhalb ihrer Phantasie. Nur die Erinnerung an einen Kuß, der nach Massage-Öl und Spülmittel roch ... Ich sah die dünnen Haare meiner Mutter, das Blond, das aus ihnen gewichen, die Halbmonde ihrer Fingernägel, bleich, ihre blauen, auf mich gerichteten Augen ... ich brachte es nicht übers Herz, ihr zu sagen, was ich wußte.

»Das habe ich an deinem Vater von Anfang an geschätzt: Er ist durch und durch ehrlich, manchmal ein bißchen grob, die Späße gehen schon mal ein bißchen weit, aber ... mit seiner direkten Art weiß man ...« – jetzt lachte sie erleichtert nach der Sorge, die ihr meine Frage unverhohlen vermittelt hatte – »wenigstens, woran man ist.«

Mir wurde wieder übel, ich wandte mich ab und sah aus dem Fenster auf die Tannen.

»Ich mach mir einen Fencheltee mit Honig«, murmelte ich zu meiner Mutter.

»Hast du Magenschmerzen, Freia?«

»Ja, ein wenig.«

Ich öffnete einfach das Kleehonigglas, um den Rosen den Weg zu Rudolf zu ebnen (meine Mutter würde niemals zwei Gläser einer Sorte an einem Tag öffnen), und tat mir drei sündige Löffel in eine kleine Tasse.

Meine Mutter warf mir einen vorwurfsvollen Blick zu, seufzte und sagte nichts.

»Ich finde, Renate, du solltest dir vorher ein paar interessante Gesprächsthemen ausdenken, damit du nachher nicht dasitzt und nur über Blumen und Bäume redest.«

»Was spricht dagegen?« fragte meine Mutter ungewöhnlich schnell.

»Eure Gefühle füreinander«, antwortete ich ebenso schnell.

»Aber ich bin ge-bun-den ...«, sagte meine Mutter gedehnt wie ein Gummiband.

»Ein Kuß, wäre das schon zuviel?«

Eigentlich hätte ich sagen wollen: Man lebt nur einmal, und: Hast du je gedacht, daß du soviel allein gelassen werden würdest? Hast du je gedacht, daß die einsamsten Momente deines Lebens nicht die als Kind im Krieg, sondern die als Erwachsene im Wohlstand sein würden?

Plötzlich weinte meine Mutter. Früher wäre ich jetzt genervt hinausgegangen, hätte mit meinem Fußballtöppen noch einmal an die Tür getreten. Doch jetzt ging ich zu ihr und legte meinen Arm um sie. Das ganze Make-up, das sie aufgetragen hatte, ihr Lidschatten, verschmierte, lief in dunklen Tränen ihre Wangen herab.

»Ma-ma, was ist?«

»Ich kann da nicht hingehen ... Ich kann da nicht hingehen, alleine, das ist doch schon ein Verrat. Ich meine, der Rudolf hat keine Frau mehr, die ist doch vor zwei Jahren gestorben ... ich meine, das sind zu unterschiedliche Verhältnisse, und unter der Voraussetzung ... mit dem, was zwischen uns ... stand ... steht ... ist ... das ... nicht ... gut.«

Ich hielt meine Mutter in den Armen. Weshalb auch immer sie so viel für Rudolf empfand: Vielleicht hätte ich ihr sagen können, daß sie auch mal an sich denken sollte, daß Gefühle über Prinzipien Priorität haben können, hatte ich mich nicht mit Paul auch wieder ausgesöhnt?

»Verstehst du«, sagte meine Mutter plötzlich mit rauher, roh klingender Stimme: »Ich würde mich von ihm küssen lassen, und … ich weiß, er würde es tun.«

Ich wußte es auch, wußte, daß von diesem Treffen alles abhing. Und daß meine Mutter wunderschön heute aussah – bis eben. Und ich merkte, wie schwer es mir fiel, meiner Mutter nicht zu sagen, was sie ohnehin schon ahnte: daß sie Rudolf nie mehr sehen würde.

Ich hielt meine Mutter noch einen Moment in den Armen und war reichlich verwirrt. Mir war wieder schlecht, und mir würde noch lange schlecht sein. Wer auch immer da in mir heranwuchs, würde es nicht leicht haben. Trotz Christian an meiner Seite. Ich war auch nur eine der vielen tausend jungen Frauen, die sich vornahmen, »alles anders zu machen«.

Meine Mutter rief Rudolf an und sagte ab. Und log heute schon zum zweitenmal. Und wieder mußte ich herhalten. »Meine Tochter ist im siebten Monat schwanger und liegt hier bei mir mit Fencheltee und Kleehonig auf dem Sofa – ihr ist permanent übel, ich kann sie jetzt unmöglich alleine lassen«, haspelte sie herunter. Wie gut, daß es mich und das Kind gab.

»Aufgeschoben ist nicht aufgehoben«, sagte meine Mutter noch zu Rudolf, und das war Lüge Nummer drei: »Aufgeschoben ist aufgehoben!« sprach die Stimme deutlichst.

»Was würdest du machen, wenn Peter morgen nicht mehr da sein würde?« fragte ich meine Mutter, nachdem sie den Hörer auf die Gabel gelegt hatte, und ließ damit eigentlich offen, aus welchem Grund er »nicht mehr da« sein könnte.

Renate trocknete sich ein paar Tränen ab und murmelte trotzig: »Ich würde Rudolf zur Beerdigung einladen!«

Jetzt mußten wir beide lachen.

Zwei Wochen später waren Paul und ich wieder bei unseren Eltern zu Kaffee-und-Kuchen eingeladen. Es war ein wolkenloser Sonntag, Cirrus nicht unter 14000 Metern. Trotzdem blieben Peter und Paul bei uns sitzen, denn der Angelunterricht meines Vaters hatte sich neulich nicht als erfolgreich erwiesen. Paul taten die Fische leid. Er ließ sie sofort wieder los, wenn sie an seinem Haken zappelten.

Bald strengte mich die laute Art meines Vaters an – ich war in den letzten Wochen zunehmend gereizt –, und ich legte mich im Wohnzimmer auf die Couch. Als ich nach einer Weile schwankend aufstand und aus dem Halbdunklen hinausging, bat meine Mutter mich, aus der Speisekammer ein Glas Aprikosenkompott mitzubringen, wenn es mir nicht zu anstrengend wäre ... Paul erzählte gerade begeistert von einem Strawinsky-Konzert, das er kürzlich gehört hatte. Ich ertappte mich dabei, Paul zu beobachten, wie er kurz innehielt, die Augen schloß. Manchmal fragte ich mich, was in meiner Mutter vorging, wenn sie erlebte, wie Paul sich so offensichtlich einem Genuß, welcher Art auch immer, hingeben konnte. Da er für sie ein bemitleidenswerter Angehöriger einer unterdrückten Randgruppe war und sie wahrscheinlich seit jenem Tag, an dem sie ihr Schicksal in die Hand genommen hatte und heil übers Wasser gekommen war, während ein gleichaltriges Kind ertrank, für »die Unterdrückten und Entrechteten« eintrat – die Formulierung stammte von ihr –, wagte sie es natürlich nicht, Paul in irgendeiner Hinsicht zu kritisieren.

Das eingestaubte Kompottglas fand ich flankiert von gut zwei Dutzend Preiselbeergläsern vom letzten Herbst. Dahinter stand majestätisch einsam ein Honigglas aus Jos Kühlschrank. Ich erkannte es an seinem fettigen Etikett und den Kugelschreiberkritzeleien, die meine todkranke Großmutter noch darauf hinterlassen hatte. Aber in dem Glas befand sich kein Honig mehr. Als ich es hochhob und schüttelte, klapperte es. Jetzt entdeckte ich eine Streichholzschachtel darin und ein Stück Papier, aus dem beim Schütteln ein eingewickeltes Gebiß gerutscht war.

Mit dem Aprikosenkompott in der Linken und dem Honigglas in der Rechten schritt ich zurück auf die Terrasse. Prompt stieß ich mit meinem Bauch gegen die Glastür – manchmal vergaß ich meinen veränderten Körperumfang einfach.

»Hier …«, ich stellte das Kompottglas zwischen die Kaffeetassen, die Keksdose, die Sahneschüssel und das Honig-Gebiß-Glas auf den Kuchenteller meiner Mutter.

»Freia …«, meine Mutter saß da mit zusammengesunkenen Schultern.

»Renate, was ist das da? Was hast du hier schon wieder aufbewahrt? Mit Augenaufschlag kommst du bei mir nicht durch, raus mit der Sprache!«

Ich weiß auch nicht, was in mich fuhr, vielleicht war ich einfach nur angespannt und erschöpft, mir gingen jedenfalls beinahe die Nerven durch.

»Sag mal, du bist hier nicht bei dir zu Hause, deine Mutter muß sich nicht rechtfertigen, bloß weil du so einen übertriebenen Ekel vor allem hast, was im weiteren oder weitesten Sinne mit Krankheit oder Tod zu tun hat! Und das als Tochter eines Arztes. Also, stell das Glas dahin, wo es hingehört, rede deiner Mutter keine Neurosen ein, die sie nicht hat, komm zu uns, und trink noch eine Tasse Kaffee!«

Mein Vater fläzte sich in seinen alten Jeans auf dem Gartenstuhl, verscheuchte eine Fliege von seinem braunen Arm und blickte mich ungehalten an. Er wirkte immer wie ein großer Junge, der Angst davor hat, daß man ihm den Spaß verdirbt.

Plötzlich hörte ich meine Armbanduhr. Es war so leise, daß ich jedes Sekundenticken hörte. Mir schien, wir alle hörten es.

Schließlich begann ich mit leiser Stimme:

»Hör mal zu, Peter, wenn du mir noch einmal zu verstehen gibst, daß ich meiner Mutter mehr Schaden zugefügt habe als du, dann werde ich hier gleich ein wenig von ›Waldgeistern‹ erzählen und von einigen Dingen mehr, dann wirst du hoffentlich begreifen, daß du hier der ganz große Abstauber gewesen bist …!«

Mein Vater und ich sahen uns an. Vielleicht dachten wir beide an das Ehrenwort, das ich ihm im Alter von acht Jahren gegeben hatte, doch wir mußten spätestens in diesem Moment begriffen haben, wie lächerlich solche Indianersitten in Anbetracht einer gescheiterten Ehe sind. Mein Vater wußte genau, daß ich meine Mutter mit gutem Recht zu mir nach Hause zum Tee einladen und ihr alles erzählen könnte. Waldgeister. Feen. So wie meine Mutter einst seine Fee war – so blaß und zart. So ungreifbar und doch so nah. Hausgeist.

Ich starrte in das finstere Heer von Tannen. Einen Moment schloß ich meine Augen, um mich zu beherrschen. Meine Gedanken waren in zu großer Unruhe … Mein Vater … dieser Pragmatiker, der als Orthopäde sein Leben mit Füßen, Knöcheln und ausgerenkten Schulterblättern verbrachte … den höchst prosaischen Seiten des Menschen … war süchtig nach diesen ätherischen Frauen … Frauen wie Glas … wie Kristall … wie Schneeblumen … wie Luft … »Das ist wie in Ohnmacht zu fallen und doch zu wissen, daß man geborgen ist«, hatte er damals zu mir gesagt. Sollte ich ihn dafür hassen? … Ich liebte ihn doch, meinen Vater … der einfach keine Lust hatte, nur Arzt, Kriegsknirschhüften-Flicker, Korinthenkacker, Steuerzahler zu sein. Mein Vater, der meine Mutter betrog, es aber nie im Leben fertigbringen würde, sie im Stich zu lassen … Mein starker schwacher Vater … Mein Vater … dieser verrückte, schreckliche, egozentrische Romantiker …

»Freia, bitte, tu das nicht«, sagte Peter jetzt, und ich öffnete die Augen wieder. Mein Vater starrte schuldbewußt auf die Tischkante. Wenn er mich wenigstens anschauen würde. Feigling. Ich fixierte ihn, ließ ihn einen Moment zappeln. Er wußte wie ich, daß meine Mutter unberechenbar war. Sie stand jeden Tag zu einer bestimmten Uhrzeit auf, ging immer nach dem Früstück zum Briefkasten, zum Gymnastikkurs, zum Markt. Aber plötzlich, alle sieben Jahre einmal, konnte sie sich völlig verändern und dann kälter und gnadenloser sein als wir alle; wie damals, als sie plötzlich auf dem Schimmel im Birkenwald verschwand.

Die Waldgeistgeschichten dürften meine Mutter von einem Tag auf den nächsten zum Scheidungsanwalt stiefeln lassen. Weder die Uhrzeit, zu der sie aufsteht, noch die, zu der sie zum Briefkasten, zum Gymnastikkurs, zum Blumenladen und zum Markt geht, würden sich ändern. Nur um das Herrenmode- und um das Tabakgeschäft würde sie einen scharf zirkulierten Bogen machen.

Mein Vater hatte endlich den Blick von der Tischdecke gehoben und sah mich bittend an. Warum sollte ich ihn eigentlich schon wieder schützen, immer gegen meine Mutter? Warum war ich gezwungen, immer Partei zu ergreifen? Ich merkte, wie die Wut in mir aufstieg.

Plötzlich fragte Peter:

»Was sind das denn für Zähne, Renate?«

»Das ist das Gebiß meiner Mutter. Ich bewahre so etwas eben auf, das sind für mich Erinnerungen, Erinnerungen an ihr Lächeln, an früher, und ich kann das nicht einfach wegwerfen, das ist, was uns noch von ihr geblieben ist«, antwortete meine Mutter leise und ausführlich.

Ich sah auf die Hände meiner Mutter. Diese sehnigen Hände mit langen, schmalen Fingern und kleinen Nagelbetten, die ich geerbt hatte. Vielleicht, dachte ich, während ich noch auf die deutlich hervortretenden Adern auf den Handrücken starrte, würde Renate nicht so sehr an ihren Eltern hängen, vor denen sie doch immer zu Onkel Kazimierz geflohen war, wenn sie nicht Einzelkind gewesen wäre. Nach der großen, gemeinsamen, erfolgreichen Flucht, deren Ausgang sie als kühne Fünfjährige bestimmt hatte in einem Moment, wo es ihrer Mutter die Sprache verschlagen hatte, war sie später zu nicht mehr als kleinen, heimlichen, bequemen Fluchten mit der Deutschen Bahn in der Lage gewesen. Immer wieder war sie in die düstere, elterliche Wohnung zurückgekehrt, hatte sich um alles gekümmert, hatte das Ungetüm von einem Fünfziger-Jahre-Staubsauger, auf das Jo so stolz war, leise über den Saum des Brokatvorhangs schnurren lassen, den sie gegen den Willen ihrer Mutter nicht zu öffnen wagte. Kein weiteres Geschwisterkind konnte diese Last mit ihr teilen.

»Kannst du bitte Jos Gebiß wegschmeißen?« forderte ich. Der Anblick der dritten Zähne mit den gelben Ablagerungen von exzessivem Teegenuß, die vollkommen verrückte Vorstellung, daß von Jo nichts mehr übrig sein sollte außer diesem Gebiß, einem gesichtslosen Gebiß in einem Glas, wie ein Blinddarm in einem Formaldehyd-Behälter einer pathologischen Sammlung, überwältigte mich. Diese künstlichen Zähne, plötzlich sinnlos, Pars pro toto, Geschenk der Toten an die Lebenden, herausgebrochen aus dem Gesicht meiner Großmutter, ihrem Mund, ihrer Mimik, ohne Verbindung zu ihren Worten, ihrer ostpreußisch gefärbten Sprache, ihrer Vergeßlichkeit, ohne Verbindung zur Zeit der langsamen, stockenden Worte, der plötzlich auftauchenden Erinnerungen, des Schweigens – diese verdammten dritten Zähne konnten Erinnerung doch nicht verwahren, lebendig erhalten, sondern nur verzerren, entstellen, massakrieren. Vielleicht würde meine Mutter dieses Gebiß in ein Kästchen schließen, und sein kleines Schlüsselchen würde ihr Sicherheit geben. Ich wußte es nicht.

»Kannst du bitte Jos Gebiß …?« ich brachte den Satz nicht noch einmal zu Ende. Erschöpft ließ ich mich auf einen Stuhl fallen, zog die Beine an mich, an meinen dicken Bauch, meine Leibesfrucht, und legte die Hände vors Gesicht.

»Aber warum denn, Freia? Ich bewahre so etwas eben auf, das sind für mich …«, fing Renate den gleichen Satz noch einmal an.

Ich schluchzte durch meine nassen Hände hindurch, fiel ihr ins Wort:

»Und was ist überhaupt in der Streichholzschachtel?«

»Eure Milchzähne, Freia. Ich hatte Angst, daß die mal aus Versehen weggeworfen werden, da habe ich sie lieber in das Glas gesteckt …«, gab meine Mutter brav zur Antwort.

»Kannst du bitte wenigstens meine Zähne wegschmeißen, wenn du dich schon nicht von dem Gebiß deiner Mutter trennen kannst?«

Ich schrie fast in meine zitternden Hände, die jetzt nicht nur von Tränen, sondern auch von Spucke naß wurden.

»Freia, nun setz dich mal zu uns. Komm mal her, meine Große. Du bist einfach ein bißchen überreizt, oder? Laß deiner Mutter doch ihre Sammelei, wenn sie das glücklich macht. Es tut dir doch nichts. Laß sie doch, und vergiß das alles einfach jetzt mal. Komm, iß Kuchen, komm wieder zu uns, aber stell das Glas erst mal zurück!«

Kaum hatte mein Vater erfolgreich das Thema gewechselt, ging er gleich zum Angriff über.

Ich holte weit aus und warf das Glas in einem hohen Bogen von der Terasse. Irgendwo zwischen den düsteren Tannen knackte es.

»Freia!«

Mein Vater und ich sahen uns an. Komplizen.

Und wieder hatte ich sie verletzt und ihm nur gedroht.

# 22

# Cirrus Perlucidus
## (Gdynia)

Meine Mutter saß mir gegenüber; auf ihrem Schoß lag eine ausgebreitete Papierserviette mit einigen Apfelstücken. Kauend fragte ich sie, wann wir denn in Szczecin wären und wieviel Aufenthalt wir dort haben würden. Renate murmelte, während sie einen weiteren Apfel viertelte und schälte: »Sind gleich da, eine halbe Stunde zum Umsteigen haben wir. Aber dann können wir noch mal fünf Stunden in der Hitze schmoren, Freia.«

Erst später, in Gdynia, würde die Tatsache, daß es jetzt Sommer war – einer der heißesten Sommer an der Ostsee, die es seit den ersten Messungen je gegeben hatte –, mein Gefühl, einen ganz und gar fremden Ort vorzufinden, noch steigern.

Wir fuhren nun an den die Stadt säumenden Plattenbauten und an vom Autoverkehr schmutzig-schwarzen Altbauten vorbei in den Bahnhof von Szczecin ein. Hier mußten wir vom deutschen in den polnischen Zug umsteigen – über den Norden, also Szczecin, dauerte die Fahrt zum ehemaligen Gotenhafen nur sieben Stunden, über Warschau waren es elf. Gäbe es schnellere Züge, könnte man die Strecke, die kürzer war als Berlin–Bonn, wesentlich schneller bewältigen.

Renate und ich hatten nicht viel Gepäck. Ich reiste seit Jahren mit einem alten Seesack herum; diesmal baumelte er schlaff über meine Schulter, da ich nur für zwei Tage gepackt hatte. Meine Mutter hatte ihren kleinen Koffer mit Rollen dabei, der jedoch in dem brüchigen Asphalt des Szcceiner Bahnhofs so oft steckenblieb, daß sie ihn schließlich trug.

Der polnische Zug war hoffnungslos überfüllt. Da die Idee, gemeinsam nach Gdynia zu fahren, meiner Mutter gestern nacht spontan gekommen war, hatten wir weder Platzkarten noch ein Hotel gebucht. Aber meine Mutter schien sich keine Sorgen zu machen. Nur ich, hochschwanger, wie ich war, fühlte mich etwas beunruhigt bei dem Gedanken, noch eine Unterkunft suchen zu müssen.

»Ich möchte sehen, wie es da jetzt aussieht! Ich muß noch mal an diesen Ort zurück!« hatte meine Mutter gestern abend zu mir gesagt, als ich zum Essen zu Besuch war und Peter irgendwann mit seinem Freund Jochen verschwunden war. Die Sache mit dem Honigglas hatte Renate mir übelgenommen, aber wie üblich diesen Ärger durch Schweigen zum Ausdruck gebracht. Nach einigen Wochen jedoch schien ihr Wunsch, sich jemandem mitzuteilen, größer zu sein als ihr Groll auf mich, und so war ich, die ich Überraschungen von meiner Mutter gewöhnt war, nicht wirklich verblüfft, als sie relativ zusammenhangslos wieder von der »Festbeleuchtung« der »Gustloff« erzählte und davon, daß das Schiff immer noch auf dem Grund der Ostsee lag und daß sie seit dem Januar 45 nie wieder in Gotenhafen beziehungsweise Gdynia gewesen war. Es war ein Freitagabend gewesen, und ich hatte meine Mutter vorsichtig gefragt, ob sie sich vorstellen könnte, einmal – ich meinte: irgendwann einmal – mit mir an diesen Hafen zu fahren. Renate stand am Fenster und antwortete nicht, was mir zunächst das Gefühl gab, zu weit gegangen zu sein, sie mit dem Gedanken, an diesen Ort des Schreckens zurückzukehren, restlos überfordert zu haben, doch dann marschierte sie schnurstracks mit gesenktem Kopf zum Telefon und rief die Bahnauskunft an. Am nächsten Morgen saßen wir im Zug.

Jetzt drängelten sich vor uns ein paar deutschsprechende Rucksack-Touristen in das Abteil, das wir gerade ansteuerten. Die Hitze machte mich müde, seit der Schwangerschaft hatte ich starke Kreislaufprobleme. Eine Schwingtür knallte gegen meinen Bauch.

»Komm, wir gehen ins Bistro«, Renate zog mich an einer schimpfenden Mutter mit zwei weinenden Kleinkindern vorbei in den nächsten Waggon, dessen grelle Farben mir den Atem verschlugen: Rosarote Vorhänge, Tischdecken, dunkelroter Teppich leuchteten uns entgegen; auf den Tischen standen große rote, halbrunde Serviettenhalter mit schwarzen Marienkäferpunkten, daneben knallgelbe Plastikblumen. Der Anblick hatte etwas Schwindelerregendes. Kaum hatten wir Koffer und Seesack auf dem Boden abgestellt, eilte schon der Verkäufer aus dem Imbiß-Kabuff heran und fuchtelte mit den Händen herum. »Nie, nic!« rief er und war so aufgebracht, daß ich Angst hatte, er würde unser Gepäck gleich aus dem Fenster werfen.

Renate blieb gelassen, antwortete etwas in polnisch und begann zu bestellen. Schlagartig hellte sich das Gesicht des Verkäufers auf, und ohne noch ein Wort über den Koffer und den Seesack zu verlieren, machte er sich an die Arbeit.

In den nächsten fünf Stunden blieb das Bistro-Abteil vom Ansturm der Zuggäste eigenartig unberührt; bis auf die Rucksacktouristen, die sich Cola holten, und eine alte Dame mit grell blondiertem Haar und violettem Lippenstift, die die Tagessuppe nahm, kam niemand. Wahrscheinlich, überlegte ich, fuhren in erster Linie Einheimische, die sich die Preise des Bord-Bistros nicht leisten konnten, von Szczecin nach Gdynia. Ich kam mir ein wenig seltsam vor, wie ich einmal pro Stunde nach vorne lief, um eine weitere Bestellung aufzugeben, für Getränke und Sandwiches ein Viertel von dem bezahlte, was sie im deutschen Zug gekostet hatten. Als ich aus dem Fenster schaute – wir passierten gerade Słupsk –, entdeckte ich einen deutschen Lastwagen mit der Aufschrift: »Schäfer, Büroeinrichtungen, D-57290 Neunkirchen, Siegerland«. Siegerland, das muß für einen des Deutschen kundigen Polen merkwürdig klingen, dachte ich, und gleichzeitig ging mir durch den Sinn, wie absurd es war, daß ich gerade diesen LKW hier entdeckte. Wenn ich das Christian oder Paul später in Berlin erzählte, würden sie bestimmt sagen: »Das erfindest du jetzt, nun übertreib mal nicht.«

Lange konnte ich den Lastwagen nicht verfolgen, denn plötzlich stand der Verkäufer wieder neben mir und fuchtelte herum. Dann packte er mich an der Schulter und zeigte auf zwei, drei Servietten, die aus ihrem Sechziger-Jahre-Marienkäfer-Halter, vom Wind in Bewegung gebracht, auf den Boden segelten. Mit einem entschlossenen Ruck stemmte der Verkäufer das Fenster wieder hoch. »Nie, nie, nie!«

Seine Laune hellte sich erst wieder auf, nachdem ich eine Portion Schaschlik, einmal Tagessuppe und zweimal Orangensaft bestellt hatte.

Am Abend kamen wir in Gdynia an. Den restlichen Teil der Fahrt hatten wir ausgerechnet Schiffe versenken gespielt. Wir hatten einfach auf zwei Servietten zehn mal zehn Kästchen gemalt, uns über die Schiffsgröße bzw. Kästchenanzahl unserer »Flotten« verständigt, und schon ging es los. Treffer, versenkt, Treffer, Treffer. Meine Mutter schlug mich in vier Runden vernichtend, systematisch kämmte sie meine Gewässer durch und bombte, was das Zeug hielt. Meine Treffer nahmen sich dagegen äußerst bescheiden aus. Ihre längsten Schiffe gingen mir bis zum Schluß durch die Lappen, während sie noch in den hintersten Ecken meine U-Boote aufspürte und versenkte.

Nach vier Spielen gähnte meine Mutter und wollte aufhören, ich war einfach keine adäquate Gegnerin. Also las ich noch etwas in einer Fachzeitschrift über das Phänomen »El Niño«, während meine Mutter die Augen schloß und sich vom Zug schaukeln ließ.

Der Bahnhof von Gdynia war ein altes Gebäude, das noch vor dem Krieg gebaut worden sein mußte. Mir fiel auf, wie kühl es hier trotz der hochsommerlichen Temperaturen war. Die dicken Wände waren von Staub und Schmutz bedeckt, nur wenige Lampen erhellten die düsteren Hallen und Flure. Leuchtreklamen, handgeschriebene Produktwerbungen, Plakate und Informationen hingen überall, auf Hinweis-Tafeln fehlten Plastikbuchstaben; wie bei einem Lückentext mußte man die entsprechenden Vokale und Konsonanten im Geist ergänzen. Irgendwo las ich vor einem schummrigen Licht »Salon Gier«, und ich erinnerte mich, daß dies nichts weiter als »Spielothek« auf polnisch hieß. »Warszawa Centralna«, der Warschauer Bahnhof, war schon vor zehn Jahren in bedeutend besserem Zustand gewesen.

Meine Mutter ging sofort zur Touristen-Information, zehn Minuten später traten wir, vom Licht geblendet, nach draußen, um gleich darauf wieder ins Dunkel eines Taxis mit getönten Scheiben zu tauchen. »Hotel Dom Marynarza, Aleja Piłsudskiego 1 – proszę«, gab Renate an den Fahrer weiter.

Wir rasten eine breite Straße entlang, die vom Meer nur noch durch eine Plattenbauwand getrennt war; oben von Abgasen geschwärzte Balkons, unten kleine Lädchen aller Art; viel »ryby«, Fisch, wurde verkauft. Mir fiel wieder auf, daß manche Geschäfte einfach nur mit »sklep«, Laden, beworben wurden.

Die Räder des Taxis quietschten, wir nahmen eine scharfe Kurve nach links und sahen im nächsten Moment das Meer. Riesige Schiffe, war das erste, was ich dachte. Das Hotel lag zwei Minuten vom Strand entfernt und war ein großer Kasten aus der Ära des Realsozialismus mit imposantem, beflaggtem Portal.

»Kennst du diese Gegend noch von früher?« fragte ich, während wir die Treppen hochliefen. Neben unserem stand ein weiteres realsozialistisch anmutendes Hotel, auf dem Dach die großen grauen Neon-Blockbuchstaben ANTRACYT. Renate schüttelte nur den Kopf, ohne sich umzudrehen.

Während der ganzen Fahrt hatte ich sie beobachtet, auf Anzeichen von Aufregung oder gespannter Neugierde geachtet, aber sie hatte nicht anders gewirkt, als wenn wir zum Schlachtensee picknicken fuhren. Renate hatte hingebungsvoll Obst geschält, in, wie es schien, ruhigem Einverständnis mit ihrer Umgebung, dem Ziel der Reise, der Reise selbst. Kurz dachte ich daran, wie meine Mutter und ich uns in Hannover verpaßt hatten, wie ich ihr nachgeschaut, sinnlos an die Plexiglasscheibe geklopft hatte. Ich hatte Renate nie von dieser Nicht-Begegnung erzählt. Wozu von einem ebenso traurigen wie irreversiblen Ereignis erzählen, wozu sie unglücklich machen, hatte ich gedacht und versucht, das Bild ihrer zielstrebig von mir forteilenden Schritte, ihres kleinen, geraden Rückens, der unablässig auf ihrem blonden Haar zitternden Spange und unsere sich in unterschiedliche Richtungen in Bewegung setzenden Züge zu vergessen.

Unser Hotel hielt innen, was es von außen versprach: Das Foyer war holzgetäfelt, mit einer riesigen Weltkarte und vielen kleinen Wimpeln versehen. Rettungsringe mit dem schwarzen Schriftzug »Viking Gdynia« schmückten die Halle. An einer Wand konnte man Wappen bewundern: »Mare Confidemus«, »Port of Southampton«, »Leszno«, weiter oben konnte ich die Namen auf Schiffsbäuchen, Walen oder auf Spruchbändern zwischen Löwenkrallen nicht mehr lesen.

Ich sah zu meiner Mutter, die sich mit großer Selbstverständlichkeit mit einem jungen Mädchen in einer blütenweißen Bluse an der Rezeption auf polnisch unterhielt. Ob es sie wohl freut, wenn man sie für eine Polin hielt, fragte ich mich. Ich dachte an Fotos der von den Deutschen geplünderten und zerstörten polnischen Städte, selbst die Kirchenglocken hatten die Deutschen mitgenommen, um das Metall einzuschmelzen. Die Grausamkeit, den tiefgläubigen Polen ihre Kirchenglocken zu stehlen, hatte mich lange Zeit, so irrational dies war, mehr erschüttert als die Tatsache, daß insgesamt sechs Millionen Polen umgebracht wurden oder im Krieg fielen. Ich stellte mir die Stille vor, nach der Einnahme der Stadt durch den Feind. Das Ausbleiben des mittäglichen Glockenschlags. Die Hochzeit, die Beerdigung ohne Glocken. Von diesen Dingen hatte Renate einmal erzählt, plötzlich im Zug, als wir zu Onkel Kazimierz fuhren. Manchmal hatte ich das Gefühl gehabt, daß die »Unvermitteltheit« meiner Mutter daher rührte, daß nur für Außenstehende ein Thema überraschend angeschnitten wurde, sie aber innerlich die ganze Zeit mit ihm beschäftigt war.

Wie im Zugbistro war ich auch auf unserem Zimmer von den knalligen, kontrastreichen Farben, die offenbar mit der Öffnung der Grenzen Einzug gehalten und die matten Töne ersetzt hatten, überwältigt: der Teppich bordeauxfarben mit grünen Blumengirlanden, die Bettdecken in Hellblau, Violett und Rosa gestreift und mit weißen Wellenlinien versehen, die Vorhänge wiederum waren cremefarben mit orangen und hellgrünen Ornamenten. So hatte ich mir einen LSD-Trip vorgestellt. Ansonsten war die Einrichtung solide, Holztäfelung bis Hüfthöhe, ein robustes Tischchen mit Ikea-artigen Stühlen, ein etwas älteres Fernsehmodell und ein frisch renoviertes Bad.

Es war früher Abend, und wir beschlossen, einen Spaziergang zum Hafen zu machen. Ich wurde plötzlich so aufgeregt, daß ich Herzklopfen bekam. Statt den Aufzug zu nehmen, ging ich diesmal die Treppen hinunter. Auf jedem Zwischenstockwerk fielen mir große, reliefartige Schiffsbilder auf. Auf jeder Etage ein anderes Schiff, alles Frachtschiffe, die harte Arbeit nahelegten. Auf unserem

Stockwerk konnte man im aufgeschnitten dargestellten Schiffsbauch plastisch hervorgehobene Kohleberge bewundern. Eine Etage tiefer Zement oder Sand.

Im Foyer rief ich schnell Paul an. Als ich ihm erzählte, daß wir im Zug Schiffeversenken gespielt hatten, meinte er, das sei ein gutes Zeichen.

Meine Mutter hatte sich, während ich mit Paul telefonierte, umgezogen und trug nun ein schickes blaues Kleid, das ihre schlanke Figur gut zur Geltung brachte. Sie hatte ihre Haare hochgesteckt, was sie selten tat, und sogar ein wenig Lippenstift aufgetragen, als wolle sie dem Hafen Reverenz erweisen.

Auf der Promenade mußten wir kichernden Mädchengruppen mit T-Shirts, auf denen in Brusthöhe »Keep your distance« stand, ausweichen; ältere, stark blondierte Damen mit leichten Sportjacken in Tigermuster oder betont jugendlichen Farben und weißhaarige Herren mit Schirmmützen liefen Hand in Hand mit Badetaschen vor uns. Der Einzug westlicher Moden war hier unübersehbar. Plötzlich standen wir mitten in einem Rentnertrupp; die ungefähr dreißig rüstigen Senioren trugen weiße T-Shirts mit der Aufschrift »Spotkania« in Einheitsgröße, so daß bei manchen Männern der Bauch hervorlugte, einigen Frauen aber der Stoff bis fast in die Kniekehlen hing. Sie redeten lebhaft in russisch und deutsch miteinander.

»Da hinten lagen die Schiffe, und das Zwanziger-Jahre-Haus steht auch noch!« rief eine Frau in breitem schwäbischem Dialekt, die völlig überflüssigerweise einen pinkfarbenen Regenschirm mit sich führte. Renate und ich waren also nicht die einzigen, die sich hier auf Spurensuche gemacht hatten.

Die Promenade war von unzähligen kleinen Buden gesäumt, an denen man Kodak-Filme, Postkarten, Sonnenbrillen, Schlüsselanhänger, Karabinerhaken in Neonfarben, Süßigkeiten und Getränke kaufen konnte. Am Ende der Promenade befand sich unmittelbar vor dem Hafen ein Sandstrand, wo trotz des einbrechenden Abends immer noch Kinder im Wasser herumsprangen, Jugendliche sich lachend nasse Handtücher auf die Rücken klatschten und Verfolgungsjagden veranstalteten, Mütter Kinder riefen, Väter Kinder huckepack nahmen und mit ihnen jenseits der durch Bojen markierten Grenze schwammen. Ein Eisverkäufer bahnte sich seinen Weg mit zwei großen Kühltaschen durch das Gewimmel brauner und blasser Gliedmaßen, bückte sich, um Geld entgegenzunehmen und Eis am Stiel auszuteilen.

Ich bemerkte, wie meine Mutter sich schüchtern umschaute und sehr langsam ging, als wäre ihr das ganze Treiben nicht geheuer. Als wir am Meer standen, zog sie hastig eine ihrer Sandalen aus und tauchte einen Fuß vorsichtig und kurz ins Wasser. Dann streifte sie gleich wieder ihren Schuh über, sah sich um, ob jemand sie beobachten haben könnte, und trat zurück.

»Freia, als ich das letztemal hier war, herrschten zwanzig Grad minus …«, sagte sie dann leise.

Und ich dachte an Jos Beschreibungen der Januartage des Jahres 45, dachte wieder an die Schwarzweißbilder, die ich von der Stadt und dem Hafen kannte. Für einen Moment wurde mir schwindelig. Vielleicht, weil ich wieder starke Bewegungen in meinem Bauch spürte, vielleicht, weil mir meine Umgebung auf einmal vollkommen irreal vorkam. Die Tatsache, daß es jetzt Hochsommer war und wir auf Besuch in einer Art polnischem Mallorca waren, drang nicht recht zu mir durch. Die Fotos, die Erzählungen waren meine Wirklichkeit gewesen, und ich wußte nicht, wie ich sie auch nur im entferntesten mit dieser gelösten Strandatmosphäre in Übereinstimmung bringen sollte. Mir schien, jemand könnte gleich eine Leinwand vor mir hochziehen, hinter der die »Gustloff« zum Vorschein kommen würde, das Schiff von dicht gedrängten, in dicke Mäntel und Schals gehüllten Menschen umgeben, am Horizont schwarzer, hochaufgetürmter Cumulonimbus.

»Wollen wir noch bis zum Hafen weiterlaufen?« fragte ich meine Mutter. Sie zuckte die Schultern, plötzlich eigentümlich entschlußlos.

An den Buden entlang schlenderten wir zum Hafen. Tatsächlich erkannte ich sofort den Bau mit dem runden, halb gläsernen Turm, der auf jedem alten Foto von Gotenhafen zu sehen ist. An der Fensterfront hing ein sehr langes giftgrünes Plakat mit der Aufschrift »Idea«.

Im Hafen lagen riesige Schiffe, größtenteils ziemlich rostig, Wasser aus Schiffsklappen hatte eine braune Spur auf dem weißen Lack hinterlassen, die Farbe der Container auf den großen Frachtern, die einfuhren oder etwas entfernt vom Hafen »parkten« und auf ihr Signal warteten, blätterte ab. Schiffsmotoren brummten, Männer liefen hektisch herum, winkten, gaben Anweisungen. Weiter am Horizont sahen wir riesige Hebewerke. Der Frachthafen schien sich endlos hinzustrecken. Mit meinem Minifernglas sah ich zu, wie zwei mächtige Schiffe – die »Antarctica« und die »Baltica« (doch auch sie würden nach meinem Augenmaß noch nicht die Länge der »Gustloff« erreichen) – unter majestätischem Hupen in Richtung Hafen fuhren. Mir lief ein kalter Schauer den Rücken hinunter.

Renate borgte sich nun mein Fernglas. »Da hinten kommt noch ein Tanker«, murmelte sie und hob das Kinn in Richtung Horizont, wo ich ohne Fernglas natürlich nichts als die roten und violetten Töne der Dämmerung sehen konnte. Plötzlich stutzte ich: Ein Wikingerschiff tauchte unvermittelt direkt vor uns auf. Im Gegensatz zu den anderen Schiffen war es frisch gestrichen, das Segeltuch leuchtete in den polnischen Nationalfarben, rot und weiß. Lautes Johlen wehte zu uns herüber, Menschen tanzten jetzt in einer langen Reihe über das Deck. Renate schüttelte den Kopf. »So was gab's damals nicht.«

Am Kai lag ein Militärschiff mit dem nüchternen Namen »H 34«, das sich von nahem als Museumsschiff entpuppte; nun war es allerdings schon zu spät, es zu besuchen. Ich fand, daß es sehr modern aussah mit seinen vielen schmalen Kanonen an Bord, die pfeilartig in alle Richtungen wiesen, aber Renate erläuterte mir, daß es noch dampfbetrieben sei und Kriegsschiffe heute nicht mehr so aussehen würden. Im Weitergehen entdeckte ich eine kleine Stelltafel, deren polnischen Text ich bis auf die Jahresangabe »1944« nicht richtig lesen konnte. Dem Kriegsschiff folgten unmittelbar Restaurant- oder Hotelschiffe, deren Eingänge mit Lichterketten geschmückt waren. Vor der »Bar Uniwersalny« drängelten sich polnische und deutsche Touristen. Volksmusik drang aus vor der Reling aufgebauten Lautsprechern, ein Mann mit Zylinder spazierte an Deck und plapperte ohne Unterbrechung, bisweilen sang er mit.

»Hier war's«, sagte meine Mutter knapp. Und danach, ohne zu zögern: »Laß uns irgendwo einen Happen essen gehen, Freia.«

Ich hakte mich bei meiner Mutter ein, um ihr nahe zu sein; auf der gegenüberliegenden Dock-Seite las ich noch die Schriftzüge »Klub Studencki« und »Klub Marynarki«. In einem der grauen Kästen aus den zwanziger Jahren, die offensichtlich nach der Wende noch nicht renoviert worden waren, flackerte Disko-Licht.

»Möchtest du lieber in die Kawiarnia Letnia oder in die Restauracja Akwarius?« fragte meine Mutter nach langem Schweigen.

»Mir liegt das Schaschlik aus dem Zug noch schwer im Magen, laß uns was Kleines essen«, schlug ich vor.

Nachdem wir beide in der Kawiarnia Letnia einen Salat und ein Piwo Amber bestellt hatten, erläuterte Renate mir einige grammatikalische Besonderheiten der polnischen Sprache und brachte mir ein paar neue Redewendungen bei. Ich wartete die ganze Zeit auf eine Äußerung, eine Bemerkung von ihr, die mir etwas darüber verriet, was in ihr vorging, aber sie beschäftigte sich für den Rest unseres Abendessens damit, ein Stück Brot, das uns mit dem Salat gebracht worden war, an eine Möwe zu verfüttern.

Schließlich tranken wir schweigend unser Bier aus und machten uns auf den Rückweg.

Die fliegenden Händler waren nun von der Strandpromenade verschwunden, dafür grölten einige angetrunkene Jugendliche herum, kickten Bierdosen und taten so, als würden sie einander von der Brüstung stürzen wollen. Als sich ein großer Frachter mit einem lauten Hupen ankündigte, blieb ich stehen. Das Schiff hatte riesige Aufbauten und einen gewaltigen Bug. Sein Herkunftsland oder seinen Namen konnte ich trotz des Fernglases nicht feststellen. Wie mußte der Hafen von Gdynia wohl damals ausgesehen haben, als fast die gesamte den Deutschen noch verbliebene Kriegs- und Handelsflotte hier versammelt war.

Ich zog einen Stadtplan aus der Hosentasche, den ich mir im Hotel mitgenommen hatte, und warf einen Blick auf die Hafenanlage. Die vielen Hebewerke in der Ferne waren nur kleine Indikatoren für die wirkliche Größe des Hafens, das Gelände samt Frachtbahnhof, Lagerhallen und Zufahrtswegen war weitaus größer als die gesamte Stadt! Ich entdeckte sogar Docks für den Schiffsverkehr nach Albanien und Indien. Und westlich von unserer Strandpromenade, auf der man vom Hotel bis zum ersten Dock auch schon eine halbe Stunde lief, erstreckte sich noch ein endloser Sandstrand bis über Sopot, ja bis über den Rand der Karte hinaus.

»Bist du da manchmal gewesen?« fragte ich Renate, die jetzt zu mir getreten war und auch auf das Schiff in der Ferne schaute. Nun blickte sie auf die Karte, verfolgte den

Weg meines Fingers. Und sie nickte. Mir fiel wieder eines der wenigen Kinderfotos ein, die ich von meiner Mutter gesehen hatte: Renate hockte neben Jo, die einen unglaublich altmodischen Badeanzug trug, vor einer Sandburg, ein Schippchen in der Hand, die Augen wegen der Sonne etwas zusammengekniffen.

»Aber so viele heiße Sommer gab es hier damals nicht«, fügte sie noch schnell hinzu.

Ich beschloß, die Tatsache, daß Renate vielleicht doch ein wenig in Redestimmung zu sein schien, auszunutzen.

»Und hast du damals die vielen Kriegsschiffe bewußt wahrgenommen, ich meine, wußtest du, warum die hier stehen …?«

Renate zuckte die Achseln. »Guck mal, der große Pott kommt langsam heran …«

Sie starrte auf das in der Abendsonne aufleuchtende Meer, das für das riesige Schiff einen endlosen roten Teppich ausgelegt zu haben schien.

Schließlich murmelte sie: »Nein, ich weiß nur, daß ich damals die Kriegsschiffe langweilig fand, weil die alle nur grau waren. Die KdF-Schiffe fand ich hübscher.«

»Und erinnerst du dich, worüber Jo und Mäxchen in dieser Zeit so geredet haben? Hast du etwas von Stalingrad mitbekommen? Wie haben sie das kommentiert?«

»Freia, Stalingrad kommentiert, da war ich ein Kleinkind! Keine Ahnung … Einmal hat Mäxchen ›Russe‹ gespielt und meine Sandburg kaputtgemacht, einfach so, einmal mit dem Stiefel draufgetreten, das weiß ich noch …«

»Hast du da geweint?«

»Und wie. Vati hat nie wieder ›Russe‹ mit mir gespielt.«

»Mama, warum bist du immer so oft nach Polen zu Onkel Kazimierz gefahren? Was hast du da eigentlich gemacht oder beredet?«

Mein Blick hing an meiner Mutter. Seit über zwanzig

Jahren war sie mit schöner Regelmäßigkeit immer wieder heimlich verschwunden. Und jedes einzelne Mal hatte meinen Bruder und mich die Angst gequält, sie könnte einmal nicht mehr zurückkehren.

»Kazimierz war der einzige, bis auf meine Eltern, der Bescheid wußte, Freia. Er war der einzige, der genau wußte, wie und warum wir auf das Minensuchboot gekommen sind. Deshalb war er meinen Eltern gar nicht geheuer. Sie hatten Angst, daß er mir fern von ihrem Zugriff Dinge erzählt, die mich gegen sie aufwiegeln könnten. Immer wieder haben sie auf die eine oder andere Weise versucht, unseren Kontakt zu unterbinden. Daß wir privilegiert, als Nazis der ersten Stunde seit langem sehr privilegiert waren und dadurch natürlich Fluchtvorteile besaßen – Flucht war ja nicht gleich Flucht! –, das war allgemein bekannt. Nicht aber meine persönliche Verstrickung. Das habe ich Kazimierz Jahre später in einem ziemlich verworrenen Brief geschrieben – irgend jemandem mußte ich mich ja anvertrauen! Nachdem ich alt genug war, um richtig zu begreifen, daß dieses riesige Schiff in der gleichen Nacht gesunken ist – die größte Schiffskatastrophe aller Zeiten, Freia – und was für Folgen mein Handeln gehabt hat. Weißt du übrigens, daß ich nie wieder in meinem Leben ein Schiff betreten habe? Ich meine, ein richtiges, nicht so eine Fähre zur Pfaueninsel. Schon wenn ich nur das Wort ›Schiff‹ denke, meine ich, daß der liebe Gott, wenn ich es je wagen sollte, einen Fuß auf so ein Ding zu setzen, mich gleich bestrafen würde! Und meine Eltern taten immer so, als wäre ich die Lebensretterin. Tante Lena und Onkel Kurt genauso. Tante Lena war ja auch dabei. Nachher waren sie alle so schön demokratisch und so weiter, aber ich hab's anders im Ohr.«

Ich starrte auf das Wasser, das sich in schmutzigen Strudeln vor der Brüstung drehte. Ich hatte auch Angst vor Wasser, vor seinem Sog, vor großen Schiffen – die Bilder der sinkenden »Estonia« im Fernsehen hatten einen stärkeren Eindruck bei mir hinterlassen als viele andere Katastrophen. Vor Seekrankheit, vor Schlingpflanzen, vor großen Fischen, vor Quallen, vor zersplittertem Glas, in das man barfuß läuft, vor allem dort unten fürchtete ich mich. Der Himmel war mir lieber.

»Und wie hat Kazimierz darauf reagiert, auf deinen Brief meine ich?«

»Der hat mir gleich zurückgeschrieben. Also, was heißt gleich. Gleich geschrieben ja, aber bis damals die Post ankam … Kazimierz war ja sechs Jahre älter als ich, der wußte also schon mehr von all dem, was da draußen passiert war. Er schrieb mir, ich weiß das noch heute auswendig: ›Du bist nicht schuld daran, aber deine Eltern. Die haben schon immer den Arm höher gekriegt als alle anderen. Hat meine Mutti gesagt. Bin aber schrecklich froh, daß du lebst, Nati!!! Immer – Dein Kazi.‹«

»Und dann war Kazimierz so ein bißchen der große Bruder, mit dem du reden konntest, in all den Jahren danach?«

»Ja, wir haben viel geredet. Auch viele Wässerchen zusammen getrunken, aber vor allem geredet. Ohne Kazimierz …« Meine Mutter beendete den Satz nicht und schloß die Augen. Ich starrte auf die öligen Schlieren in der einst deutschen, jetzt polnischen Bucht, Schlieren, in denen sich ein Kaugummipapier, eine Zigarettenschachtel und ein hüpfender bunter Ball, den ein Kind vielleicht zu weit geschossen oder an irgendeiner anderen fernen Küste verloren hatte, immer schneller um sich selbst drehten.

»Und warum, glaubst du, hat Kazimierz sich umgebracht?«

Ich sah meine Mutter fest an und erwartete eine Offenbarung. Das Herz schlug mir bis in den Hals.

Meine Mutter warf ein Stück ihres Brots, das sie von der Kawiarnia mitgenommen hatte, einer herantrippelnden Möwe hin und schwieg. Ich wurde unruhig, ich hatte sie oft genug schweigend erlebt. Aber Renate zuckte mit den Schultern.

»Freia, ich weiß es wirklich nicht, hab mir darüber natürlich auch den Kopf zerbrochen.«

»Nichts, was du mir wieder nicht erzählen willst?«

»Freia, nein. Es ist überhaupt nichts in seinen letzten Lebensjahren passiert, soweit ich weiß – und ich glaube, ich weiß ganz gut über ihn Bescheid –, das dafür Anlaß gegeben haben könnte. Es ging ihm ja eigentlich immer besser …«

Ich schaute zu, wie meine Mutter zwei, drei weitere Brocken warf und einige Möwen sie im Flug auffingen. In Sekundenschnelle waren sie dann mit ihrer Beute aus unserer Sichtweite verschwunden.

»Aber weißt du, Freia …«, setzte Renate noch einmal an, »ich glaube einfach, daß dein Onkel sein Leben lang depressiv war. Vielleicht reicht es, das … das erlebt zu haben, was er erlebt hat: als Kind im zerbombten, entvölkerten Warszawa aufgewachsen zu sein« – meine Mutter sagte immer ›Warszawa‹ – »und die eigenen Eltern gleich in den ersten Jahren nach dem Krieg verloren zu haben. Vielleicht ist da eben doch kein Wässerchen stark genug, ich weiß es nicht, Freia, ich weiß es wirklich nicht. Das ist es aber, was ich glaube. So eine grundsätzliche, mit nichts zu stillende Melancholie.«

Ich starrte in den jetzt schieferfarbenen Himmel, die Farbe, die ich am meisten haßte, und dachte nach über die Worte meiner Mutter. Mein so theatralischer Onkel und meine so spröde Mutter, seelenverwandt, doch, ich hatte es immer gewußt. Gewußt, wenn meine Mutter ihre plötzlichen Energieschübe bekam und auf ungesattelten Pferden einfach davonritt mit vorgerecktem Kinn, gewußt, wenn mein Onkel mich in Warschau an die Hand nahm und ich die überraschende Zartheit, Weichheit seiner ungewöhnlich kleinen, zierlichen Hände spürte. Gewußt, als ich in Warschau Lakritzpastillen lutschte und an den Mund meines

Onkels denken mußte, dessen Lächeln in sich zusammen-fallen konnte, als hätte man die Fäden einer Marionette aus der Hand gelassen. Geahnt, wenn ich die Katjes-Lakritz-kätzchen in umgedrehten Deckeln von Einmachgläsern bei Renate in der Küche sah.

»Manchmal frage ich mich nur, welche Lebensberechti-gung ich eigentlich noch habe, wenn schon jemand, der nur Opfer war, sich später umbringt ...«

Meine Mutter verweigerte einer direkt vor ihren Füßen hockenden Möwe das letzte Stück Brot und steckte es sich selbst in den Mund.

»Renate, du warst damals ganze fünf Jahre alt!« sagte ich vorwurfsvoll – vielleicht in einem Tonfall, den meine Mut-ter oft von ihrer Mutter gehört hatte. Jedenfalls schien Re-nate keinen Heller auf das zu geben, was ich da gerade ge-sagt hatte. Sie schaute den Möwen nach, die kreischend spiralenförmige Bahnen zogen, bis sie vor unseren Augen im schieferfarbenen Nichts verschwanden.

Da entdeckte ich auf einmal etwas. Ich griff nach meinem Minifernglas und starrte in den Himmel. Eine Wolke, wie aus Seide, aus unendlich fein verschütteter Milch, aus Spucke, durchsichtig wie der so eigenartig fleischlose Kör-per von Quallen und doch deutlich erkennbar ihre Ränder, dort oben, in ich schätzte 15 000 Meter Höhe, leicht be-wegt. Im nächsten Moment lag ich trotz meines Bauches der Länge nach auf dem Boden und richtete meine kleine Digitalkamera direkt in den Himmel über mir. Ich zitterte, ich verschoß eine Unzahl von Bildern, ich spürte meinen Herzschlag in meinen Schläfen. Meine Mutter schenkte meinem Treiben, das ihr seit jeher geläufig war, keine wei-tere Beachtung.

Später, meine Mutter schlief schon, sah ich mir noch ein-mal in Ruhe meine Fotos an und war höchst zufrieden. Wenigstens ein paar waren nicht verwackelt. Ich beschloß, die Neuseelandreise abzusagen, denn ich war nun am Ende des achten Monats, der Druck und die Strahlung während des Flugs hätten sich negativ auf das Kind auswirken können, außerdem hatte ich keine Lust, Christian so lange nicht zu sehen, und das Kind drückte auf meine Blase, ich mußte andauernd auf die Toilette – mir graute vor dem Zwanzig-Stunden-Flug. Wenn Dr. Remler wüßte, was ich nicht auf der Südhalbkugel, sondern eine Tagesreise von zu Hause entdeckt hatte! »Clouds For The 21st Century« – ein abgeschlossenes Projekt. Ich beschloß, meinen Doktorvater noch etwas zappeln zu lassen, und schickte am nächsten Morgen zuerst Tuben eine SMS, der sofort begeistert antwortete:

»Wir zs. im n. Jahr 1 Sympos. über Wolken als ›Geschichtsspeicher‹?«

Was sich genau hinter Tubens spontaner Idee verbarg, war mir nicht klar, aber ich sagte meinem geistigen Ziehvater erst einmal zu und erntete aus Wien noch ein knappes »très bien«.

Nach dem Frühstück in einem riesigen, trotz seines vielen maritimen Schmucks kahl wirkenden Saal, in dem wir am Buffet den »Spotkania«-Rentnertrupp wiedertrafen, machten wir einen Spaziergang. Vorher hatte meine Mutter noch im Hotelladen einen Kamm gekauft, denn wir hatten bei unserer hastigen Abreise einige Dinge vergessen, und ich mit meiner Glatze konnte meiner Mutter in Sachen Haarpflege nicht aushelfen.

Der Hotelladen befand sich gegenüber der Rezeption, war ebenfalls dunkel getäfelt und stellte auf großen glänzenden Brettern eine kärgliche Auswahl an Gütern aus:

Da lag – bis meine Mutter ihn einsteckte – ein einziger roter Kamm, daneben ein Feuerzeug, eine Packung Taschentücher, eine Schokoladentafel »Wedel« – jetzt wieder ohne den Zusatz: 22. Juli – der »Tag der Befreiung« war inzwischen wieder gestrichen worden. Auf dem unteren Regalbrett lag ein einziger Plastikrasierer, Schuhputzcreme, eine Pappschachtel mit Bonbons, eine angestaubte Packung Binden und eine einzige Postkarte vom Hotel.

Es schien mir unvorstellbar, nur zwei Minuten von der Kettcar-, der Hotdog-Buden-Kultur und den »Keep your distance«-Girlies vom Strand entfernt zu sein. Nicht nur die Vergangenheit und die Gegenwart, auch verschiedene Ebenen der Gegenwart griffen hier ineinander oder glitten lautlos aneinander vorbei.

Kaum hatten wir das Hotel verlassen, brach uns der Schweiß aus, denn es waren schon wieder dreißig Grad. Es war Renates Vorschlag, lieber in einem der zahlreichen Cafés mit Meerblick etwas zu trinken, als uns den Hafen noch einmal genauer anzuschauen. Wir waren keine hundert Meter weit gelaufen, da standen wir vor zwei mannsgroßen, giftgrünen Plastik-Glühbirnen, auf denen die schlichten, technisch aussehenden Buchstaben »Idea« prangten. Im Hintergrund hörte man ein eigentümliches Zischen und Rauschen, und nun sahen wir die aufblasbaren Werbefiguren, grüne Männchen mit von der heißen Luft zappelnden Armen. Idea!

Zwischen den hampelnden Figuren standen, saßen und knieten zig Menschen, die an Miniatursegelbooten herumbastelten; sie richteten Masten, strichen Tuch glatt oder hantierten an der Fernsteuerung. Plötzlich ertönte ein tiefes Hupen, und alle anderen Strandgäste, bis auf die Bastler, stürzten zur Brüstung. Dort begann jetzt die erste vom Glühbirnenfabrikanten Idea gesponserte Minisegelschiffregatta. Die Bastler hier schienen erst in der nächsten Runde zu starten.

Die Schiffchen mußten kleine Bojen umfahren und aufpassen, nicht vom Wind umgekippt zu werden. Die Schaulustigen brüllten, feuerten an, erhoben die Fäuste und seufzten auf. Das erst so verheißungsvolle Schiffchen Nummer 11 wurde schließlich Letzter.

»Das ist nicht weit von hier zur Stolpebank«, murmelte meine Mutter plötzlich so leise, daß ich sie erst überhaupt nicht verstand. Minuten später ging mir auf, daß dies der Ort war, in dessen Nähe – etwas nördlich – die »Gustloff« gesunken war. Ich starrte auf die putzige Segelregatta und dachte daran, daß die »Gustloff« nie gehoben worden war und unter den vielen Totenköpfen in ihrem Wrack, die den polnischen Tauchern auf der Suche nach dem Bernsteinzimmer aufgefallen waren, auch Rudis war. Jetzt kam die zweite Gruppe dran, Kameras blitzten auf, ein Mann mit Bauchladen verteilte Schokoladen-Glühbirnen, einem Kind fiel die Fernsteuerung aus der Hand, und es weinte.

Renate und ich gingen ein paar Schritte weiter, nicht ohne eine dieser Schokoladen-Glühbirnen zugesteckt zu bekommen. Schließlich fragte ich meine Mutter, ob sie hier noch irgend etwas wiedererkennen könnte außer den Zwanziger-Jahre-Bauten. Kaum hatte ich sie ausgesprochen, schien meine Frage mir schon absurd. Meine Mutter schüttelte den Kopf, meinte dann aber: »Eigentlich ist es doch schön, daß die Leute hier so fröhlich sind und daß man alles vergessen zu haben scheint. Man kann sich doch nichts Besseres für diesen Ort wünschen, oder? Was meinst du, Freia?«

»Ja, sicher«, sagte ich schnell und hakte mich vorsichtshalber bei meiner Mutter ein.

Im nächsten Augenblick fuhren wir zusammen. Ich legte beide Arme um meinen Bauch und atmete schwer. Auf uns waren mindestens fünf Kanonenrohre gerichtet. Schwarz und glänzend ragten sie aus dem Gebüsch heraus. Wir traten erschrocken zurück, meine Mutter kniff die Augen zusammen und übersetzte mir: »Marinemuseum Gdynia. Eröffnung in Kürze. Die Stadtverwaltung.«

Auf der dem Meer abgewandten Seite der Strandpromenade befand sich eine kleine bewaldete Anhöhe. Hier standen die Exponate des Freilichtmuseums. Schiffskanonen, Flakabwehrgeschütze und dergleichen mehr, frisch gestrichen, lauerten, nicht auf den ersten Blick erkennbar – gestern abend hatten wir das Kriegsgerät glatt übersehen –, im Grün. Das Areal war groß, und es waren mindestens dreißig Objekte ausgestellt.

»Ist das gräßlich, Renate«, brachte ich schließlich hervor.

»Schade, daß es noch geschlossen hat, ich hätte mir die Dinger gerne von nahem angeschaut.«

Meine Mutter stellte sich trotzig an den grüngestrichenen Zaun. Dann winkte sie ab. »Freia, ich bin am Verdursten.«

Mir war nun klar, daß wir heute über nichts Wesentliches mehr reden würden; sie hakte sich wieder bei mir ein und zog mich fort, an einem Kettcar-Verleih vorbei in Richtung der Kawiarnias.

Am Abend unternahmen wir einen letzten Spaziergang, ehe es am nächsten Morgen mit dem Zug zurück nach Berlin gehen sollte. Vorher hatte Tuben noch angerufen und mir erklärt, was sich hinter seiner SMS verbarg. Der von ihm erfundene Begriff »Geschichtsspeicher« bezog sich, wie er fand, sowohl auf »Geschichte« wie auch auf »Geschichten«. Und er wollte anhand von Cirrus Perlucidus die schwebende Grenze zwischen »subjektiver« und »objektiver« Geschichte, zwischen Faktum und Empfindung erörtern, Schriftsteller, Publizisten, Historiker, Politologen und Meteorologen gemeinsam einladen. Die Finanzierung und eine geeignete Räumlichkeit waren noch unbedeutende, nicht geklärte Randprobleme für Tuben. Ich war mir nicht sicher, ob Dr. Remler nicht Cirrus Perlucidus für sich in Beschlag nehmen und statt des Symposiums nicht eher ein Urania-Dia-Vortrag mit »Clouds For The 21st Century« stattfinden würde, aber Tubens Idee gefiel mir erst einmal.

Wir waren bereits auf dem Rückweg, als meiner Mutter einfiel, daß sie Peter noch nicht unsere exakte Ankunftszeit am Bahnhof Lichtenberg durchgegeben hatte, und sie borgte sich mein Handy aus.

Im nächsten Moment sah sie mich verdutzt an.

»23.00 Uhr, niemand hebt ab. Er muß doch morgen wieder ganz früh aufstehen. Ob ihm etwas zugestoßen ist?«

»Vielleicht hat er einfach den Fernseher laut gestellt?«

»Nein, das kann nicht sein. Das Telefon steht doch keine fünf Meter entfernt, das muß er hören. Ich hatte ihm auch gesagt, ich rufe am Abend vorher noch mal an.«

Renate sah mich ernsthaft besorgt an. Ich wußte, daß sie, seitdem sie einmal eine Statistik über die häufigsten Todesursachen gelesen hatte, von der Furcht befallen war, jemand von uns würde einem Haushaltsunfall erliegen. Sie tippte die Nummer hastig noch mal in mein Handy.

»Nichts, er nimmt nicht ab, Freia.«

»Du weißt doch, wie er ist …«, fing ich an und wollte eigentlich sagen: Er ist oft etwas schusselig und hat die Verabredung mit dir wahrscheinlich einfach vergessen.

Aber meine Mutter faßte mich sehr scharf ins Auge, und ich entdeckte jenen gnadenlosen Zug an ihr, so daß mir auf einmal sehr unheimlich wurde.

»Wie ist er denn …?« fragte sie mich, mit einer Stimme, fest, laut, voluminös, schwer.

»Was meinst du?« fragte ich und tat verwirrt, dabei wußte ich genau, was sie meinte.

Meine Mutter senkte ihren Blick in mich, ihre graublauen hellen Augen, die mich in ihrer Unbewegtheit, ihrer starren Regungslosigkeit an die Augen der hungrigen Möwen erinnerten, und ich fragte mich: Was ist es, was uns das Gefühl gibt, einem Menschen am nächsten zu sein, wenn man in seine Augen schaut? Warum die Augen? Was nur in ihnen vermittelt uns den Eindruck einer Pforte zur Seele des anderen? Und ich fragte mich – so wie ich vor Mäxchens Bienenhaus darüber nachgedacht hatte, einmal eine Biographie nur über die Hände eines Menschens zu schreiben –, was diese Augen alles gesehen, ausgeblendet, durchbohrt, vergessen und nicht vergessen hatten. Ich starrte in die Augen meiner Mutter, und sie wußte, daß ich log.

# 23

# Aino

Der Name Aino stammt aus Finnland und ist keineswegs ein Jungenname, wie man vermuten könnte. Christian fand den Namen »drollig« und war einverstanden. Er überlegte sich den Zweitnamen. Elise. Aino Elise Sandmann.

Als ich den Kölner Bahnsteig erreicht hatte, sah ich nur die Schwarzgekleideten unter den an mir Vorbeihastenden, sah nur die tote Taube vor der Imbißbude mit dem prosaischen Namen »Ham Ham«, nur den leichten Regen, nicht die Sonne, die den seltsamen, schwachen Regenbogen über dem Dom hervorrief. Nur das schwache grüne Licht des Regenbogens fiel mir auf, nicht seine leuchtenden Orange- und Rottöne. Die Trillerpfeife eines Schaffners ließ mich zusammenzucken, ein Windstoß trieb mir Tränen übers Gesicht. Aino schrie und schrie.

Ich raste mit 250 Kilometern pro Stunde, wie die rote zuckende Anzeige im ICE verriet, von Köln gen Osten zurück nach Hause. Der Himmel war von unzähligen Cirrus Contortus beherrscht, deren fetzenhafte Form immer wieder neue Erinnerungen vor mein inneres Auge wie an eine Leinwand warfen. Ein Zitat von Jonathan Swift aus seiner 1704 veröffentlichten Satire »The Tale of a Tub«, das Dr. Tuben mir einmal herausgesucht hatte, als die definitorische Abgrenzung von Translucidus und Perlucidus mich halb verrückt gemacht hatte, ging mir durch den Kopf:

»Wenn ich an einem windigen Tag mir erlaubte, Hoheit zu versichern, es gebe am *Horizont* eine große Wolke in

Form eines *Bären*, eine andere im *Zenith* mit dem Kopf eines *Esels*, eine dritte im *Westen* mit Klauen wie ein *Drache*, und Hoheit würden nach einigen Minuten die Wahrheit zu prüfen für richtig halten, so würden sicher alle in Gestalt und Position verändert sein: Neue würden aufziehen, und das einzige, worauf wir uns einigen könnten, wäre, daß Wolken da seien, daß ich mich aber ungeheur in ihrer *Zoographie* und *Topographie* getäuscht hätte.«

Und das Shakespeare-Zitat fiel mir ein, das Tuben auf dem Empfang, an dem wir uns zum erstenmal begegneten, auf meine Serviette gekritzelt hatte:

HAMLET: Seht ihr die Wolke dort,
   beinahe in Gestalt eines Kamels?
POLONIUS: Beim Himmel, sie sieht auch
   wirklich aus wie ein Kamel.
HAMLET: Mich dünkt, sie sieht aus wie ein Wiesel.
POLONIUS: Sie hat einen Rücken wie ein Wiesel.
HAMLET: Oder wie ein Walfisch?
POLONIUS: Ganz wie ein Walfisch.

Aino lag in meinen Armen, ein halbes Jahr alt. Gestern hatte ich in Köln meinen ersten Vortrag nach ihrer Geburt gehalten. Ich hatte meinen neu überarbeiteten Wolkenatlas vorgestellt und über meine jahrelange Suche nach Cirrus Perlucidus berichtet. Und wie ich ihn nicht auf Island, nicht in Labrador oder Baffin Island und auch nicht über Gebirgskämmen in Kasachstan, sondern an einem schwülen Augustabend an der polnischen Ostseeküste entdeckt hatte. Welche Implikationen das Auftreten dieses Wolkentypus für die Seefahrt und den Fischfang bedeuten könnte und wie er sich von verwandten Typen abgrenzen ließ, erörterte ich. Ich hatte großformatige Dias gezeigt und auf die kaum sichtbaren Wolkenränder vor dem kobaltblauen Himmel hingewiesen. Am Schluß wurde lange applau-

diert; selbst meine Widersacher, die meine kulturge-
schichtlichen Ausschweifungen stets belächelt hatten und
mich, nur weil ich so jung war und keinen Wert darauf
legte, mich seriös zu kleiden, oft nicht ernst genommen
hatten, klatschten und klopften mir nachher auf die Schulter. Und doch hatte ich mich am Ende meiner Suche, als
Mittelpunkt des Abends, alleine, traurig gefühlt. Es war
eine besondere Traurigkeit, und ich mußte an meine Mutter denken, wenn sie am Fenster stand und hinausschaute.
Wie oft hatte mich ein Frösteln überfallen, wenn ich in unser Wohnzimmer trat und auf ihren regungslosen Rücken
starrte. Wie viele Male war dieses leuchtende Schiff für sie
im dunklen Meer des blickdichten Waldes untergegangen,
wie viele Male hatte sich das harmlose Vogelzwitschern
vor unserer Tür in eine Klangwoge aus schreienden Stimmen verwandelt?

Die Landschaft flog an mir vorbei, gewundene Sträßchen,
baumumflankte Alleen, Traktoren, geziegelte Dächer, gelbe,
grüne, braune Felder. Als ich das letztemal diese Strecke gefahren war, hatte Regen gegen die Scheiben getrommelt,
hundert, tausend kleine Warnungen, bedrohlich aufgetürm-
te Cumulus-Wolken, und dann, in Hannover: stumm, der
Rücken meiner Mutter.

Ich blickte hoch in den hohen, plötzlich leergefegten
Himmel. Sonne.

Der plötzliche Einbruch von Licht blendete meine Augen
schmerzhaft; vor meinen inneren Augen saß Jo in ihrem abgedunkelten Wohnzimmer mit den erdfarbenen Brokatvor-
hängen und faltete ihre Hände. Im Bienenhaus stand mein
Großvater und erschlug die Bienen, die nicht zu den anderen zurück in den Stock fliegen wollten.

Dann sah ich Christian vor mir: Wie wir mit Tuben in
der Kneipe gesessen hatten, wie er das erstemal meine
Hand in seine genommen, wie er sich von meinem Fernglas und meinem Wunsch, viel allein zu sein, nicht hatte

abschrecken lassen, wie er mich das erstemal geküßt, wie er meinen Kopf bei Ainos Geburt gestützt hatte.

Alles war in Bewegung, in Unruhe, und nun war ein neuer kleiner Mensch mitten unter uns. Seit Ainos Geburt wohnten Christian und ich tatsächlich im gleichen Haus. So nahe war mir außerhalb meiner Familie noch niemand gerückt. Eine gemeinsame Wohnung – das allerdings hatte ich noch nicht fertiggebracht. Ich wohnte im vierten, Christian im dritten Stock, seine Balkonpflanzen rankten schon zu mir hoch.

Kaum war ich aus dem Krankenhaus gekommen, konnten wir uns vor Besuch nicht mehr retten. Peter benahm sich in der Nähe von Aino wie Superman, hob sie ständig hoch, rannte mit ihr durch die Wohnung, brüllte und lachte. Meine Mutter hatte sofort Gesundheitsratschläge parat, mit denen sie Christian und mich überschüttete. Noch keine zwei Wochen alt, mußte Aino sich schon gutgemeinten orthopädischen Prozeduren unterziehen. Paul schickte schriftliche Grüße, er war mit einem Künstler-Stipendium nach Paris gegangen. Wir telefonierten gelegentlich.

Mit jedem neuen Tag, den ich mit Aino und Christian verbrachte, war ich gespannter, wie dieser kleine Mensch Eingang in unsere Familie finden und welche Veränderungen sich aus der Tatsache ergeben würden, daß ich jetzt in Renates und Renate in Jos Rolle geschlüpft war. Ich fragte mich auch, ob mein Vater sich nun endlich gönnen würde, in Ruhe alt zu werden …

Aber alles kam anders.


Der Zug hielt in Hannover, und Aino schrie.


Der Winter war hereingebrochen, härter und länger als in den Jahren davor. Ich sehnte mich nach Sonne oder nach einem nordischen Winter: eisern und echt. Wir liefen durch den grauen Matsch unserer Stadt, immer bemüht, unser Kind nahe am Leib zu halten. Christian bekam eine Bronchitis und erholte sich wieder. Danach schnürte er dickleibige Zeitungen um die Töpfe seiner Balkonpflanzen, damit sie nicht erfrören. Es wurde eisig, ein Außenrohr fror ein. Alles schien zu stagnieren. Die Post streikte. Es gab einen Stromausfall. Bei unseren Nachbarn wurde eingebrochen. Wir stritten uns über Lappalien. Aino zerrüttete unsere Nächte. Heißen Tee mit Honig trinkend, mit den Rücken an meinen Schlafzimmerofen gelehnt, vertrugen wir uns wieder. Aino bekam Haare und ein Lächeln. Tauwetter setzte langsam ein.

Die Nachricht traf mich unvorbereitet – aber kann man sagen, auf so etwas sei man je wirklich vorbereitet?

Jemand weinte am Telefon, und es dauerte einen Moment, bis ich meinen Vater erkannte. Er weinte anders als bei einem traurigen Fernsehfilm. Leiser.

Er hatte meine Mutter im Schlafzimmer auf dem Bett gefunden. Abends, in der Stunde der Dämmerung. Sie hatte einfach alles weggeworfen, was sie besaß. Das Zimmer war fast leer, ihre Schränke ausgeräumt. Die Fotoalben, Kisten und Kartons an der Haustür hatten meinen Vater schon stutzig gemacht. Nur sie allein lag in einem leuchtend roten Kleid auf dem ordentlich gemachten Bett.

Eine Dose mit ihrer Zigarettenstummelsammlung von Peter, Aquarelle von Paul und meine Zöpfe fand ich später im Müll.

# 24

# »Himmelskörper«

Zwei Jahre später, nach dem Hausverkauf – Peter war mitsamt der Praxis in die Innenstadt gezogen –, nach Pauls und meinem Streit über die künstlerische Verwendung meiner vermaledeiten Zöpfe, besuchte ich meinen Bruder in Paris, wo er inzwischen mit seinem Freund Jacques, einem Fotografen, zusammen lebte. Es war meine erste Reise zu Paul; durch Aino war ich nicht mehr so flexibel wie früher.

Paul trug inzwischen kurze Haare und färbte sie nicht mehr schwarz. Obwohl wir nun sehr getrennte Wege gingen und in verschiedenen Ländern lebten, sahen wir uns wieder ähnlicher. Drei Tage lang sprachen wir auf Spaziergängen in der Stadt, in zahllosen verrauchten Cafés oder nachts bei einem Glas Wein im Wohnzimmer über alles mögliche, vor allem über unsere Familie. Einmal griff Paul, während ich zu einem langen Monolog über Renates Kindheit in Gotenhafen/Gdynia ansetzte, unwillkürlich zum Pinsel. Hände, Münzen, Flaggen, Schiffsmaste wurden mit flüchtigen Strichen zwischen bunte Symbole aus der Seefahrt aufs Papier gesetzt. – 0,6 Grad.

Doch dann zerknüllte er den Bogen und schüttelte den Kopf.

»So machen wir das nicht mehr …«

Überrascht starrte ich auf den Papierball am Boden.

»Du hattest einen Wunsch frei … erinnerst du dich? Laß uns einfach anfangen, Freia …« Paul sah mich mit hochgezogenen Brauen an. Ob es der Abstand von zu Hause, sein langsam wachsender Erfolg als Künstler oder seine

Beziehung zu Jacques war, Paul schien entschlossener geworden zu sein.

»Wie lange könnt ihr hier bei uns bleiben?«

Ohne meine Antwort abzuwarten, fuhr mein Bruder fort:

»Ihr könnt so lange bleiben, wie ihr wollt. Macht doch richtig Sommerferien bei uns! Weißt du eigentlich, daß Jacques die Wohnung von seinen Eltern geschenkt bekommen hat? Hier ist genug Platz ...«

Mein Bruder brach ab und sah sich um. Er war kräftiger geworden in den letzten Jahren, und mir fiel auf, daß seine Unterarme behaarter waren, als ich sie in Erinnerung hatte. An der Art, wie er den Pinsel auf einem Wattebausch ausdrückte, spürte ich, daß er in jenem beneidenswerten Zustand war, den man mit »zur rechten Zeit am rechten Ort mit der rechten Person« umschreiben kann. Mein Bruder kam mir auf einmal sehr männlich und erwachsen vor.

Nun legte er eine seiner braunen Hände sanft auf meinen Arm und erzählte mit leiser Stimme:

»Ich bin so weit fortgegangen von zu Hause, und Renate lebt nicht mehr. Und trotzdem: An all das, was passiert ist, denke ich täglich – eine Endlosschleife in meinem Kopf. Alles, was ich male, steht unter diesem Bann oder Fluch. Selbst Jacques hat angefangen, Fotos mit Frauen zu inszenieren, die im Grunde genommen Kopien von Renate sind. Vor ein paar Monaten hab ich ihn gerade noch davon abhalten können, an die Ostsee zu fahren ... Wir sind glücklich, aber trotzdem spüre ich den Sog der Vergangenheit einfach immer ... morgens, wenn ich aufwache, wenn ich Tee mit Honig trinke, wenn ich Werbung für französischen Lindenblütenhonig im Fernsehen sehe, wenn ich ein rotes Kleid im Schaufenster, wenn ich kleine Mädchen mit Zöpfen sehe ... Freia, immerfort, jeden Tag, wie – du wirst den Begriff besser kennen als ich – so eine

Art ›kosmische Hintergrundstrahlung‹. Etwas, das immer da ist.«

Ich nahm Pauls Hand. Mein Blick glitt hinaus auf die Akazie im Hof. Hin und her schwankten ihre Zweige, bewegt von einer unsichtbaren Kraft.

»Weißt du, Freia, inzwischen kann ich sogar Wieland verstehen …«

Mein Bruder brach ab und schien in meinem Gesicht eine Gefühlsregung zu suchen.

»… der uns beide geliebt hat und, wie ich glaube, aus dem gleichen Grund verlassen hat … mir ist egal, ob er schwul, hetero oder bi ist, ob das eine oder andere eine Jugendphase war oder nicht … er hat dich nicht verlassen, weil du eine Frau bist, und mich nicht, weil ich nicht der richtige Mann für ihn war, sondern weil er unser Familiendickicht, die Stille am Stadtrand, diese Westberliner Provinzidylle nicht mehr ausgehalten hat! Ich bin Wieland nicht mehr böse, aber ich will nicht so werden wie er … so rastlos und bindungslos … Ich hab dir übrigens noch gar nicht erzählt, daß ich vor zwei Monaten wieder eine Karte von ihm bekommen habe … ein ziemlich verwackeltes Foto, darauf er mit einer jungen, knabenhaft aussehenden Asiatin, irgendwo an einem schäumenden Meer. Den Poststempel hab ich nicht richtig lesen können. Naja. Er ist auf eine seltsame Art anhänglich, findest du nicht? Jemandem, den man nie mehr gesprochen, geschweige denn gesehen hat, nach über zehn Jahren noch Karten zu schreiben ist doch seltsam, oder? Als hätten wir, die er verlassen hat, für seine innere Orientierung immer noch eine enorme Bedeutung. Vielleicht sind wir so etwas wie sein, sagen wir mal, personifizierter Ausgangspunkt. Wahrscheinlich braucht er uns jetzt viel mehr als wir ihn. Er muß diese Karten schreiben – und wir warten schon lange nicht mehr auf sie … aber worauf ich nicht warten will, ist, daß dieses Rauschen, diese seltsame Hintergrundstrahlung in meinem Kopf einmal von selbst aufhört. Vermutlich erst, wenn ich sterbe …! Ich muß etwas dagegen tun, Freia. Ich möchte hier in Frieden leben und Jacques nicht immer mit unserer Geschichte belasten, und deshalb müssen wir dieses Buch schreiben, Freia. Ich sehe es jetzt schon vor mir: Ein 6-Uhr-winterblauer Deckel, ein Ostsee-Karten-Ausschnitt, ein untergehendes Schiff, einige fahl leuchtende nächtliche Wolken. Die Buchstaben ›Himmelskörper‹ gleiten über …«

»Wieso Himmelskörper?« unterbrach ich ihn.

»Das habe ich mir so ausgedacht. Einfach so.«

»Aber Wolken sind doch keine Himmelskörper, Paul.«

»Nun sei bitte nicht gleich wieder so zwanghaft!«

»Na gut. Den Titel bestimmst du also. Aber ansonsten überlasse ich das Schreiben nicht dir allein, das wird wirklich eine Gemeinschaftsarbeit«, forderte ich.

»Du hast sogar gewisse Vorrechte, finde ich. Denn du hattest ja einen Wunsch frei. Wir schreiben also deine Geschichte, in die meine mit aufgeht. Mir reicht es, wenn ich die ›Dekoration‹, die Sprache bestimmen kann. Die Fakten habe ich sowieso nicht halb so gut wie du im Kopf … Struktur und Entwicklung ist auch eher dein Feld … Freia, es fängt an zu gewittern, laß uns schnell die Fenster zumachen!«

Als ich später mit Jacques am Herd stand, schloß ich für einen Moment die Augen. Das Knistern der Zwiebeln, die ich gerade anbriet, und die Wärme an meinem Gesicht versetzten mich in ein Gefühl erregter Vorfreude.

Pauls und meine Einheit: Wenn schon nie mehr in Wirklichkeit, dann wenigstens einmal auf der Welt, in einem Erinnerungsstück, an einem »Ort«: Papier, so leicht wie Wolken, Luft, wie Cirrus Perlucidus, nach dem ich mich mein Leben lang gesehnt habe und der unter meinem Kopfkissen spielend Platz finden könnte.

# Danksagung

Ich danke Anton Landgraf für seine Liebe und Anwesenheit.

Bei Angela Drescher möchte ich mich für das feinfühlige Lektorat bedanken.

Mein Dank gilt ferner Margarethe und Alexander Dückers, Daniel Dückers, Hans Schmöle (†), Anne Ursel Schmöle, Hildegund und Oswald Hölscher, Ursula Krechel, Robert Schindel, Nina Petrick, Franz Stintz, Caroline Hartge, Elżbieta Zimmermann, Stephan Schmidt, Tanja Krüger, Uwe-Michael Gutzschhahn, Elisabeth Scharf und Kurt Ruhstorfer, Jutta Schiecke, Patrick Wilden, der Max-Kade-Stiftung und dem Allegheny College in Pennsylvania/USA, insbesondere Peter Ensberg und Roz Macken, sowie dem »Deutschen Haus«, dem »Baltischen Zentrum« auf Gotland/Schweden, insbesondere Gerda Lindskog und Lena Pasternak, für Informationen, Recherchchinweise, Reisebegleitung, Leseresonanz oder die freundliche Vergabe eines Stipendiums für diesen Roman.

Besonderer Dank gilt der französischen, in Berlin ansässigen Künstlerin Géraldine de Faucher, die Pate stand für Pauls eigenwillige Art der Bildbetitelung durch Zahlen. Pauls Bilder selbst sind alle vollständig erfunden.

Mit besonderem Gewinn habe ich das Werk »Die Erfindung der Wolken. Wie ein unbekannter Meteorologe die Sprache des Himmels erforschte« (Insel Verlag, Frankfurt am Main und Leipzig 2001) von Richard Hamblyn gelesen.

Dank auch post mortem an Mozart, Beethoven, Dvořák, Rachmaninow, Strawinsky und Townes Van Zandt – und ante mortem an Johnny Cash, Cowboy Junkies, The Thievery Corporation, Denzel & Huhn, Marie-Cécile Rebes und Jazzbo – ohne ihre Musik wäre die Arbeit an diesem Buch sehr viel beschwerlicher gewesen.